English-Ukrainian
Ukrainian-English

Word to Word™
Bilingual Dictionary

Compiled by:
C. Sesma, M.A.

Translated by:
Iryna Mulder

Bilingual Dictionaries, Inc.

Ukrainian Word to Word™ Bilingual Dictionary
1st Edition © Copyright 2009

Published in the United States by:

Bilingual Dictionaries, Inc.
PO Box 1154
Murrieta, CA 92562
T: (951) 461-6893 • F: (951) 461-3092
www.BilingualDictionaries.com

ISBN13: 978-0-933146-25-9
ISBN: 0-933146-25-6
Printed in India

Preface

Bilingual Dictionaries, Inc. is committed to providing schools, libraries and educators with a great selection of bilingual materials for students. Along with bilingual dictionaries we also provide ESL materials, children's bilingual stories and children's bilingual picture dictionaries.

Sesma's Ukrainian Word to Word Bilingual Dictionary was created specifically with students in mind to be used for reference and testing. This dictionary contains approximately 18,000 entries targeting common words used in the English language.

List of Irregular Verbs

present - past - past participle

arise - arose - arisen
awake - awoke - awoken, awaked
be - was - been
bear - bore - borne
beat - beat - beaten
become - became - become
begin - began - begun
behold - beheld - beheld
bend - bent - bent
beseech - besought - besought
bet - bet - betted
bid - bade (bid) - bidden (bid)
bind - bound - bound
bite - bit - bitten
bleed - bled - bled
blow - blew - blown
break - broke - broken
breed - bred - bred
bring - brought - brought
build - built - built
burn - burnt - burnt *
burst - burst - burst
buy - bought - bought
cast - cast - cast
catch - caught - caught
choose - chose - chosen
cling - clung - clung

come - came - come
cost - cost - cost
creep - crept - crept
cut - cut - cut
deal - dealt - dealt
dig - dug - dug
do - did - done
draw - drew - drawn
dream - dreamt - dreamed
drink - drank - drunk
drive - drove - driven
dwell - dwelt - dwelt
eat - ate - eaten
fall - fell - fallen
feed - fed - fed
feel - felt - felt
fight - fought - fought
find - found - found
flee - fled - fled
fling - flung - flung
fly - flew - flown
forebear - forbore - forborne
forbid - forbade - forbidden
forecast - forecast - forecast
forget - forgot - forgotten
forgive - forgave - forgiven
forego - forewent - foregone
foresee - foresaw - foreseen
foretell - foretold - foretold

forget - forgot - forgotten	**light** - lit * - lit *
forsake - forsook - forsaken	**lose** - lost - lost
freeze - froze - frozen	**make** - made - made
get - got - gotten	**mean** - meant - meant
give - gave - given	**meet** - met - met
go - went - gone	**mistake** - mistook - mistaken
grind - ground - ground	**must** - had to - had to
grow - grew - grown	**pay** - paid - paid
hang - hung * - hung *	**plead** - pleaded - pled
have - had - had	**prove** - proved - proven
hear - heard - heard	**put** - put - put
hide - hid - hidden	**quit** - quit * - quit *
hit - hit - hit	**read** - read - read
hold - held - held	**rid** - rid - rid
hurt - hurt - hurt	**ride** - rode - ridden
hit - hit - hit	**ring** - rang - rung
hold - held - held	**rise** - rose - risen
keep - kept - kept	**run** - ran - run
kneel - knelt * - knelt *	**saw** - sawed - sawn
know - knew - known	**say** - said - said
lay - laid - laid	**see** - saw - seen
lead - led - led	**seek** - sought - sought
lean - leant * - leant *	**sell** - sold - sold
leap - lept * - lept *	**send** - sent - sent
learn - learnt * - learnt *	**set** - set - set
leave - left - left	**sew** - sewed - sewn
lend - lent - lent	**shake** - shook - shaken
let - let - let	**shear** - sheared - shorn
lie - lay - lain	**shed** - shed - shed

shine - shone - shone
shoot - shot - shot
show - showed - shown
shrink - shrank - shrunk
shut - shut - shut
sing - sang - sung
sink - sank - sunk
sit - sat - sat
slay - slew - slain
sleep - sleep - slept
slide - slid - slid
sling - slung - slung
smell - smelt * - smelt *
sow - sowed - sown *
speak - spoke - spoken
speed - sped * - sped *
spell - spelt * - spelt *
spend - spent - spent
spill - spilt * - spilt *
spin - spun - spun
spit - spat - spat
split - split - split
spread - spread - spread
spring - sprang - sprung
stand - stood - stood
steal - stole - stolen
stick - stuck - stuck
sting - stung - stung
stink - stank - stunk

stride - strode - stridden
strike - struck - struck (stricken)
strive - strove - striven
swear - swore - sworn
sweep - swept - swept
swell - swelled - swollen *
swim - swam - swum
take - took - taken
teach - taught - taught
tear - tore - torn
tell - told - told
think - thought - thought
throw - threw - thrown
thrust - thrust - thrust
tread - trod - trodden
wake - woke - woken
wear - wore - worn
weave - wove * - woven *
wed - wed * - wed *
weep - wept - wept
win - won - won
wind - wound - wound
wring - wrung - wrung
write - wrote - written

Those tenses with an * also have regular forms.

English-Ukrainian

Bilingual Dictionaries, Inc.

Abbreviations

a - article
n - noun
e - exclamation
pro - pronoun
adj - adjective
adv - adverb
v - verb
iv - irregular verb
pre - preposition
c - conjunction

A

a *a* один, якийсь
abandon *v* залишати
abandonment *n* відмова
abbey *n* абатство
abbot *n* абат
abbreviate *v* скорочувати
abbreviation *n* абревіатура
abdicate *v* відмовлятися
abdication *n* зречення
abdomen *n* черево
abduct *v* викрадати
abduction *n* викрадання
aberration *n* помилка
abhor *v* ненавидіти
abide by *v* дотримуватися
ability *n* здатність
ablaze *adj* сяючий
able *adj* спроможний
abnormal *adj* ненормальний
aboard *adv* на судні
abolish *v* скасовувати
abort *v* викидати
abortion *n* аборт
abound *v* кишіти
about *pre* про, навколо

about *adv* навкруги
above *pre* над
abreast *adv* поряд
abridge *v* скорочувати
abroad *adv* за кордоном
abrogate *v* скасовувати
abruptly *adv* раптово
absence *n* відсутність
absent *adj* відсутній
absolute *adj* абсолютний
absolution *n* прощення
absolve *v* прощати
absorb *v* вбирати
absorbent *adj* поглинальний
abstain *v* стримуватися
abstinence *n* утримання
abstract *adj* абстрактний
absurd *adj* безглуздий
abundance *n* достаток
abundant *adj* рясний
abuse *v* зловживати
abuse *n* зловживання
abusive *adj* образливий
abysmal *adj* глибокий
abyss *n* безодня
academic *adj* академічний
academy *n* академія
accelerate *v* прискорювати

accelerator *n* акселератор

accent *n* наголос, акцент

accept *v* приймати

acceptable *adj* прийнятний

acceptance *n* прийняття

access *n* доступ

accessible *adj* доступний

accidental *adj* випадковий

acclaim *v* проголошувати

acclimatize *v* акліматизувати

accommodate *v* постачати

accompany *v* супроводжувати

accomplice *n* співучасник

accomplish *v* завершувати

accord *n* згода, акорд

according to *pre* згідно з

accordion *n* акордеон

account *n* рахунок, звіт

account for *v* звітувати

accountable *adj* відповідальний

accountant *n* бухгалтер

accumulate *v* накопичувати

accuracy *n* точність

accurate *adj* точний

accusation *n* звинувачення

accuse *v* обвинувачувати

accustom *v* привчати

ace *n* очко, ас

ache *n* біль

achieve *v* досягати

achievement *n* досягнення

acid *n* кислота

acidity *n* кислотність

acknowledge *v* визнання

acorn *n* жолудь

acoustic *adj* акустичний

acquaint *v* знайомити

acquaintance *n* знайомство

acquire *v* набувати

acquisition *n* здобуття

acquit *v* виконувати

acquittal *n* виправдання

acre *n* акр

acrobat *n* акробат

across *pre* через

act *v* вчинок, закон

action *n* дія

activate *v* активізувати

activation *n* активація

active *adj* активний

activity *n* діяльність

actor *n* актор

actress *n* актриса

actual *adj* дійсний

actually *adv* насправді

acute *adj* гострий

adamant *adj* незламний
adapt *v* пристосовувати
adaptable *adj* пристосовний
adaptation *n* адаптація
adapter *n* адаптер
add *v* додавати
addicted *adj* залежний
addiction *n* залежність
addition *n* додавання
additional *adj* додатковий
address *n* адреса
address *v* надсилати
addressee *n* адресат
adequate *adj* відповідний
adhere *v* дотримуватися
adhesive *adj* липкий
adjacent *adj* суміжний
adjective *n* прикметник
adjoin *v* приєднувати
adjoining *adj* прилеглий
adjourn *v* відкладати
adjust *v* регулювати
adjustable *adj* регульований
adjustment *n* погодження
administer *v* управляти
admirable *adj* чудовий
admiral *n* адмірал
admiration *n* захоплення

admire *v* захоплюватися
admirer *n* прихильник
admissible *adj* допустимий
admission *n* припущення
admit *v* допускати
admittance *n* доступ
admonish *v* застерігати
admonition *n* умовляння
adolescence *n* юнацтво
adolescent *n* підліток
adopt *v* приймати
adoption *n* прийняття
adoptive *adj* усиновлений
adorable *adj* чарівний
adoration *n* поклоніння
adore *v* обожнювати
adorn *v* прикрашати
adrift *adv* за течією
adulation *n* улесливість
adult *n* дорослий
adulterate *v* фальсифікувати
adultery *n* перелюбство
advance *v* просуватися
advance *n* просування
advantage *n* перевага
Advent *n* різдвяний піст
adventure *n* пригода
adverb *n* прислівник

adversary n суперник

adverse adj ворожий

adversity n напасть

advertise v рекламувати

advertising n реклама

advice n порада

advise v радити

adviser n радник

advocate v захищати

aeroplane n аероплан

aesthetic adj естетичний

afar adv далеко

affable adj привітний

affair n справа, інтрига

affect v впливати

affection n прихильність

affectionate adj люблячий

affiliate v усиновляти

affiliation n приєднання

affinity n властивість

affirm v підтверджувати

affix v прикріпляти

afflict v засмучувати

affliction n лихо

affluence n достаток, наплив

affluent adj багатий

afford v дозволяти собі

affordable adj доступний

affront v ображати

affront n образа

afloat adv на воді

afraid adj зляканий

afresh adv знову

after pre після, за

afternoon n південь

afterwards adv потім

again adv знову

against pre проти, по

age n вік

agency n агентство

agenda n порядок денний

agent n фактор, агент

agglomerate v збиратися

aggravate v загострювати

aggravation n загострення

aggregate v збиратися

aggression n напад, агресія

aggressive adj агресивний

aggressor n агресор

agile adj спритний

agitator n агітатор

agnostic n агностик

agonize v агонізувати

agonizing adj нестерпний

agony n агонія

agree v погоджуватися

agreeable *adj* прийнятний
agreement *n* згода
ahead *pre* вперед
aid *n* допомога
aid *v* допомагати
aide *n* помічник
ailing *adj* хворий
ailment *n* нездужання
aim *v* цілитися
aimless *adj* безцільний
air *n* повітря, ефір
air *v* оголошувати
aircraft *n* літак, авіація
airfare *n* авіатариф
airfield *n* аеродром
airline *n* авіалінія
airliner *n* авіалайнер
airmail *n* авіапошта
airplane *n* аероплан
airport *n* аеропорт
airstrip *n* злітна смуга
airtight *adj* герметичний
aisle *n* прохід
ajar *adj* прочинений
akin *adj* рідний
alarm *n* тривога
alarm clock *n* будильник
alarming *adj* тривожний

alcoholic *adj* алкогольний
alcoholism *n* алкоголізм
alert *n* тривога
alert *v* застерігати
algebra *n* алгебра
alien *n* іноземець
alight *adj* засвічений
align *v* вирівнюватися
alike *adj* схожий
alive *adj* живий
all *adj* весь
allegation *n* заява
allege *v* твердити
allegedly *adv* ніби
allegiance *n* вірність
allegory *n* алегорія
allergic *adj* алергічний
allergy *n* алергія
alleviate *v* полегшувати
alley *n* алея
alliance *n* союз, альянс
allied *adj* союзний
alligator *n* алігатор
allocate *v* розміщувати
allot *v* розподіляти
allotment *n* розподіл
allow *v* дозволяти
allowance *n* дозвіл

alloy *n* сплав, проба

allure *n* привабливість

alluring *adj* привабливий

allusion *n* натяк

ally *n* союзник

ally *v* єднатися

almanac *n* календар

almighty *adj* всемогутній

almond *n* мигдаль

almost *adv* майже

alms *n* милостиня

alone *adj* самотній

along *pre* вздовж, по

alongside *pre* поруч

aloof *adj* байдужий

aloud *adv* вголос

alphabet *n* алфавіт

already *adv* вже, раніше

alright *adv* правильно

also *adv* також, теж

altar *n* вівтар

alter *v* змінювати

alteration *n* зміна, ремонт

altercation *n* сварка

alternate *v* чергувати

alternate *adj* перемінний

alternative *n* альтернатива

although *c* хоч

altitude *n* висота

altogether *adj* цілком, разом

aluminum *n* алюміній

always *adv* завжди

amass *v* збирати

amaze *v* вражати

amazement *n* дивування

amazing *adj* дивовижний

ambassador *n* посол

ambiguous *adj* двозначний

ambition *n* амбіція

ambitious *adj* честолюбний

ambivalent *adj* подвійний

amend *v* поліпшувати

amendment *n* поправка

amenities *n* втіхи, вигоди

American *adj* американський

amiable *adj* дружній

amicable *adj* дружній

amid *pre* між

ammonia *n* аміак

ammunition *n* боєзапаси

amnesia *n* амнезія

amnesty *n* амністія

among *pre* серед

amoral *adj* аморальний

amorphous *adj* аморфний

amortize *v* погашати

amount *n* кількість, сума
amount to *v* становити
amphibious *adj* земноводний
amphitheater *n* амфітеатр
ample *adj* достатній
amplifier *n* підсилювач
amplify *v* збільшувати
amputate *v* ампутувати
amputation *n* ампутація
amuse *v* розважати
amusement *n* розвага
amusing *adj* забавний
an *a* один, якийсь
analogy *n* аналогія
analysis *n* аналіз
analyze *v* аналізувати
anarchist *n* анархіст
anarchy *n* анархія
anatomy *n* анатомія
ancestor *n* предок
ancestry *n* походження
anchor *n* якір, анкер
ancient *adj* давній
and *c* і, та
anecdote *n* анекдот
anemia *n* анемія
anemic *adj* анемічний
anesthesia *n* анестезія

anew *adv* знову
angel *n* ангел
angelic *adj* ангельський
anger *v* гнівити
anger *n* гнів
angina *n* ангіна
angle *n* кут, погляд
Anglican *adj* англіканський
angry *adj* сердитий
anguish *n* біль
animal *n* тварина
animate *v* оживляти
animation *n* анімація
animosity *n* ворожість
ankle *n* кісточка
annex *n* додаток
annexation *n* анексія
annihilate *v* знищувати
annihilation *n* знищення
anniversary *n* річниця
annotate *v* анотувати
annotation *n* анотація
announce *v* оголошувати
announcement *n* оголошення
announcer *n* диктор
annoy *v* дратувати
annoying *adj* дратівний
annual *adj* щорічний

annul *v* скасовувати
annulment *n* анулювання
anoint *v* змазувати
anonymity *n* анонімність
anonymous *adj* анонімний
another *adj* інший
answer *v* відповідати
answer *n* відповідь
ant *n* мурашка
antagonize *v* протидіяти
antecedent *n* переднє
antecedents *n* минуле
antelope *n* антилопа
antenna *n* вусик, антена
anthem *n* гімн, спів
antibiotic *n* антибіотик
anticipate *v* передбачати
anticipation *n* передчуття
antidote *n* протиотрута
antipathy *n* антипатія
antiquated *adj* застарілий
antiquity *n* античність
anvil *n* ковадло
anxiety *n* занепокоєння
anxious *adj* стурбований
any *adj* будь-який
anybody *pro* хто-небудь
anyhow *pro* так чи інакше

anyone *pro* хто-небудь
anything *pro* що-небудь
apart *adv* окремо
apartment *n* квартира
apathy *n* апатія
ape *n* мавпа
aperitif *n* аперитив
apex *n* верхівка
aphrodisiac *adj* спокусливий
apiece *adv* поштучно
apocalypse *n* апокаліпсис
apologize *v* вибачатися
apology *n* вибачення
apostle *n* апостол
apostolic *adj* папський
apostrophe *n* апостроф
appall *v* лякати
appalling *adj* жахливий
apparel *n* одяг
apparent *adj* видимий
apparently *adv* напевне
apparition *n* примара
appeal *n* звернення
appeal *v* апелювати
appealing *adj* зворушливий
appear *v* з'являтися
appearance *n* поява
appease *v* заспокоювати

appeasement n заспокоєння
appendicitis n апендицит
appendix n додаток
appetite n апетит
appetizer n закуска
applaud v аплодувати
applause n оплески
apple n яблуко
appliance n пристрій
applicable adj застосовний
applicant n претендент
application n заява
apply v заявляти
apply for v звертатися
appoint v призначати
appointment n призначення
appraisal n оцінка
appraise v оцінювати
appreciate v цінувати
appreciation n висока оцінка
apprehend v розуміти
apprehensive adj кмітливий
apprentice n учень
approach v підходити
approach n підхід
approachable adj доступний
approbation n схвалення
appropriate adj відповідний

approval n схвалення
approve v схвалювати
approximate adj приблизний
apricot n абрикоса
April n квітень
apron n фартух
aptitude n здатність
aquarium n акваріум
aquatic adj водний
aqueduct n акведук
Arabic adj арабський
arable adj орний
arbiter n арбітр
arbitrary adj довільний
arbitrate v ухвалити
arbitration n арбітраж
arc n дуга
arch n арка
archaeology n археологія
archaic adj архаїчний
archbishop n архієпископ
architect n архітектор
architecture n архітектура
archive n архів
arctic adj арктичний
ardent adj гарячий
ardor n пристрасть
arduous adj напружений

area *n* площа

arena *n* арена

argue *v* сперечатися

argument *n* аргумент

arid *adj* сухий

arise *iv* з'являтися

aristocracy *n* аристократія

aristocrat *n* аристократ

arithmetic *n* арифметика

ark *n* ковчег, судно

arm *n* рука

arm *v* озброюватися

armaments *n* зброя

armchair *n* крісло

armed *adj* озброєний

armistice *n* перемир'я

armor *n* озброєння

armpit *n* пахва

army *n* армія

aromatic *adj* ароматичний

around *pro* довкола

arouse *v* будити

arrange *v* домовлятися

arrangement *n* угода

array *n* військо, масив

arrest *v* арештовувати

arrest *n* арешт

arrival *n* прибуття

arrive *v* прибувати

arrogance *n* зарозумілість

arrow *n* стріла

arsenal *n* арсенал

arsenic *n* арсен

arson *n* підпал

arsonist *n* палій

art *n* мистецтво

artery *n* артерія

arthritis *n* артрит

artichoke *n* артишок

article *n* стаття

articulate *v* артикулювати

articulation *n* артикуляція

artificial *adj* штучний

artillery *n* артилерія

artisan *n* ремісник

artist *n* художник

artistic *adj* художній

as *c* тоді, оскільки

as *adv* як, щодо

ascend *v* підніматися

ascendancy *n* панування

ascertain *v* з'ясовувати

ascetic *adj* стриманий

ash *n* ясен, попіл

ashamed *adj* присоромлений

ashore *adv* на березі

ashtray *n* попільничка

aside *adv* осторонь

aside from *adv* за винятком

ask *v* питати, просити

asleep *adj* сплячий

asparagus *n* спаржа

aspect *n* вигляд, аспект

asphalt *n* асфальт

asphyxiate *v* душити

asphyxiation *n* задушення

aspiration *n* прагнення

aspire *v* прагнути

aspirin *n* аспірин

assail *v* нападати

assailant *n* противник

assassin *n* вбивця

assassinate *v* вбивати

assault *n* напад

assault *v* нападати

assemble *v* збирати

assembly *n* збори, монтаж

assent *v* згоджуватися

assert *v* заявляти

assertion *n* твердження

assess *v* оцінювати

assessment *n* оцінка

asset *n* актив

assets *n* майно

assign *v* призначати

assignment *n* посада

assimilate *v* асимілювати

assimilation *n* уподібнення

assist *v* допомагати

assistance *n* допомога

associate *v* об'єднуватися

association *n* асоціація

assorted *adj* відсортований

assortment *n* асортимент

assume *v* припускати

assumption *n* припущення

assurance *n* запевнення

assure *v* запевняти

asterisk *n* знак зірочки

asteroid *n* астероїд

asthma *n* астма

asthmatic *adj* астматичний

astonish *v* дивувати

astonishing *adj* вражаючий

astound *v* вражати

astray *v* заблукати

astrologer *n* астролог

astrology *n* астрологія

astronaut *n* астронавт

astronomer *n* астроном

astronomic *adj* астрономічний

astronomy *n* астрономія

astute *adj* хитрий
asunder *adv* нарізно
asylum *n* притулок
at *pre* біля, в
atheism *n* атеїзм
atheist *n* атеїст
athlete *n* атлет
athletic *adj* атлетичний
atmosphere *n* атмосфера
atmospheric *adj* атмосферний
atom *n* атом
atomic *adj* атомний
atone *v* спокутувати
atonement *n* відплата
atrocious *adj* жахливий
atrocity *n* жорстокість
atrophy *v* виснажуватися
attach *v* прикріпляти
attached *adj* відданий
attachment *n* прихильність
attack *n* атака, приступ
attack *v* атакувати
attacker *n* нападаючий
attain *v* досягати
attainable *adj* досяжний
attainment *n* досягнення
attempt *v* намагатися
attempt *n* спроба, замах

attend *v* відвідувати
attendance *n* догляд
attendant *n* слуга
attention *n* увага
attentive *adj* уважний
attenuate *v* виснажувати
attenuating *adj* виснажливий
attest *v* свідчити
attic *n* мансарда
attitude *n* відношення
attorney *n* юрист, адвокат
attract *v* притягувати
attraction *n* тяжіння
attractive *adj* привабливий
attribute *v* приписувати
auction *n* аукціон
auctioneer *n* аукціоніст
audacious *adj* сміливий
audacity *n* сміливість
audible *adj* чутний
audience *n* аудиторія
audit *v* перевіряти
auditorium *n* аудиторія
augment *v* збільшувати
August *n* серпень
aunt *n* тітка
auspicious *adj* сприятливий
austere *adj* суворий

austerity *n* суворість
authentic *adj* справжній
authenticate *v* засвідчувати
authenticity *n* достовірність
author *n* автор
authoritarian *adj* авторитарний
authority *n* влада
authorization *n* дозвіл
auto *n* авто
autograph *n* автограф
automatic *adj* автоматичний
automobile *n* автомобіль
autonomous *adj* автономний
autonomy *n* автономія
autopsy *n* розтин
autumn *n* осінь
auxiliary *adj* допоміжний
avail *v* допомагати
availability *n* придатність
available *adj* доступний
avalanche *n* лавина
avarice *n* скупість
avaricious *adj* скупий
avenge *v* мститися
avenue *n* проспект
averse *adj* неприхильний
aversion *n* відраза
avert *v* запобігати

aviation *n* авіація
aviator *n* авіатор
avid *adj* жадібний
avoid *v* уникати
avoidable *adj* не неминучий
avoidance *n* уникнення
await *v* чекати
awake *iv* прокидатися
awake *adj* пильний
awakening *n* пробудження
award *v* нагороджувати
award *n* винагорода
aware *adj* обізнаний
awareness *n* обізнаність
away *adv* далеко
awe *n* благоговіння
awesome *adj* чудовий
awful *adj* жахливий
awkward *adj* незграбний
awning *n* тент
ax *n* сокира
axiom *n* аксіома
axis *n* вісь
axle *n* вісь, вал

B

babble v лепетати

baby n немовля

babysitter n няня

bachelor n бакалавр

back n спина, зад

back adv назад, віддалік

back v підтримувати

back down v відступатися

back up v підтримувати

backbone n хребет, основа

backdoor n чорний хід

background n фон

backing n підтримка

backlash n зазор

backlog n резерви

backpack n рюкзак

backup n дублювання

backward adj зворотний

backwards adv назад, задом

backyard n задвірок

bacon n бекон

bacteria n бактерії

bad adj поганий

badge n значок

badly adv погано

baffle v руйнувати

bag n сумка

baggage n багаж

baggy adj мішкуватий

baguette n багет

bail n застава

bail out v поручитися

bailiff n судовий пристав

bait n приманка

bake v випікати

baker n пекар

bakery n пекарня

balance v балансувати

balance n баланс

balcony n балкон

bald adj лисий

bale n купа, лихо

ball n м'яч, куля

balloon n повітряна куля

ballot n балотування

balm n бальзам

balmy adj ароматний

bamboo n бамбук

ban n заборона

ban v забороняти

banality n банальність

banana n банан

band n стрічка, група

bandage *n* бинт
bandage *v* перев'язувати
bandit *n* бандит
bang *v* ударити
banish *v* виганяти
banishment *n* вигнання
bank *n* банк, берег
bankrupt *v* збанкротіти
bankrupt *adj* збанкрутілий
bankruptcy *n* банкрутство
banner *n* прапор
banquet *n* бенкет
baptism *n* хрещення
baptize *v* хрестити
bar *n* брусок, бар
bar *v* засувати
barbarian *n* варвар
barbaric *adj* варварський
barbarism *n* варварство
barbecue *n* барбекю
barber *n* перукар
bare *adj* голий, порожній
barefoot *adj* босий
barely *adv* ледве
bargain *n* угода, покупка
bargain *v* торгуватися
bargaining *n* торгівля
barge *n* баржа

bark *v* гавкати
bark *n* кора, гавкання
barley *n* ячмінь
barmaid *n* буфетниця
barman *n* бармен
barn *n* комора, стайня
barometer *n* барометр
barracks *n* казарми
barrage *n* загородження
barrel *n* бочка
barren *adj* неродючий
barricade *n* барикада
barrier *n* бар'єр
barring *pre* окрім
bartender *n* бармен
barter *v* обмінювати
base *n* основа
base *v* засновувати
baseball *n* бейсбол
baseless *adj* безпідставний
basement *n* основа, підвал
bashful *adj* соромливий
basic *adj* основний
basics *n* основи
basin *n* таз, резервуар
basis *n* підстава
bask *v* грітися
basket *n* корзина

basketball *n* баскетбол

bat *n* кажан, бита

batch *n* купа

bath *n* ванна

bathe *v* купатися

bathrobe *n* халат

bathroom *n* ванна кімната

bathtub *n* ванна

baton *n* жезл

battalion *n* батальйон

batter *v* лупцювати

battery *n* батарея

battle *n* битва

battle *v* битися

bay *n* бухта, ніша

bayonet *n* багнет

bazaar *n* базар

be *iv* бути, існувати

be born *v* народжуватися

beach *n* пляж

beacon *n* маяк, буй

beak *n* дзьоб, носик

beam *n* промінь, сяяння

bean *n* біб

bear *n* ведмідь

bear *iv* носити, терпіти

bearable *adj* стерпний

beard *n* борода

bearded *adj* бородатий

bearer *n* пред'явник, носій

beast *n* звір

beat *iv* бити

beat *n* удар, ритм

beaten *adj* битий, змучений

beating *n* биття

beautiful *adj* гарний

beautify *v* прикрашати

beauty *n* краса

beaver *n* бобер

because *c* оскільки

because of *pre* через

beckon *v* манити, кивати

become *iv* ставати

bed *n* ліжко

bedding *n* постільні речі

bedroom *n* спальня

bedspread *n* покривало

bee *n* бджола

beef *n* яловичина

beef up *v* прикріпляти

beehive *n* вулик

beer *n* пиво

beet *n* буряк

beetle *n* жук, кувалда

before *adv* раніше

before *pre* перед

beforehand *adv* заздалегідь
befriend *v* допомагати
beg *v* просити
beggar *n* жебрак
begin *iv* починати
beginner *n* початківець
beginning *n* початок
beguile *v* обманювати
behalf (on) *adv* від імені
behave *v* поводитися
behavior *n* поведінка
behead *v* обезголовити
behind *pre* ззаду
behold *iv* споглядати
being *n* існування
belated *adj* запізнілий
belch *v* відригувати
belch *n* відрижка
belfry *n* дзвіниця
Belgian *adj* бельгійський
Belgium *n* Бельгія
belief *n* віра
believable *adj* вірогідний
believe *v* вірити
believer *n* віруючий
belittle *v* применшувати
bell *n* дзвінок, крик
belligerent *adj* воюючий

belly *n* живіт
belly button *n* пуп
belong *v* належати
belongings *n* речі
beloved *adj* коханий
below *adv* унизу, далі
below *pre* нижче, під
belt *n* пояс, смуга
bench *n* лава, верстат
bend *iv* згинати
bend down *v* нагинатися
beneath *pre* під
benediction *n* благословення
benefactor *n* добродійник
beneficial *adj* вигідний
beneficiary *n* спадкоємець
benefit *n* вигода, користь
benefit *v* мати користь
benevolent *adj* доброзичливий
benign *adj* милостивий
bequeath *v* заповідати
bereaved *adj* позбавлений
bereavement *n* тяжка втрата
beret *n* берет
berserk *adv* скажений
berth *n* причал
beseech *iv* благати
beset *iv* обсідати

B

beside *pre* поряд з

besides *pre* окрім

besiege *iv* оточувати

best *adj* найкращий

best man *n* боярин

bestial *adj* тваринний

bestiality *n* свинство

bestow *v* поміщати

bet *iv* закладати

bet *n* парі

betray *v* зраджувати

betrayal *n* зрада

better *adj* кращий

between *pre* поміж, серед

beverage *n* напій

beware *v* остерігатися

bewilder *v* спантеличувати

bewitch *v* зачаровувати

beyond *adv* вдалині

bias *n* упередження

bible *n* Біблія

biblical *adj* біблейський

bibliography *n* бібліографія

bicycle *n* велосипед

bid *n* ставка

bid *iv* пропонувати ціну

big *adj* великий

bigamy *n* двошлюбність

bigot *n* фанатик

bigotry *n* фанатизм

bike *n* велосипед

bile *n* жовч

bilingual *adj* двомовний

bill *n* законопроект

billiards *n* більярд

billion *n* мільярд

billionaire *n* мільярдер

bimonthly *adj* двомісячний

bin *n* бункер, корзина

bind *iv* зв'язувати

binding *adj* зв'язувальний

binoculars *n* бінокль

biography *n* біографія

biological *adj* біологічний

biology *n* біологія

bird *n* птах

birth *n* народження

birthday *n* день народження

biscuit *n* бісквіт

bishop *n* єпископ

bison *n* бізон

bit *n* шматок, вудила

bite *iv* кусати, клювати

bite *n* укус, клювання

bitter *adj* гіркий

bitterly *adv* гірко

bitterness *n* гіркота

bizarre *adj* дивний

black *adj* чорний, темний

blackberry *n* ожина

blackboard *n* дошка

blackmail *n* шантаж

blackmail *v* шантажувати

blackness *n* чорнота, підлота

blackout *n* затемнення

blacksmith *n* коваль

bladder *n* міхур

blade *n* лезо, травинка

blame *n* докір, вина

blame *v* звинувачувати

blameless *adj* бездоганний

bland *adj* ввічливий

blank *adj* порожній

blanket *n* ковдра

blaspheme *v* ганьбити

blasphemy *n* блюзнірство

blast *n* порив, вибух

blaze *v* палахкотіти

bleach *v* білити

bleak *adj* відкритий

bleed *iv* кровоточити

bleeding *n* кровотеча

blemish *n* недолік, вада

blemish *v* ганьбити

blend *n* суміш

blend *v* змішувати

blender *n* змішувач

bless *v* благословляти

blessed *adj* благословенний

blessing *n* благословення

blind *v* осліплювати

blind *adj* сліпий

blindfold *n* пов'язка

blindfold *v* зав'язувати очі

blindly *adv* сліпо

blindness *n* сліпота

blink *v* блимати

bliss *n* блаженство

blissful *adj* блаженний

blister *n* пухир

blizzard *n* завірюха

bloat *v* коптити

bloated *adj* роздутий

block *n* блок, квартал

block *v* блокувати

blockade *v* заважати

blockade *n* блокада

blockage *n* блокування

blond *adj* білявий

blood *n* кров, рід

bloody *adj* кривавий

bloom *v* цвісти

B

blossom v цвісти

blot n пляма

blot v бруднити

blouse n сорочка

blow n удар, подув

blow iv дути, цвісти

blow out iv задувати

blow up iv висаджувати

blowout n прорив, розрив

bludgeon v бити

blue adj синій

blueprint n проект

bluff v обдурювати

blunder n промах

blunt adj тупий, грубий

bluntness n тупість

blur v забруднити

blurred adj нечіткий

blush v червоніти

blush n рум'янець

boar n кабан

board n дошка, правління

board v настилати

boast v хвалитися

boat n човен

bodily adj тілесний

body n тіло, корпус

bog n болото

bog down v застрявати

boil v кипіти

boil down to v виварювати

boil over v перекипати

boiler n бойлер

boisterous adj бурхливий

bold adj сміливий

boldness n сміливість

bolster v підпирати

bolt n болт, втеча

bolt v скріпляти

bomb n бомба

bomb v бомбити

bombing n бомбардування

bombshell n бомба

bond n зв'язок

bondage n рабство

bone n кістка

bone marrow n кістковий мозок

bonfire n вогнище

bonus n премія

book n книга

bookcase n книжкова шафа

bookkeeper n бухгалтер

bookkeeping n бухгалтерія

booklet n буклет

bookstore n книгарня

boom n бум, галас

boom v гриміти
boost v рекламувати
boost n підтримка
boot n черевик
booth n кіоск
booty n здобич
booze n випивка
border n кордон
border on v межувати
borderline adj прикордонний
bore v свердлити
bored adj набридлий
boredom n нудьга
boring adj надокучливий
born adj народжений
borough n район
borrow v позичати
bosom n пазуха, душа
boss n бос
boss around v керувати
bossy adj випуклий
botany n ботаніка
botch v латати
both adj обидва
bother v непокоїти
bothersome adj надокучливий
bottle n пляшка
bottle v розливати

bottleneck n вузький прохід
bottom n дно, причина
bottomless adj бездонний
bough n гілка
boulder n валун, галька
boulevard n бульвар
bounce v підстрибувати
bounce n стрибок
bound adj зв'язаний
bound for adj прямуючий
boundary n границя, межа
boundless adj безмежний
bounty n щедрість
bourgeois adj буржуазний
bow n дуга, бант
bow v кланятися
bow out v відступати
bowels n кишечник
bowl n чаша, бенкет
box n ящик, бокс
box office n каса
boxer n боксер
boxing n бокс
boy n хлопець
boycott v бойкотувати
boyfriend n залицяльник
boyhood n юнацтво
bra n бюстгальтер

B

brace for *v* готуватися

bracelet *n* браслет

bracket *n* дужка, підпірка

brag *v* хвалитися

braid *n* шнурок

brain *n* мозок

brainwash *v* зомбувати

brake *n* гальмо

brake *v* гальмувати

branch *n* гілка

branch office *n* філія

brand *n* сорт, марка

brand-new *adj* новісінький

brandy *n* бренді

brat *n* шибеник

brave *adj* хоробрий

bravely *adv* мужньо

bravery *n* хоробрість

brawl *n* скандал

breach *n* пролом, сварка

bread *n* хліб

breadth *n* широта

break *n* тріщина

break *iv* ламати

break away *v* втікати

break down *v* зламати

break free *v* вириватися

break in *v* вдиратися

break off *v* відламувати

break open *v* відкривати

break out *v* виламувати

break up *v* розбивати

breakable *adj* крихкий

breakdown *n* поломка

breakfast *n* сніданок

breakthrough *n* прорив

breast *n* груди

breath *n* дихання, подих

breathe *v* дихати

breathing *n* дихання

breathtaking *adj* захоплюючий

breed *iv* породжувати

breed *n* порода

breeze *n* бриз

brethren *n* братія

brevity *n* стислість

brew *v* варити

brewery *n* броварня

bribe *v* підкупляти

bribe *n* хабар

bribery *n* хабарництво

brick *n* цеглина

bricklayer *n* муляр

bridal *adj* весільний

bride *n* наречена

bridegroom *n* наречений

bridesmaid *n* дружка
bridge *n* міст, бридж
bridle *n* вуздечка
brief *adj* короткий
brief *v* резюмувати
briefcase *n* портфель
briefing *n* брифінг
briefly *adv* коротко
briefs *n* практика
brigade *n* бригада
bright *adj* яскравий
brighten *v* прояснятися
brightness *n* яскравість
brilliant *adj* видатний
brim *n* край
bring *iv* приносити
bring back *v* повертати
bring down *v* знижувати
bring up *v* виховувати
brink *n* берег, край
brisk *adj* жвавий, свіжий
Britain *n* Британія
British *adj* британський
brittle *adj* ламкий
broad *adj* широкий
broadcast *v* передавати
broadcast *n* передача
broadcaster *n* диктор

broaden *v* розширювати
broadly *adv* широко
broadminded *adj* ліберальний
brochure *n* брошура
broil *v* смажити
broiler *n* бройлер
broke *adj* розорений
broken *adj* розбитий
bronchitis *n* бронхіт
bronze *n* бронза
broom *n* мітла
broth *n* бульйон
brothel *n* дім розпусти
brother *n* брат
brotherhood *n* братерство
brother-in-law *n* зять, дівер
brotherly *adj* братерський
brow *n* брова
brown *adj* коричневий
browse *v* пастися
browser *n* браузер
bruise *n* синяк
bruise *v* забивати
brunch *n* пізній сніданок
brunette *adj* брюнетка
brush *n* щітка
brush *v* чистити
brush aside *v* позбутися

B

brush up v освіжати
brusque adj різкий
brutal adj брутальний
brutality n жорстокість
brutalize v розлючувати
brute adj грубий
bubble n пузир
bubble gum n жуйка
buck n самець, долар
bucket n відро
buckle n пряжка, згин
buckle up v пристібати
bud n брунька
buddy n приятель
budge v ворушитися
budget n бюджет
buffalo n буйвіл
bug n жук, дефект
bug v непокоїти
build iv будувати
builder n будівельник
building n будинок
buildup n нарощування
built-in adj вбудований
bulb n цибулина
bulge n опуклість
bulk n об'єм, маса
bulky adj громіздкий

bull n бик
bull fight n бій биків
bull fighter n борець
bulldoze v розрівнювати
bullet n куля
bulletin n бюлетень
bully adj задирака
bulwark n вал, захист
bum n зад
bump n зіткнення, опух
bump into v ударитися
bumper n бампер
bumpy adj вибоїстий
bun n булочка, пучок
bunch n в'язка
bundle n клунок
bundle v зв'язувати
bunker n бункер
buoy n буй
burden n тягар
burden v обтяжувати
burdensome adj обтяжливий
bureau n бюро
bureaucracy n бюрократія
bureaucrat n бюрократ
burger n бургер
burglar n грабіжник
burglarize v пограбувати

burglary *n* грабіж
burial *n* похорон
burly *adj* сильний
burn *iv* горіти
burn *n* опік
burp *v* відригувати
burp *n* відрижка
burrow *n* нора
burst *iv* лопатися
burst into *v* вриватися
bury *v* ховати
bus *n* автобус
bus *v* їхати
bush *n* кущ, втулка
busily *adv* діловито
business *n* бізнес, справа
businessman *n* бізнесмен
bust *n* бюст, загул
bustling *adj* метушливий
busy *adj* зайнятий
but *c* але
butcher *n* м'ясник
butchery *n* бойня, різня
butler *n* дворецький
butt *n* бочка, полігон
butter *n* масло
butterfly *n* метелик
button *n* кнопка, ґудзик

buttonhole *n* петля
buy *iv* купувати
buy off *v* відкуповуватися
buyer *n* покупець
buzz *n* гудіння, гомін
buzz *v* гудіти
buzzard *n* канюк
buzzer *n* гудок
by *pre* близько, біля
bye *e* бувай
bypass *n* обхід
bypass *v* обходити
by-product *n* побічний продукт
bystander *n* спостерігач

C

cab *n* таксі, кабіна
cabbage *n* капуста
cabin *n* хатина, кабіна
cabinet *n* кабінет
cable *n* кабель, канат
cafeteria *n* кафетерій
caffeine *n* кофеїн
cage *n* клітка

C

cake n торт, кусок
calamity n лихо
calculate v обчислювати
calculation n підрахунок
calculator n калькулятор
calendar n календар
calf n теля, литка
caliber n калібр
calibrate v калібрувати
call n оклик, дзвінок
call v кликати
call off v скасовувати
call on v звертатися
call out v викликати
calling n покликання
callous adj безсердечний
calm adj спокійний
calm n спокій
calm down v заспокоюватися
calorie n калорія
calumny n наклеп
camel n верблюд
camera n фотоапарат
camouflage v маскуватися
camouflage n камуфляж
camp n табір, стоянка
camp v жити
campaign v виступати

campaign n кампанія
campfire n багаття
can iv могти
can v консервувати
can n банка
can opener n відкривачка
canal n канал
canary n канарка
cancel v скасовувати
cancellation n відміна
cancer n рак
cancerous adj раковий
candid adj відвертий
candidacy n кандидатура
candidate n кандидат
candle n свічка
candlestick n свічник
candor n відвертість
candy n цукерка
cane n палиця, очерет
canister n каністра
cannibal n людожер
cannon n гармата
canoe n каное
canonize v канонізувати
cantaloupe n канталупа
canteen n їдальня
canvas n полотно, канва

canvas v вкривати

canyon n каньйон

cap n шапка, кришка

capability n здібність

capable adj здатний

capacity n місткість

cape n накидка, мис

capital n капітал, столиця

capital letter n велика літера

capitalism n капіталізм

capitalize v капіталізувати

capitulate v капітулювати

capsize v перекидати

capsule n оболонка

captain n капітан

captivate v приваблювати

captive n полонений

captivity n полон

capture v захоплювати

capture n захоплення

car n автомобіль

carat n карат

caravan n караван, фургон

carburetor n карбюратор

carcass n каркас, корпус

card n картка

cardboard n картон

cardiac adj серцевий

cardiac arrest n зупинка серця

cardiology n кардіологія

care n турбота, догляд

care v піклуватися

care about v піклуватися про

care for v доглядати за

career n кар'єра

carefree adj безтурботний

careful adj обережний

careless adj легковажний

carelessness n неуважність

caress n ласка

caress v пестити

caretaker n доглядач

cargo n вантаж

caricature n карикатура

caring adj уважний

carnage n розправа

carnal adj плотський

carnation n гвоздика

carol n колядка

carpenter n тесляр

carpentry n теслярство

carpet n килим, покриття

carriage n екіпаж

carrot n морква

carry v нести, містити

carry on v продовжувати

C

carry out v виконувати

cart n візок, кошик

cart v їхати, везти

cartoon n мультфільм

cartridge n патрон

carve v вирізувати

cascade n каскад

case n справа, чохол

cash n готівка

cashier n касир

casino n казино

casket n шкатулка

casserole n запіканка

cassock n ряса

cast iv кидати

castaway n знедолений

caste n каста

castle n замок

casual adj випадковий

casualty n аварія

cat n кіт, кат

cataclysm n катаклізм

catacomb n катакомба

catalog n каталог

catalog v каталогізувати

cataract n водоспад

catastrophe n катастрофа

catch iv ловити

catch up v надолужити

catching adj заразний

catchword n заголовок

catechism n катехізис

category n категорія

cater to v догоджати

caterpillar n гусінь

cathedral n собор

catholic adj католицький

Catholicism n католицтво

cattle n скот

cauliflower n цвітна капуста

cause n причина

cause v спричиняти

caution n обережність

cautious adj обережний

cavalry n кавалерія

cave n печера

cave in v осідати

cavern n печера

cavity n порожнина

cease v припиняти

ceaselessly adv невпинно

ceiling n стеля

celebrate v святкувати

celebration n святкування

celebrity n знаменитість

celery n селера

C

celestial *adj* небесний
celibacy *n* безшлюбність
celibate *adj* неодружений
cellar *n* підвал
cement *n* цемент
cemetery *n* цвинтар
censorship *n* цензура
censure *v* осуджувати
census *n* перепис
cent *n* цент
centenary *n* сторіччя
center *n* центр
center *v* центрувати
centimeter *n* сантиметр
central *adj* центральний
centralize *v* централізувати
century *n* століття
ceramic *n* кераміка
cereal *n* злаки, каша
cerebral *adj* мозковий
ceremony *n* церемонія
certain *adj* упевнений
certainty *n* упевненість
certificate *n* свідоцтво
certify *v* засвідчувати
chagrin *n* досада
chain *n* ланцюг
chain *v* скріпляти

chainsaw *n* пилка
chair *n* стілець
chair *v* саджати
chairman *n* голова
chalet *n* шале
chalice *n* чаша
chalk *n* крейда
chalkboard *n* дошка
challenge *v* викликати
challenge *n* виклик
challenging *adj* складний
chamber *n* палата
champ *n* чавкання
champion *n* чемпіон
champion *v* захищати
chance *n* шанс
chancellor *n* канцлер
chandelier *n* люстра
change *v* змінювати
change *n* зміна, здача
channel *n* канал, протока
chant *n* пісня
chaos *n* хаос
chaotic *adj* хаотичний
chapel *n* каплиця .
chaplain *n* капелан
chapter *n* розділ, тема
char *v* обпалювати

character *n* характер
characteristic *adj* характерний
charade *n* шарада
charbroil *adj* жарити
charcoal *n* деревне вугілля
charge *v* заряджати
charge *n* доручення
charisma *n* харизма
charismatic *adj* харизматичний
charitable *adj* добродійний
charity *n* благодійність
charm *v* чарувати
charm *n* чарівність
charming *adj* чарівний
chart *n* діаграма
charter *n* хартія, статут
charter *v* фрахтувати
chase *n* погоня
chase *v* переслідувати
chase away *v* проганяти
chasm *n* безодня
chaste *adj* цнотливий
chastise *v* карати
chastisement *n* кара
chastity *n* цнотливість
chat *v* розмовляти
chauffeur *n* шофер
cheap *adj* дешевий

cheat *v* обманювати
cheater *n* шахрай
check *n* перевірка, чек
check *v* перевіряти
check in *v* реєструватися
check up *n* перевірка
checkbook *n* чекова книжка
cheek *n* щока
cheekbone *n* вилиця
cheeky *adj* нахабний
cheer *v* вітати
cheer up *v* підбадьорити
cheerful *adj* веселий
cheers *n* ура
cheese *n* сир
chef *n* шеф-кухар
chemical *adj* хімічний
chemist *n* хімік
chemistry *n* хімія
cherish *v* пестити
cherry *n* вишня
chess *n* шахи
chest *n* груди
chestnut *n* каштан
chew *v* жувати
chick *n* курча
chicken *n* курка
chicken out *v* злякатися

C

chicken pox *n* вітрянка
chide *v* докоряти
chief *n* начальник
chiefly *adv* головним чином
child *n* дитина
childhood *n* дитинство
childish *adj* дитячий
childless *adj* бездітний
children *n* діти
chill *n* холод, простуда
chill *v* охолоджувати
chill out *v* розслаблятися
chilly *adj* прохолодний
chimney *n* димохід
chimpanzee *n* шимпанзе
chin *n* підборіддя
chip *n* уламок, чип
chisel *n* долото
chocolate *n* шоколад
choice *n* вибір
choir *n* хор
choke *v* душити
cholera *n* холера
cholesterol *n* холестерин
choose *iv* вибирати
choosy *adj* вибагливий
chop *v* рубати, міняти
chop *n* удар, печатка

chopper *n* сікач, лісоруб
chore *n* робота
chorus *n* хор
christen *v* хрестити
christening *n* хрещення
christian *adj* християнський
Christianity *n* християнство
Christmas *n* Різдво
chronic *adj* хронічний
chronicle *n* хроніка
chronology *n* хронологія
chubby *adj* круглолиций
chuckle *v* посміюватися
chunk *n* шматок
church *n* церква
chute *n* круча, спуск
cider *n* сидр
cigar *n* сигара
cigarette *n* сигарета
cinder *n* шлак, окалина
cinema *n* кіно
cinnamon *n* кориця
circle *n* коло
circle *v* обертатися
circuit *n* кругообіг
circular *adj* круглий
circulate *v* поширювати
circulation *n* циркуляція

C

circumcise *v* обрізати

circumcision *n* обрізання

circumstance *n* обставина

circumstancial *adj* докладний

circus *n* цирк, круг

cistern *n* цистерна

citizen *n* громадянин

citizenship *n* громадянство

city *n* місто

city hall *n* ратуша, мерія

civic *adj* цивільний

civil *adj* громадянський

civilization *n* цивілізація

civilize *v* цивілізувати

claim *v* вимагати

claim *n* вимога, позов

clam *n* молюск

clamor *v* шуміти

clamp *n* скоба

clan *n* клан

clandestine *adj* таємний

clap *v* грюкати

clarification *n* пояснення

clarify *v* проясняти

clarinet *n* кларнет

clarity *n* ясність

clash *v* стукатися

clash *n* шум, сутичка

class *n* клас

classic *adj* класичний

classify *v* класифікувати

classmate *n* однокласник

classroom *n* класна кімната

classy *adj* шикарний

clause *n* речення, стаття

claw *n* кіготь

claw *v* дряпати

clay *n* глина

clean *adj* чистий

clean *v* чистити

cleaner *n* прибиральник

cleanliness *n* чистота

cleanse *v* очищати

cleanser *n* очисник

clear *adj* ясний

clear *v* прочищати

clearance *n* очистка

clear-cut *adj* чіткий

clearly *adv* ясно

clearness *n* чіткість

cleft *n* тріщина

clemency *n* милосердя

clench *v* стискувати

clergy *n* духовенство

clergyman *n* священик

clerical *adj* канцелярський

C

clerk *n* клерк, діловод
clever *adj* розумний
click *v* клацати
client *n* клієнт
clientele *n* клієнтура
cliff *n* скеля
climate *n* клімат
climatic *adj* кліматичний
climax *n* кульмінація
climb *v* лізти
climbing *n* сходження
clinch *v* заклепувати
cling *iv* чіплятися
clinic *n* клініка
clip *v* стискувати
clipping *n* вирізка
cloak *n* накидка
clock *n* годинник
clog *v* засмітити
cloister *n* монастир
clone *v* клонувати
cloning *n* клонування
close *v* закривати
close *adj* закритий
close to *pre* близько до
closed *adj* зачинений
closely *adv* уважно
closet *n* комірчина

closure *n* закриття
clot *n* згусток, тромб
cloth *n* тканина
clothe *v* одягати
clothes *n* одяг
clothing *n* убрання
cloud *n* хмара
cloudless *adj* безхмарний
cloudy *adj* хмарний
clown *n* клоун
club *n* палиця, клуб
club *v* бити
clue *n* підказка
clumsiness *n* незграбність
clumsy *adj* незграбний
cluster *n* пучок, група
cluster *v* збиратися
clutch *n* стиск
coach *v* тренувати
coach *n* тренер
coaching *n* тренування
coagulate *v* згущатися
coagulation *n* згущення
coal *n* вугілля
coalition *n* коаліція
coarse *adj* грубий
coast *n* узбережжя
coastal *adj* береговий

C

coastline *n* берегова лінія

coat *n* пальто

coax *v* умовляти

cob *n* брила, качан

cobblestone *n* булижник

cobweb *n* павутиння

cocaine *n* кокаїн

cock *n* півень, кран

cockpit *n* кабіна, кубрик

cockroach *n* тарган

cocktail *n* коктейль

cocky *adj* зухвалий

cocoa *n* какао

coconut *n* кокос

cod *n* тріска

code *n* кодекс, код

codify *v* кодифікувати

coefficient *n* коефіцієнт

coerce *v* примушувати

coercion *n* примус

coexist *v* співіснувати

coffee *n* кава

coffin *n* труна

cohabit *v* жити разом

coherent *adj* зчеплений

cohesion *n* зчеплення

coin *n* монета

coincide *v* збігатися

coincidence *n* збіг

coincidental *adj* випадковий

cold *adj* холодний

coldness *n* холод

colic *n* коліка

collaborate *v* співробітничати

collaborator *n* співробітник

collapse *v* руйнуватися

collapse *n* руйнування

collar *n* комір

collarbone *n* ключиця

collateral *adj* паралельний

colleague *n* колега

collect *v* збирати

collection *n* колекція

collector *n* колекціонер

college *n* коледж

collide *v* зіткнутися

collision *n* зіткнення

cologne *n* кельн

colon *n* двокрапка

colonel *n* полковник

colonial *adj* колоніальний

colonization *n* колонізація

colonize *v* колонізувати

colony *n* колонія

color *n* колір

color *v* забарвляти

colorful *adj* барвистий
colossal *adj* колосальний
colt *n* стригун, лоша
column *n* колона
coma *n* кома
comb *n* гребінь
comb *v* розчісувати
combat *n* бій
combat *v* боротися
combatant *n* боєць
combination *n* комбінація
combine *v* об'єднувати
combustible *n* горючий
combustion *n* згоряння
come *iv* приходити
come about *v* відбуватися
come across *v* зустріти
come apart *v* розпадатися
come back *v* повертатися
come down *v* падати
come forward *v* висуватися
come from *v* походити
come in *v* входити
come out *v* виходити
come over *v* приходити
come up *v* підійматися
comeback *n* повернення
comedy *n* комедія

comet *n* комета
comfort *n* комфорт
comforter *n* ковдра, соска
comical *adj* смішний
coming *n* прихід
coming *adj* майбутній
comma *n* кома
command *v* керувати
commander *n* командир
commandment *n* заповідь
commemorate *v* святкувати
commence *v* починати
commend *v* хвалити
commendation *n* похвала
comment *v* коментувати
comment *n* коментар
commerce *n* торгівля
commercial *adj* комерційний
commission *n* комісія
commit *v* вчиняти
commitment *n* зобов'язання
committed *adj* скоєний
committee *n* комітет
common *adj* загальний
commotion *n* хвилювання
communicate *v* спілкуватися
communication *n* комунікація
communion *n* спілкування

communism _n_ комунізм
communist _adj_ комуністичний
community _n_ громада
commute _v_ заміняти
compact _adj_ компактний
compact _v_ стискувати
companion _n_ компаньйон
companionship _n_ спілкування
company _n_ компанія
comparable _adj_ порівняний
comparative _adj_ порівняльний
compare _v_ порівнювати
comparison _n_ порівняння
compartment _n_ купе, відсік
compass _n_ обсяг, компас
compassion _n_ співчуття
compassionate _adj_ співчутливий
compatibility _n_ сумісність
compatible _adj_ сумісний
compatriot _n_ співвітчизник
compel _v_ примушувати
compelling _adj_ непереборний
compendium _n_ конспект
compensate _v_ компенсувати
compensation _n_ компенсація
compete _v_ змагатися
competence _n_ компетентність
competent _adj_ компетентний

competition _n_ змагання
competitive _adj_ конкуруючий
competitor _n_ конкурент
compile _v_ компілювати
complain _v_ скаржитися
complaint _n_ скарга
complement _n_ додаток
complete _adj_ повний
complete _v_ закінчувати
completely _adv_ повністю
completion _n_ комплект
complex _adj_ комплексний
complexion _n_ колір обличчя
complexity _n_ складність
compliance _n_ згода
compliant _adj_ податливий
complicate _v_ ускладнювати
complication _n_ ускладнення
complicity _n_ співучасть
compliment _n_ комплімент
complimentary _adj_ приємний
comply _v_ виконувати
component _n_ компонент
compose _v_ складати
composed _adj_ спокійний
composer _n_ композитор
composition _n_ утворення
compost _n_ компост

C

compound *n* суміш
compound *v* змішувати
comprehend *v* збагнути
comprehensive *adj* всебічний
compress *v* стискувати
compression *n* стискання
comprise *v* включати
compromise *n* компроміс
compulsion *n* примус
compulsive *adj* примусовий
compulsory *adj* обов'язковий
compute *v* обчислювати
computer *n* комп'ютер
comrade *n* товариш
con man *n* злодюга
conceal *v* приховувати
concede *v* поступатися
conceited *adj* зарозумілий
conceive *v* збагнути
concentrate *v* згущати
concentration *n* концентрація
concentric *adj* концентричний
concept *n* поняття
conception *n* концепція
concern *v* стосуватися
concern *n* турбота
concerning *pre* щодо
concert *n* концерт

concession *n* концесія
conciliate *v* примиряти
conciliatory *adj* примирливий
conciousness *n* свідомість
concise *adj* стислий
conclude *v* укладати
conclusion *n* закінчення
conclusive *adj* кінцевий
concoct *v* варити
concoction *n* готування
concrete *n* бетон
concrete *adj* бетонний
concur *v* погоджуватися
concurrent *adj* збіжний
concussion *n* струс, контузія
condemn *v* засуджувати
condemnation *n* осуд
condensation *n* конденсація
condense *v* конденсувати
condescend *v* удостоювати
condiment *n* приправа
condition *n* умова, стан
conditional *adj* умовний
conditioner *n* кондиціонер
condo *n* кондомініум
condolences *n* співчуття
condone *v* прощати
conducive *adj* сприятливий

C

conduct *n* поведінка
conduct *v* вести, керувати
conductor *n* кондуктор
cone *n* конус
confer *v* надавати
conference *n* конференція
confess *v* зізнаватися
confession *n* визнання
confessional *n* сповідальня
confessor *n* сповідник
confidant *n* повірник
confide *v* довіряти
confidence *n* довір'я
confident *adj* довірливий
confine *v* обмежувати
confinement *n* ув'язнення
confirm *v* підтверджувати
confirmation *n* підтвердження
confiscate *v* конфіскувати
confiscation *n* конфіскація
conflict *n* конфлікт
conflict *v* конфліктувати
conflicting *adj* конфліктуючий
conform *v* зважати
conformity *n* відповідність
confound *v* змішувати
confront *v* протистояти
confrontation *n* конфронтація

confuse *v* спантеличувати
confusing *adj* нечіткий
confusion *n* плутанина
congenial *adj* споріднений
congested *adj* скупчений
congestion *n* затор
congratulate *v* поздоровляти
congratulations *n* вітання
congregate *v* скупчуватися
congregation *n* збори
congress *n* конгрес
conjecture *n* припущення
conjugal *adj* подружній
conjugate *v* відмінювати
conjunction *n* зв'язок
conjure up *v* уявляти
connect *v* з'єднувати
connection *n* зв'язок
connive *v* потурати
connote *v* означати
conquer *v* завойовувати
conqueror *n* завойовник
conquest *n* завоювання
conscience *n* сумління
conscious *adj* свідомий
conscript *n* призовник
consecrate *v* присвячувати
consecration *n* присвячення

consecutive *adj* послідовний
consensus *n* консенсус
consent *v* дозволяти
consent *n* згода, дозвіл
consequence *n* наслідок
consequent *adj* послідовний
conservation *n* зберігання
conserve *v* зберігати
conserve *n* консерви
consider *v* розглядати
considerable *adj* значний
considerate *adj* уважний
consideration *n* підстава
consignment *n* вантаж
consist *v* складатися
consistency *n* послідовність
consistent *adj* послідовний
consolation *n* утіха
console *v* утішати
consolidate *v* зміцнювати
conspicuous *adj* помітний
conspiracy *n* змова
conspirator *n* змовник
conspire *v* змовлятися
constancy *n* сталість
constant *adj* постійний
constellation *n* сузір'я
consternation *n* переляк

constipate *v* забруднювати
constipation *n* запор
constitute *v* утворювати
constitution *n* конституція
constrain *v* стримувати
constraint *n* примус
construct *v* будувати
construction *n* будівництво
consul *n* консул
consulate *n* консульство
consultation *n* консультація
consume *v* споживати
consumer *n* споживач
consumption *n* споживання
contact *v* стикатися
contact *n* контакт
contagious *adj* заразний
contain *v* містити
container *n* контейнер
contaminate *v* забруднювати
contamination *n* забруднення
contemplate *v* обдумувати
contemporary *adj* сучасний
contempt *n* презирство
contend *v* твердити
contender *n* суперник
content *adj* зміст
content *v* задовольняти

C

contentious *adj* спірний
contents *n* зміст
contest *n* змагання, спір
contestant *n* учасник
context *n* контекст
continent *n* континент
contingency *n* випадковість
contingent *adj* випадковий
continuation *n* продовження
continue *v* продовжувати
continuity *n* безперервність
continuous *adj* безперервний
contour *n* контур
contraband *n* контрабанда
contract *v* домовлятися
contract *n* контракт
contraction *n* стискання
contradict *v* суперечити
contradiction *n* протиріччя
contrary *adj* протилежний
contrast *v* контрастувати
contrast *n* контраст
contribute *v* сприяти
contribution *n* вклад
contributor *n* помічник
contrition *n* розкаяння
control *n* контроль
control *v* контролювати

controversial *adj* спірний
controversy *n* суперечка
convalescent *adj* видужуючий
convene *v* скликати
convenience *n* зручність
convenient *adj* зручний
convent *n* монастир
convention *n* конвенція
conventional *adj* умовний
converge *v* сходитися
conversation *n* розмова
converse *v* розмовляти
conversely *adv* навпаки
conversion *n* перетворення
convert *v* обертати
convert *n* навернений
convey *v* перевозити
convict *v* засуджувати
conviction *n* переконання
convince *v* переконувати
convincing *adj* переконливий
convoluted *adj* звивистий
convoy *n* конвой
convulse *v* потрясати
convulsion *n* судома
cook *v* готувати
cook *n* кухар
cookie *n* печиво

cooking *n* приготування
cool *adj* холодний
cool *v* охолоджувати
cool down *v* остигати
cooling *adj* охолодження
coolness *n* прохолода
cooperate *v* співробітничати
cooperative *adj* кооперативний
coordinate *v* координувати
coordination *n* координація
coordinator *n* координатор
cop *n* гребінь
cope *v* справитися
copper *n* мідь
copy *v* копіювати
copy *n* копія
copyright *n* авторське право
cord *n* шнур, зв'язка
cordial *adj* серцевий
cordless *adj* бездротовий
cordon *n* кордон
cordon off *v* відгородити
core *n* ядро, суть
cork *n* корок, пробка
corn *n* кукурудза
corner *n* кут
cornet *n* корнет
corollary *n* наслідок

coronary *adj* коронарний
coronation *n* коронація
corporal *adj* тілесний
corporal *n* капрал
corporation *n* корпорація
corpse *n* труп
corpulent *adj* товстий
corpuscle *n* корпускула
correct *v* виправляти
correct *adj* правильний
correction *n* виправлення
correlate *v* співвідносити
correspond *v* відповідати
correspondent *n* кореспондент
corresponding *adj* відповідний
corridor *n* коридор
corroborate *v* підкріплювати
corrode *v* роз'їдати
corrupt *v* розбещувати
corrupt *adj* розбещений
corruption *n* розклад
cosmetic *n* косметика
cosmic *adj* космічний
cosmonaut *n* космонавт
cost *iv* коштувати
cost *n* вартість, ціна
costly *adj* дорогий
costume *n* костюм

C

C

cottage *n* котедж
cotton *n* бавовна, вата
couch *n* кушетка
cough *n* кашель
cough *v* кашляти
council *n* рада
counsel *v* радити
counsel *n* обговорення
counselor *n* адвокат, радник
count *v* рахувати
count *n* рахунок, граф
countdown *n* зворотний відлік
countenance *n* вираз обличчя
counter *n* прилавок, фішка
counter *v* протидіяти
counteract *v* протидіяти
counterfeit *v* імітувати
counterfeit *adj* підроблений
counterpart *n* двійник
countess *n* графиня
countless *adj* незліченний
country *n* країна
countryman *n* співвітчизник
county *n* округ, графство
coup *n* удар, переворот
couple *n* пара
coupon *n* купон
courage *n* мужність

courageous *adj* мужній
courier *n* кур'єр
course *n* курс, плин
court *n* суд, двір
court *v* залицятися
courteous *adj* ввічливий
courtesy *n* ввічливість
courthouse *n* будинок суду
courtship *n* залицяння
courtyard *n* двір
cousin *n* двоюрідний брат
cove *n* бухточка
covenant *n* угода, договір
cover *n* кришка
cover *v* покривати
cover up *v* сховати
coverage *n* охоплення
covert *adj* таємний
coverup *n* прикриття
covet *v* жадати
cow *n* корова
coward *n* боягуз
cowardice *n* боягузтво
cowardly *adv* боязко
cowboy *n* пастух
cozy *adj* затишний
crab *n* краб, невдача
crack *n* тріщина

C

crack v тріщати
cradle n колиска
craft n судно
craftsman n майстер
cram v переповняти
cramp n судома, спазма
cramped adj стислий
crane n журавель
crank n примха
cranky adj розхитаний
crap n лайно
crappy adj лайновий
crash n гуркіт, крах
crash v розбити
crass adj грубий
crater n кратер
crave v жадати
craving n жадання
crawl v повзати
crayon n пастель
craziness n божевілля
crazy adj божевільний
creak v скрипіти
creak n скрип
cream n вершки, крем
creamy adj вершковий
crease n зморшка, загин
crease v загинати

create v створювати
creation n створення, твір
creative adj творчий
creativity n творчість
creator n творець, автор
creature n істота
credibility n авторитет
credible adj довірливий
credit n довіра, кредит
creditor n кредитор
creed n кредо
creek n затока, гирло
creep v повзати
creepy adj жахливий
cremate v кремірувати
crematorium n крематорій
crest n гребінь
crevice n щілина
crew n команда, екіпаж
crib n колиска
cricket n крикет, цвіркун
crime n злочин
criminal adj кримінальний
cripple adj каліка
cripple v калічити, псувати
crisis n криза
crisp adj хрусткий, свіжий
crispy adj хрусткий

C

criss-cross v перехрещувати

criterion n критерій

critical adj критичний

criticism n критика

criticize v критикувати

critique n рецензія

crockery n посуд

crocodile n крокодил

crook n крюк

crooked adj викривлений

crop n урожай

cross n хрест

cross adj поперечний

cross v перетинати

cross out v викреслювати

crossing n перехрестя

crossroads n перехрестя

crossword n кросворд

crouch v присідати

crow n ворона

crow v співати

crowbar n лом

crowd n натовп

crowd v товпитися

crowded adj переповнений

crown n корона

crown v коронувати

crowning n коронація

crucial adj вирішальний

crucifix n розп'яття

crucifixion n розпинання

crucify v розпинати

crude adj сирий, грубий

cruel adj жорстокий

cruelty n жорстокість

cruise v крейсувати

crumb n крихта

crumble v кришитися

crunchy adj хрусткий

crusade n хрестовий похід

crusader n хрестоносець

crush v товкти

crushing adj знищувальний

crust n скоринка, кора

crusty adj вкритий кіркою

crutch n милиця, опора

cry n плач, крик

cry v кричати

cry out v викрикувати

crying n плач

crystal n кристал

cub n дитинча

cube n куб

cubic adj кубічний

cubicle n кабіна

cucumber n огірок

cuddle *v* притулитися
cuff *n* манжета
cuisine *n* кухня
culminate *v* кульмінувати
culpability *n* винність
culprit *n* винуватець
cult *n* культ
cultivate *v* обробляти
cultivation *n* культивація
cultural *adj* культурний
culture *n* культура
cumbersome *adj* незграбний
cunning *adj* хитрий
cup *n* чашка, кубок
cupboard *n* сервант
curable *adj* виліковний
curator *n* хранитель
curb *v* гнути
curb *n* вуздечка
curdle *v* скипати
cure *v* виліковувати
cure *n* ліки
curiosity *n* цікавість
curious *adj* цікавий
curl *v* завивати
curl *n* локон
curly *adj* кучерявий
currency *n* валюта

current *adj* поточний
currently *adv* тепер
curse *v* проклинати
curtail *v* скорочувати
curtain *n* завіса
curve *n* крива
curve *v* згинати
cushion *n* подушка
cushion *v* відпочивати
cuss *v* лаятися
custard *n* заварний крем
custodian *n* сторож, опікун
custody *n* опіка, охорона
custom *n* звичай
customary *adj* звичайний
customer *n* клієнт, покупець
customs *n* мито
cut *n* розріз, рана
cut *iv* різати, рубати
cut back *v* урізати
cut down *v* скорочувати
cut off *v* відрізати
cut out *v* вирізувати
cute *adj* гарненький
cutlery *n* ножові вироби
cutter *n* різець, катер
cyanide *n* ціанід
cycle *n* цикл

C

C
D

cyclist *n* велосипедист
cyclone *n* циклон
cylinder *n* циліндр
cynic *adj* цинічний
cynicism *n* цинізм
cypress *n* кипарис
cyst *n* міхур, кіста
czar *n* цар

D

dad *n* тато
dagger *n* кинджал
daily *adv* щоденно
daisy *n* маргаритка
dam *n* дамба
damage *n* пошкодження
damage *v* пошкоджувати
damaging *adj* шкідливий
damn *v* проклинати
damnation *n* прокляття
damp *adj* вологий
dampen *v* змочувати
dance *n* танець
dance *v* танцювати

dancing *n* танці
dandruff *n* лупа
danger *n* небезпека
dangerous *adj* небезпечний
dangle *v* звисати
dare *v* сміти
dare *n* виклик
daring *adj* сміливий
dark *adj* темний
darken *v* темніти
darkness *n* темнота
darling *adj* дорогий
darn *v* штопати, лаяти
dart *n* дротик
dash *v* розбивати, мчати
dashing *adj* енергійний
data *n* дані
database *n* база даних
date *n* дата, побачення
date *v* датувати
daughter *n* дочка
daughter-in-law *n* невістка
daunt *v* залякувати
daunting *adj* залякуючий
dawn *n* світанок
day *n* день
daydream *v* мріяти
daze *v* вражати

dazed *adj* здивований
dazzle *v* маскувати
dazzling *adj* сліпучий
de luxe *adj* розкішний
deacon *n* диякон
dead *adj* мертвий
dead end *n* тупик
deaden *v* притупляти
deadline *n* термін
deadlock *adj* тупиковий
deadly *adj* смертельний
deaf *adj* глухий
deafen *v* глушити
deafening *adj* оглушливий
deafness *n* глухота
deal *iv* розподіляти
deal *n* частка, угода
dealer *n* торговець, дилер
dealings *n* відносини
dean *n* декан
dear *adj* дорогий
dearly *adv* дорого
death *n* смерть
death toll *n* кількість загиблих
death trap *n* смертельна пастка
deathbed *n* смертне ложе
debase *v* принижувати

debatable *adj* спірний
debate *v* обговорювати
debate *n* дискусія
debit *n* дебет
debrief *v* опитувати
debris *n* уламки, сміття
debt *n* борг
debtor *n* боржник
debunk *v* розвінчувати
debut *n* дебют
decade *n* десятиріччя
decadence *n* занепад
decaff *adj* без кофеїну
decay *v* гнити
decay *n* гниття, занепад
deceased *adj* померлий
deceit *n* обман
deceitful *adj* брехливий
deceive *v* обманювати
December *n* грудень
decency *n* порядність
decent *adj* пристойний
deception *n* обман
deceptive *adj* обманливий
decide *v* вирішувати
deciding *adj* вирішальний
decimal *adj* десятковий
decimate *v* спустошувати

D

decision *n* рішення, вирок
decisive *adj* рішучий
deck *n* палуба, колода
declaration *n* декларація
declare *v* оголошувати
declension *n* відміна
decline *v* відхиляти
decline *n* занепад
decompose *v* розкладати
décor *n* декор
decorate *v* прикрашати
decorative *adj* декоративний
decorum *n* пристойність
decrease *v* зменшувати
decrease *n* зменшення
decree *n* указ, постанова
decree *v* постановляти
decrepit *adj* старий
dedicate *v* присвячувати
dedication *n* присвячення
deduce *v* виводити
deduct *v* віднімати
deductible *adj* утримуваний
deduction *n* вирахування
deed *n* вчинок, акт
deem *v* вважати
deep *adj* глибокий
deepen *v* заглиблювати

deer *n* олень
deface *v* спотворювати
defame *v* знеславлювати
defeat *v* розбивати
defeat *n* поразка
defect *n* хиба, дефект
defect *v* зраджувати
defection *n* відступництво
defective *adj* дефективний
defend *v* захищати
defendant *n* відповідач
defender *n* захисник
defense *n* оборона
defenseless *adj* беззахисний
defer *v* відкладати
defiance *n* виклик
defiant *adj* зухвалий
deficiency *n* нестача
deficient *adj* недостатній
deficit *n* дефіцит
defile *v* дефілювати
define *v* визначити
definite *adj* певний
definition *n* визначення
definitive *adj* остаточний
deflate *v* викачувати
deform *v* деформувати
deformity *n* деформованість

defraud v обдурювати
defray v оплачувати
defrost v танути
deft adj спритний
defuse v розряджати
defy v ігнорувати
degenerate v вироджуватися
degenerate adj погіршений
degeneration n дегенерація
degradation n деградація
degrade v деградувати
degrading adj принизливий
degree n ступінь, градус
dehydrate v збезводнювати
deign v зволити
deity n божество
dejected adj пригнічений
delay v відкладати
delay n затримка
delegate v делегувати
delegate n делегат
delegation n делегація
delete v знищувати
deliberate v обмірковувати
deliberate adj навмисний
delicacy n делікатес
delicate adj ніжний
delicious adj смачний

delight n захоплення
delight v захоплюватися
delightful adj чудовий
delinquency n провина
delinquent adj винний
deliver v доставляти
delivery n доставка
delude v обманювати
deluge n потоп, злива
delusion n помилка
demand v вимагати
demand n вимога, попит
demanding adj вимагаючий
demean v принижувати
demeaning adj принижуючий
demeanor n манери
demented adj божевільний
demise n кончина
democracy n демократія
democratic adj демократичний
demolish v руйнувати
demolition n руйнування
demon n демон
demonstrate v демонструвати
demote v понижувати
den n лігво, комірчина
denial n відмова
denigrate v обмовляти

Denmak *n* Данія
denominator *n* знаменник
denote *v* позначати
denounce *v* доносити
dense *adj* щільний, тупий
density *n* щільність
dent *v* вдавлювати
dent *n* вибоїна
dental *adj* зубний
dentist *n* стоматолог
dentures *n* зубний протез
deny *v* заперечувати
deodorant *n* дезодорант
depart *v* померти
department *n* відділення
departure *n* відправлення
depend *v* залежати
dependable *adj* надійний
dependence *n* залежність
dependent *adj* залежний
depict *v* зображувати
deplete *v* виснажувати
deplorable *adj* сумний
deplore *v* оплакувати
deploy *v* розгортати
deployment *n* розгортання
deport *v* висилати
deportation *n* висилка

depose *v* усувати
deposit *n* осад, депозит
depot *n* депо, склад
deprave *v* розбещувати
depravity *n* розбещеність
depreciate *v* знецінювати
depreciation *n* знецінювання
depress *v* ослабляти
depressing *adj* гнітючий
depression *n* депресія
deprivation *n* позбавлення
deprive *v* позбавляти
deprived *adj* позбавлений
depth *n* глибина
derail *v* розладнати
derailment *n* крах
deranged *adj* ненормальний
derelict *adj* покинутий
deride *v* висміювати
derivative *adj* похідний
derive *v* походити
derogatory *adj* принизливий
descend *v* спускатися
descendant *n* нащадок
descent *n* спуск
describe *v* описувати
description *n* опис
descriptive *adj* описовий

desecrate *v* зневажати

desert *n* пустеля

desert *v* покидати

deserted *adj* покинутий

deserter *n* дезертир

deserve *v* заслуговувати

deserving *adj* гідний

design *n* дизайн, проект

designate *v* визначати

desirable *adj* бажаний

desire *n* бажання

desire *v* бажати

desist *v* утримуватися від

desk *n* парта

desolate *adj* безлюдний

desolation *n* спустошення

despair *n* відчай

desperate *adj* відчайдушний

despicable *adj* нікчемний

despise *v* зневажати

despite *c* незважаючи на

despondent *adj* зневірений

despot *n* деспот

despotic *adj* деспотичний

dessert *n* десерт

destination *n* призначення

destiny *n* доля

destitute *adj* нужденний

destroy *v* знищувати

destroyer *n* руйнівник

destruction *n* знищення

destructive *adj* знищувальний

detach *v* відокремлювати

detachable *adj* знімний

detail *n* деталь

detail *v* розповідати

detain *v* затримувати

detect *v* виявляти

detective *n* детектив

detector *n* детектор

detention *n* затримання

deter *v* утримувати

deteriorate *v* погіршувати

deterioration *n* погіршення

determination *n* визначення

determine *v* визначати

deterrence *n* утримання

detest *v* ненавидіти

detestable *adj* огидний

detonate *v* вибухати

detonation *n* детонація

detonator *n* детонатор

detour *n* об'їзд

detriment *n* втрата, шкода

detrimental *adj* збитковий

devaluation *n* девальвація

D

D

devalue v обезцінювати
devastate v спустошувати
devastating adj руйнівний
devastation n розтрата
develop v розвивати
development n розвиток
deviation n відхилення
device n пристрій
devil n диявол
devious adj підступний
devise v винаходити
devoid adj позбавлений
devote v присвячувати
devotion n відданість
devour v пожирати
devout adj побожний
dew n роса
diabetes n діабет
diabetic adj діабетичний
diabolical adj диявольський
diagnose v діагностувати
diagnosis n діагноз
diagonal adj діагональний
diagram n діаграма, схема
dial n циферблат, набір
dial v набирати
dial tone n гудок
dialect n діалект

dialogue n діалог
diameter n діаметр
diamond n алмаз, ромб
diaper n пелюшка
diarrhea n понос
diary n щоденник
dice n кості
dictate v диктувати
dictator n диктатор
dictatorial adj диктаторський
dictatorship n диктатура
dictionary n словник
die v помирати
die out v вимирати
diet n дієта
differ v відрізнятися
difference n різниця
different adj різний
difficult adj важкий
difficulty n важкість
diffuse v поширювати
dig iv копати
digest v обдумувати
digestion n травлення
digestive adj травний
digit n цифра
dignify v удостоювати
dignitary n сановник

D

dignity n гідність, титул
digress v відхилятися
dilapidated adj старий
dilemma n дилема
diligence n диліжанс
diligent adj сумлінний
dilute v розбавляти
dim adj тьмяний, неясний
dim v потьмяніти
dime n монета
dimension n вимір
diminish v зменшувати
dine v обідати
diner n ресторан
dining room n їдальня
dinner n обід
dinosaur n динозавр
diocese n єпархія
diphthong n дифтонг
diploma n диплом
diplomacy n дипломатія
diplomat n дипломат
diplomatic adj дипломатичний
dire adj жахливий
direct adj прямий
direct v керувати
direction n напрям
director n директор

directory n довідник
dirt n бруд, земля
dirty adj брудний
disadvantage n недолік
disagree v не згоджуватися
disagreeable adj неприємний
disagreement n незгода
disappear v зникати
disappearance n зникнення
disappoint v розчаровувати
disappointing adj невтішний
disappointment n прикрість
disapproval n несхвалення
disapprove v осуджувати
disarm v обеззброювати
disarmament n роззброєння
disaster n катастрофа
disastrous adj згубний
disband v розпускати
disbelief n невір'я
disburse v оплачувати
discard v відкидати
discern v розрізняти
discharge v випускати
discharge n виділення
disciple n учень
discipline n дисципліна
disclaim v заперечувати

disclose v розкривати
discomfort n дискомфорт
disconnect v роз'єднувати
discontent adj незадоволений
discontinue v припиняти
discord n незгода
discordant adj незгідний
discount n знижка
discount v знижувати
discourage v знеохочувати
discouragement n відмовляння
discouraging adj гнітючий
discourtesy n нечемність
discover v виявляти
discovery n відкриття
discredit v дискредитувати
discreet adj стриманий
discrepancy n розбіжність
discretion n обачність
discriminate v розрізняти
discrimination n дискримінація
discuss v обговорювати
discussion n обговорення
disdain n пиха
disease n хвороба
disembark v висаджуватися
disenchanted adj розчарований
disentangle v розплутувати

disfigure v спотворювати
disgrace n неласка, ганьба
disgrace v ганьбити
disgraceful adj ганебний
disgruntled adj незадоволений
disguise v маскувати
disguise n маскування
disgust n відраза
disgusting adj огидний
dish n тарілка, страва
dishearten v засмучувати
dishonest adj нечесний
dishonesty n нечесність
dishonor n безчестя
dishonorable adj безчесний
disillusion n розчарування
disinfect v дезінфікувати
disintegrate v розпадатися
disintegration n розпадання
disk n диск
dislike n неприхильність
dislocate v перемістити
dislodge v витісняти
disloyal adj зрадливий
disloyalty n невірність
dismal adj похмурий
dismantle v роздягати
dismay n страх, смуток

dismay v лякати
dismiss v звільнити
dismissal n звільнення
dismount v злазити
disobedience n непокора
disobedient adj непокірний
disobey v не коритися
disorder n безладдя
disorganized adj розладнаний
disown v зрікатися
disparity n нерівність
dispatch v відправляти
dispel v розвіювати
dispensation n розподіл
dispense v розподіляти
dispersal n розвіювання
disperse v розсіювати
displace v переміщати
display n прояв, дисплей
display v показувати
displease v не подобатися
displeasing adj неприємний
displeasure n незадоволення
disposable adj вільний
disposal n усунення
dispose v розміщувати
disprove v спростовувати
dispute n диспут

dispute v сперечатися
disregard v ігнорувати
disrepair n несправність
disrespect n неповага
disrespectful adj нешанобливий
disrupt v зривати
disruption n зрив, пробій
dissatisfied adj незадоволений
disseminate v поширювати
dissent v заперечувати
dissident adj інакомислячий
dissimilar adj різнорідний
dissipate v розсіювати
dissolute adj розбещений
dissolution n розчинення
dissolve v розчиняти
dissonant adj дисонуючий
dissuade v переконувати
distance n відстань
distant adj віддалений
distaste n відраза
distasteful adj неприємний
distill v дистилювати
distinct adj чіткий
distinction n різниця
distinctive adj відмінний
distinguish v розрізняти
distort v спотворювати

D

distortion *n* спотворення

distract *v* відволікати

distraction *n* відволікання

distraught *adj* збентежений

distress *n* лихо

distress *v* мучитися

distressing *adj* тривожний

distribute *v* розподіляти

distribution *n* розподіл

district *n* район, дільниця

distrust *n* недовіра

distrust *v* сумніватися

distrustful *adj* недовірливий

disturb *v* турбувати

disturbance *n* тривога

disturbing *adj* тривожний

disunity *n* роз'єднаність

disuse *n* невживання

ditch *n* канава

dive *v* пірнати

diver *n* водолаз

diverse *adj* різноманітний

diversify *v* різноманітити

diversion *n* відхилення

diversity *n* різноманітність

divert *v* відхиляти

divide *v* ділити

dividend *n* ділене

divine *adj* божественний

diving *n* пірнання

divinity *n* божество

divisible *adj* подільний

division *n* поділ, відділ

divorce *n* розлучення

divorce *v* розлучатися

divorcee *n* розлучений

divulge *v* розголошувати

dizziness *n* запаморочення

dizzy *adj* запаморочливий

do *iv* робити

docile *adj* тямкий

docility *n* тямущість

dock *n* док

dock *v* зменшувати

doctor *n* лікар

doctrine *n* доктрина

document *n* документ

documentation *n* документація

dodge *v* викручуватися

dog *n* собака

dogmatic *adj* догматичний

dole out *v* допомагати

doll *n* лялька

dollar *n* долар

dolphin *n* дельфін

dome *n* купол

domestic *adj* домашній
domesticate *v* приручати
dominate *v* домінувати
domination *n* панування
domineering *adj* владний
dominion *n* домініон
donate *v* жертвувати
donation *n* пожертвування
donkey *n* осел
donor *n* донор
doom *n* доля, загибель
doomed *adj* приречений
door *n* двері
doorbell *n* дверний дзвінок
doorstep *n* поріг
doorway *n* дверний отвір
dope *n* наркотик, допінг
dope *v* одурманюватися
dormitory *n* гуртожиток
dosage *n* дозування
dossier *n* досьє
dot *n* крапка
double *adj* подвійний
double *v* подвоювати
double-check *v* перевіряти
double-cross *v* обдурювати
doubt *n* сумнів
doubt *v* сумніватися

doubtful *adj* сумнівний
dough *n* тісто
dove *n* голуб
down *adv* вниз
downcast *adj* понурий
downfall *n* падіння, опади
downhill *adv* вниз
downpour *n* злива
downsize *v* скорочувати
downstairs *adv* вниз
down-to-earth *adj* приземлений
downtown *n* центр міста
downtrodden *adj* затоптаний
downturn *n* спад
dowry *n* придане
doze *n* дрімота
doze *v* дрімати
dozen *n* дюжина
draft *n* чернетка, призов
draft *v* накреслити
draftsman *n* кресляр
drag *v* тягти, волочити
dragon *n* дракон
drain *v* осушувати
drainage *n* дренаж
dramatic *adj* драматичний
dramatize *v* інсценувати
drape *n* портьєра

drastic *adj* радикальний
draw *n* лотерея
draw *iv* тягти, малювати
drawback *n* перешкода
drawer *n* шухляда
drawing *n* малюнок, тираж
dread *v* жахатися
dreaded *adj* зляканий
dreadful *adj* страшний
dream *iv* снитися, мріяти
dream *n* сон, мрія
dress *n* одяг, сукня
dress *v* одягатися
dresser *n* салон краси
dressing *n* вдягання
dried *adj* сушений
drift *v* дрейфувати
drift apart *v* розійтися
drifter *n* дрифтер
drill *v* тренуватися
drill *n* муштра, бур
drink *iv* пити
drink *n* напій
drinkable *adj* питний
drinker *n* питець
drip *v* капати
drip *n* крапання
drive *n* катання, стимул

drive *iv* їхати, вести
drive at *v* домагатися
drive away *v* поїхати
driver *n* водій
driveway *n* проїзд
drizzle *v* мрячити
drizzle *n* мряка
drop *n* крапля, падіння
drop *v* падати, крапати
drop in *v* зайти
drop off *v* засипати
drop out *v* кидати, зникати
drought *n* засуха
drown *v* тонути, топити
drowsy *adj* сонний
drug *n* ліки, наркотик
drug *v* давати наркотик
drugstore *n* аптека
drum *n* барабан
drunk *adj* п'яний
drunkenness *n* пияцтво
dry *v* висихати
dry *adj* сухий, нудний
dryclean *v* хімічно чистити
dryer *n* сушильник, фен
dual *adj* подвійний
dubious *adj* сумнівний
duchess *n* герцогиня

D
E

duck *n* качка, парусина
duck *v* поринати
duct *n* прохід, провід
due *adj* належний
duel *n* дуель
dues *n* внески
duke *n* герцог
dull *adj* нудний, похмурий
duly *adv* належно
dumb *adj* беззвучний
dummy *n* манекен
dummy *adj* підроблений
dump *v* звалювати
dump *n* звалище
dung *n* гній
dungeon *n* темниця
dupe *v* обдурювати
duplicate *v* дублювати
duplication *n* подвоювання
durable *adj* міцний
duration *n* тривалість
during *pre* протягом
dusk *n* сутінки
dust *n* пил
dusty *adj* запилений
Dutch *adj* голландський
duty *n* обов'язок
dwarf *n* карлик

dwell *iv* мешкати
dwelling *n* житло
dwindle *v* скорочуватися
dye *v* фарбувати
dye *n* барвник, колір
dying *adj* вмираючий
dynamic *adj* динамічний
dynamite *n* динаміт
dynasty *n* династія

E

each *adj* кожний
each other *adj* один одного
eager *adj* палкий
eagerness *n* завзяття
eagle *n* орел
ear *n* вухо, слух
earache *n* вушний біль
early *adv* рано
earmark *v* таврувати
earn *v* заробляти
earnestly *adv* палко
earnings *n* заробіток
earphones *n* навушники

earring *n* сережка
earth *n* земля
earthquake *n* землетрус
earwax *n* вушна сірка
ease *v* полегшувати
ease *n* легкість, спокій
easily *adv* легко
east *n* схід
eastbound *adj* східний
Easter *n* Пасха
eastern *adj* східний
easterner *n* житель сходу
eastward *adv* на схід
easy *adj* легкий
eat *iv* їсти
eat away *v* з'їдати
eavesdrop *v* підслуховувати
ebb *v* спадати, згасати
eccentric *adj* ексцентричний
echo *n* відгомін
eclipse *n* затемнення
ecology *n* екологія
economical *adj* економічний
economize *v* заощаджувати
economy *n* економіка
ecstasy *n* екстаз
ecstatic *adj* несамовитий
edge *n* край

edgy *adj* гострий
edible *adj* їстівний
edifice *n* будівля
edit *v* редагувати
edition *n* видання
educate *v* виховувати
educational *adj* освітній
eerie *adj* боязкий
effect *n* вплив, ефект
effective *adj* ефективний
effectiveness *n* ефективність
efficiency *n* ефективність
efficient *adj* дієвий
effigy *n* зображення
effort *n* зусилля
effusive *adj* експансивний
egg *n* яйце
egg white *n* білок
egoism *n* егоїзм
egoist *n* егоїст
eight *adj* вісім
eighteen *adj* вісімнадцять
eighth *adj* восьмий
eighty *adj* вісімдесят
either *adj* один з двох
either *adv* також
eject *v* виселяти
elapse *v* минати

elastic *adj* гнучкий

elated *adj* піднесений

elbow *n* лікоть

elder *n* старійшина

elderly *adj* літній

elect *v* обирати

election *n* вибори

electric *adj* електричний

electrician *n* електрик

electricity *n* електрика

electrify *v* електрифікувати

electronic *adj* електронний

elegance *n* витонченість

elegant *adj* елегантний

element *n* елемент

elementary *adj* початковий

elephant *n* слон

elevate *v* піднімати

elevation *n* підняття

elevator *n* ліфт

eleven *adj* одинадцять

eleventh *adj* одинадцятий

eligible *adj* придатний

eliminate *v* усувати

elm *n* в'яз

eloquence *n* красномовство

else *adv* ще, крім

elsewhere *adv* кудись

elude *v* уникати

elusive *adj* невловимий

emaciated *adj* виснажений

emanate *v* виходити

emancipate *v* емансипувати

embalm *v* бальзамувати

embark *v* вантажити

embarrass *v* бентежити

embassy *n* посольство

embellish *v* прикрашати

embers *n* жаринки

embezzle *v* розтрачувати

embitter *v* дратувати

emblem *n* емблема

embody *v* втілювати

emboss *v* карбувати

embrace *v* охоплювати

embrace *n* обійми

embroider *v* вишивати

embroidery *n* вишивка

embroil *v* втягувати

embryo *n* ембріон

emerald *n* смарагд

emerge *v* виходити

emigrant *n* емігрант

emigrate *v* емігрувати

emission *n* виділення

emit *v* випускати

E

emotion *n* хвилювання
emotional *adj* емоційний
emperor *n* імператор
emphasis *n* наголос
emphasize *v* підкреслювати
empire *n* імперія
employ *v* наймати
employee *n* працівник
employer *n* роботодавець
employment *n* наймання
empress *n* імператриця
emptiness *n* пустота
empty *adj* порожній
empty *v* спорожняти
enable *v* дозволяти
enchant *v* зачаровувати
enchanting *adj* чарівний
encircle *v* оточувати
enclave *n* анклав
enclose *v* оточувати
enclosure *n* огорожа
encompass *v* охоплювати
encounter *v* зустрічатися
encounter *n* зустріч
encourage *v* заохочувати
encroach *v* зазіхати
encyclopedia *n* енциклопедія
end *n* кінець

end *v* кінчати
end up *v* закінчуватися
endanger *v* загрожувати
endeavor *v* намагатися
endeavor *n* намагання
ending *n* закінчення
endless *adj* нескінченний
endorse *v* схвалювати
endorsement *n* індосамент
endure *v* терпіти
enemy *n* ворог
energetic *adj* енергійний
energy *n* енергія
enforce *v* спонукати
engage *v* займатися
engaged *adj* зайнятий
engagement *n* заручини
engine *n* двигун
engineer *n* інженер
England *n* Англія
English *adj* англійський
engrave *v* гравірувати
engraving *n* гравірування
engrossed *adj* забраний
engulf *v* поглинати
enhance *v* підвищувати
enjoy *v* задовольнятися
enjoyable *adj* приємний

enjoyment *n* задоволення

enlarge *v* збільшувати

enlargement *n* розширення

enlighten *v* освічувати

enlist *v* заручитися

enormous *adj* величезний

enough *adv* досить

enrage *v* дратувати

enrich *v* збагачувати

enroll *v* записатися

enrollment *n* зарахування

ensure *v* гарантувати

entail *v* викликати

entangle *v* вплутувати

enter *v* входити

enterprise *n* підприємство

entertain *v* розважати

entertaining *adj* розважальний

entertainment *n* розвага

enthrall *v* поневолювати

enthralling *adj* чаруючий

enthuse *v* захоплювати

enthusiasm *n* ентузіазм

entice *v* спокушати

enticement *n* спокуса

enticing *adj* спокусливий

entire *adj* суцільний

entirely *adv* повністю

entrance *n* вхід

entreat *v* благати

entree *n* антре

entrenched *adj* укріплений

entrepreneur *n* підприємець

entrust *v* доручати

entry *n* вхід, занесення

enumerate *v* перелічувати

envelop *v* обгортати

envelope *n* конверт

envious *adj* заздрісний

environment *n* довкілля

envisage *v* розглядати

envoy *n* посланник

envy *n* заздрість

envy *v* заздрити

epidemic *n* епідемія

epilepsy *n* епілепсія

episode *n* епізод

epistle *n* епістола

epitaph *n* епітафія

epitomize *v* скорочувати

epoch *n* епоха

equal *adj* рівний

equality *n* рівність

equate *v* прирівнювати

equation *n* рівняння

equator *n* екватор

E

equilibrium *n* рівновага
equip *v* споряджати
equipment *n* обладнання
equivalent *adj* еквівалентний
era *n* ера
eradicate *v* викорінювати
erase *v* стирати
eraser *n* гумка
erect *v* зводити
erect *adj* прямий
err *v* помилятися
errand *n* доручення
erroneous *adj* помилковий
error *n* помилка
erupt *v* вивергатися
eruption *n* виверження
escalate *v* посилювати
escalator *n* ескалатор
escapade *n* ескапада, втеча
escape *v* утекти
escort *n* охорона
esophagus *n* стравохід
especially *adv* особливо
espionage *n* шпигунство
essay *n* есе
essence *n* сутність
essential *adj* необхідний
establish *v* установлювати

estate *n* маєток
esteem *v* поважати
estimate *v* оцінювати
estimation *n* оцінка
estranged *adj* відчужений
estuary *n* естуарій
eternity *n* вічність
ethical *adj* етичний
ethics *n* етика, мораль
etiquette *n* етикет
euphoria *n* ейфорія
Europe *n* Європа
European *adj* європейський
evacuate *v* евакуювати
evade *v* обминати
evaluate *v* оцінювати
evasion *n* ухиляння
evasive *adj* ухильний
eve *n* переддень
even *adj* рівний
even if *c* навіть якщо
even more *c* ще
evening *n* вечір
event *n* подія
eventuality *n* можливість
eventually *adv* зрештою
ever *adv* колись, завжди
everlasting *adj* вічний

every *adj* кожний
everybody *pro* всі
everyday *adj* щоденний
everyone *pro* кожний
everything *pro* все
evict *v* виселяти
evidence *n* доказ
evil *n* зло
evil *adj* злий
evoke *v* викликати
evolution *n* еволюція
evolve *v* розвиватися
exact *adj* точний
exaggerate *v* перебільшувати
exalt *v* вихваляти
examination *n* іспит, огляд
examine *v* вивчати
example *n* приклад
exasperate *v* обурювати
excavate *v* розкопувати
exceed *v* перевищувати
exceedingly *adv* надзвичайно
excel *v* переважати
excellence *n* перевага
excellent *adj* відмінний
except *pre* крім
exception *n* виняток
exceptional *adj* винятковий

excerpt *n* витяг
excess *n* надлишок
excessive *adj* надмірний
exchange *v* обмінювати
excite *v* хвилювати
excitement *n* хвилювання
exciting *adj* захоплюючий
exclaim *v* вигукувати
exclude *v* виключати
excruciating *adj* болісний
excursion *n* екскурсія
excuse *v* вибачати
excuse *n* виправдання
execute *v* виконувати
exemplary *adj* зразковий
exemplify *v* ілюструвати
exempt *adj* звільнений
exemption *n* звільняти
exercise *n* вправа
exercise *v* тренуватися
exert *v* напружувати
exertion *n* зусилля
exhaust *v* стомлювати
exhausting *adj* виснажливий
exhaustion *n* виснаження
exhibit *v* показувати
exhibition *n* виставка
exhilarating *adj* збуджуючий

E

exhort v спонукати
exile v виганяти
exile n вигнання
exist v існувати
existence n існування
exit n вихід
exodus n вихід
exonerate v звільняти
exorbitant adj надмірний
exorcist n заклинач
exotic adj екзотичний
expand v розширяти
expansion n розширення
expect v очікувати
expectancy n очікування
expectation n очікування
expediency n доцільність
expedient adj доцільний
expedition n експедиція
expel v виганяти
expenditure n витрати
expense n вартість
expensive adj дорогий
experience n досвід
experiment n експеримент
expert adj досвідчений
expiate v спокутувати
expiation n спокутування

expiration n закінчення
expire v видихати
explain v пояснювати
explicit adj певний
explode v вибухати
exploit v експлуатувати
exploit n подвиг
exploitation n експлуатація
explore v досліджувати
explorer n дослідник, зонд
explosion n вибух
explosive adj вибуховий
export v експортувати
expose v піддавати
exposed adj незахищений
express adj терміновий
expression n вираз
expressly adv точно
expropriate v відбирати
expulsion n вигнання
exquisite adj вишуканий
extend v продовжити
extension n продовження
extent n протяжність
exterior adj зовнішній
exterminate v знищувати
external adj зовнішній
extinct adj згаслий

extinguish *v* гасити
extort *v* вимагати
extortion *n* вимагання
extra *adv* окремо
extract *v* видаляти
extradite *v* видавати
extradition *n* видача
extraneous *adj* сторонній
extreme *adj* екстремальний
extremities *n* кінцівки
extricate *v* розплутувати
extroverted *adj* товариський
exude *v* проступати
exult *v* радіти
eye *n* око, погляд
eyebrow *n* брова
eye-catching *adj* привабливий
eyeglasses *n* окуляри
eyelash *n* вія
eyelid *n* повіка
eyesight *n* зір
eyewitness *n* свідок

F

fable *n* байка
fabric *n* тканина
fabricate *v* вигадувати
fabulous *adj* казковий
face *n* обличчя, фасад
face up to *v* примиритися з
facet *n* грань, аспект
facilitate *v* полегшувати
facing *adv* насупроти
fact *n* факт
factor *n* фактор
factory *n* фабрика
factual *adj* фактичний
faculty *n* факультет
fad *n* примха
fade *v* знебарвлюватися
faded *adj* побляклий
fail *v* не вдатися
failure *n* невдача, аварія
faint *v* знепритомніти
faint *n* непритомність
faint *adj* слабкий
fair *n* ярмарок
fair *adj* гарний, чесний
fairness *n* справедливість

E
F

fairy *n* фея
faith *n* віра
faithful *adj* вірний
fake *v* підробляти
fake *adj* підробний
fall *n* падіння
fall *iv* падати
fall back *v* відступати
fall behind *v* відставати
fall down *v* впасти
fall through *v* провалитися
fallacy *n* помилка
fallout *n* опади
falsehood *n* брехня
falsify *v* підробляти
falter *v* спотикатися
fame *n* слава
familiar *adj* знайомий
family *n* сім'я, рід
famine *n* голод
famous *adj* відомий
fan *n* вентилятор
fanatic *adj* фанатичний
fancy *adj* фантазія
fang *n* ікло, кіготь
fantastic *adj* фантастичний
fantasy *n* фантазія
far *adv* далеко

faraway *adj* далекий
farce *n* фарс
fare *n* проїзд
farewell *n* прощання
farm *n* ферма
farmer *n* фермер
farmyard *n* двір ферми
farther *adv* далі
fascinate *v* чарувати
fashion *n* мода
fashionable *adj* модний
fast *adj* швидкий
fasten *v* скріпляти
fat *n* жир
fat *adj* товстий, масний
fatal *adj* фатальний
fate *n* доля
fateful *adj* зловісний
father *n* батько
fatherhood *n* батьківство
father-in-law *n* свекор, тесть
fatherly *adj* батьківський
fathom out *v* вимірювати
fatigue *n* втома
fatten *v* гладшати
fatty *adj* жирний
faucet *n* втулка, кран
fault *n* дефект, провина

fiction

faulty *adj* зіпсований

favor *n* схвалення

favorable *adj* сприятливий

favorite *adj* улюблений

fear *n* страх

fearful *adj* страшний

feasible *adj* можливий

feast *n* бенкет

feat *n* подвиг, фах

feather *n* перо

feature *n* особливість

February *n* лютий

fed up *adj* знуджений

federal *adj* федеральний

fee *n* плата, внесок

feeble *adj* нікчемний

feed *iv* годувати

feel *iv* відчувати

feeling *n* почуття

feelings *n* погляд

feet *n* піхота, ноги

feign *v* прикидатися

fellow *n* хлопець, товариш

fellowship *n* товариство

felon *n* лиходій

felony *n* злочин

female *n* жінка, самиця

feminine *adj* жіночий

fence *n* огорожа

fencing *n* обгороджування

fend *v* відганяти

fend off *v* відвертати

fender *n* крило, кранець

ferment *v* бродити

ferment *n* бродіння

ferocious *adj* жорстокий

ferocity *n* жорстокість

ferry *n* пором

fertile *adj* родючий

fertility *n* родючість

fertilize *v* удобрювати

fervent *adj* палкий

fester *v* гноїтися, мучити

festive *adj* святковий

festivity *n* свято

fetid *adj* смердючий

fetus *n* зародок

feud *n* ворожнеча

fever *n* жар, лихоманка

feverish *adj* гарячковий

few *adj* мало, декілька

fewer *adj* менше

fiancé *n* жених

fiber *n* волокно

fickle *adj* несталий

fiction *n* вигадка

F

F

fictitious *adj* фіктивний
fiddle *n* скрипка
fidelity *n* вірність
field *n* поле, галузь
fierce *adj* шалений
fiery *adj* вогняний
fifteen *adj* п'ятнадцять
fifth *adj* п'ятий
fifty *adj* п'ятдесят
fifty-fifty *adv* порівну
fig *n* інжир, вбрання
fight *iv* боротися
fight *n* боротьба
fighter *n* боєць
figure *n* цифра, персона
figure out *v* збагнути
file *v* підшивати
file *n* картотека
fill *v* наповнювати
filling *n* наповнення
film *n* фільм, плівка
filter *n* фільтр
filter *v* фільтрувати
filth *n* бруд, розпуста
filthy *adj* брудний
fin *n* плавець
final *adj* остаточний
finalize *v* завершувати

finance *v* фінансувати
financial *adj* фінансовий
find *iv* знаходити
find out *v* дізнатися
fine *n* штраф, кінець
fine *v* штрафувати
fine *adv* витончено
fine *adj* витончений
fine print *n* дрібний друк
finger *n* палець, стрілка
fingernail *n* ніготь
fingertip *n* кінчик пальця
finish *v* закінчувати
Finland *n* Фінляндія
Finnish *adj* фінський
fire *v* загорятися
fire *n* вогонь, стрільба
firecracker *n* феєрверк
firefighter *n* пожежник
fireman *n* пожежник
fireplace *n* камін, горно
firewood *n* дрова
fireworks *n* феєрверк
firm *adj* міцний, рішучий
firm *n* фірма
firmness *n* твердість
first *adj* перший
fish *n* риба

fisherman *n* рибалка
fishy *adj* рибний
fist *n* кулак
fit *n* припадок, порив
fit *v* підходити
fitness *n* придатність
fitting *adj* установлення
five *adj* п'ять
fix *v* укріпляти
fjord *n* фіорд
flag *n* прапор, півники
flagpole *n* флагшток
flamboyant *adj* барвистий
flame *n* полум'я, запал
flammable *adj* займистий
flank *n* бік, фланг
flare *n* спалах
flare-up *v* спалахувати
flash *n* спалах, мить
flashlight *n* ліхтарик
flashy *adj* крикливий
flat *n* квартира, рівнина
flat *adj* плоский
flatten *v* вирівнювати
flatter *v* лестити
flattery *n* лестощі
flavor *n* аромат
flaw *n* вада, шквал

flawless *adj* бездоганний
flea *n* блоха
flee *iv* тікати
fleece *n* шерсть, руно
fleet *n* флот, бухта
fleeting *adj* швидкоплинний
flesh *n* м'ясо, плоть
flex *v* згинатися
flexible *adj* гнучкий
flicker *v* мерехтіти
flier *n* льотчик
flight *n* політ
flimsy *adj* тонкий
flip *v* ляскати
flirt *v* фліртувати
float *v* пливти
flock *n* зграя, отара
flog *v* сікти
flood *v* затопляти
floodgate *n* шлюз
flooding *n* затоплення
floodlight *n* прожектор
floor *n* підлога, поверх
flop *n* хлопання
floss *n* шовк-сирець
flour *n* борошно
flourish *v* процвітати
flow *v* текти, спадати

F

flow *n* течія, плавність
flower *n* квітка, цвітіння
flowerpot *n* вазон
flu *n* грип
fluctuate *v* коливатися
fluently *adv* вільно
fluid *n* рідина
flunk *v* провалитися
flush *v* червоніти
flute *n* флейта
flutter *v* перелітати
fly *iv* літати, тікати
fly *n* муха, політ
foam *n* піна
focus *n* фокус, центр
focus on *v* фокусуватися на
foe *n* ворог
fog *n* туман, отава
foggy *adj* туманний
foil *v* покривати фольгою
fold *v* згортати
folder *n* папка
folks *n* люди
folksy *adj* товариський
follow *v* слідувати
follower *n* послідовник
folly *n* дурниця
fond *adj* люблячий

fondle *v* пестити
fondness *n* ніжність, дурість
food *n* їжа
fool *v* дуріти
fool *adj* дурний
foolproof *adj* нескладний
foot *n* нога, підніжжя
football *n* футбол
footnote *n* виноска
footprint *n* слід
footstep *n* крок, сходинка
footwear *n* взуття
for *pre* для, внаслідок
forbid *iv* забороняти
force *n* сила
force *v* примушувати
forceful *adj* сильний
forcibly *adv* примусово
forecast *iv* передбачати
forefront *n* передова лінія
foreground *n* передній план
forehead *n* лоб
foreign *adj* іноземний
foreigner *n* іноземець
foreman *n* майстер
foremost *adj* передовий
foresee *iv* передбачати
foreshadow *v* провіщати**

foresight *n* передбачення

forest *n* ліс

foretaste *n* передчуття

foretell *v* передбачати

forever *adv* назавжди

forewarn *v* застерігати

foreword *n* передмова

forfeit *v* позбутися

forge *v* кувати

forgery *n* підробка

forget *v* забувати

forgivable *adj* простимий

forgive *v* прощати

forgiveness *n* прощення

fork *n* виделка

form *n* форма

formal *adj* офіційний

formality *n* формальність

formalize *v* оформляти

formally *adv* офіційно

format *n* формат

formation *n* формування

former *adj* колишній

formerly *adv* раніше

formidable *adj* страшний

formula *n* формула

forsake *iv* залишати

fort *n* форт

forthcoming *adj* наступний

forthright *adj* відвертий

fortify *v* укріпляти

fortitude *n* витривалість

fortress *n* фортеця

fortunate *adj* щасливий

fortune *n* доля

forty *adj* сорок

forward *adv* вперед

fossil *n* скам'янілість

foster *v* сприяти

foul *adj* брудний

foundation *n* фундамент

founder *n* засновник

foundry *n* ливарний завод

fountain *n* фонтан

four *adj* чотири

fourteen *adj* чотирнадцять

fourth *adj* четвертий

fox *n* лис

foxy *adj* лисячий, рудий

fraction *n* дріб, уламок

fracture *n* перелом

fragile *adj* крихкий

fragment *n* фрагмент

fragrance *n* аромат

fragrant *adj* ароматний

frail *adj* слабкий

F

frailty *n* слабкість
frame *n* рама, будова
frame *v* складати
framework *n* каркас
France *n* Франція
franchise *n* право голосу
frank *adj* щирий
frankly *adv* відверто
frankness *n* відвертість
frantic *adj* шалений
fraternal *adj* братерський
fraternity *n* братерство
fraud *n* шахрайство
fraudulent *adj* шахрайський
freckle *n* веснянка
freckled *adj* веснянкуватий
free *v* звільняти
free *adj* вільний
freedom *n* свобода
freeway *n* автострада
freeze *iv* морозити
freezer *n* морозильник
freezing *adj* холодний
freight *n* вантаж
French *adj* французький
frenetic *adj* шалений
frenzied *adj* шалений
frenzy *n* божевілля

frequency *n* частота
frequent *adj* частий
fresh *adj* свіжий
freshen *v* освіжати
freshness *n* свіжість
friar *n* чернець
friction *n* тертя
Friday *n* п'ятниця
fried *adj* смажений
friend *n* друг
friendship *n* дружба
fries *n* картопля фрі
frigate *n* фрегат
fright *n* переляк
frighten *v* лякати
frightening *adj* лякаючий
frigid *adj* холодний
fringe *n* бахрома
frivolous *adj* легковажний
frog *n* жаба
from *pre* від, з
front *n* перед
front *adj* передній
frontage *n* фасад
frontier *n* кордон
frost *n* мороз
frostbite *n* обмороження
frostbitten *adj* обморожений

frosty *adj* морозний
frown *v* хмуритися
frozen *adj* заморожений
frugal *adj* ощадливий
frugality *n* ощадливість
fruit *n* фрукт
fruitful *adj* плодючий
fruity *adj* фруктовий
frustrate *v* розладнувати
frustration *n* розлад
fry *v* смажити
frying pan *n* сковорода
fuel *n* паливо
fuel *v* заправлятися
fugitive *n* збіглий
fulfill *v* виконувати
fulfillment *n* виконання
full *adj* повний
fully *adv* повністю
fumes *n* гази
fumigate *v* обкурювати
fun *n* веселощі
function *n* функція
fund *n* фонд
fund *v* фінансувати
fundamental *adj* фундаментальний
funds *n* фонди

funeral *n* похорон
fungus *n* гриб
funny *adj* смішний
fur *n* хутро
furious *adj* несамовитий
furiously *adv* несамовито
furnace *n* піч
furnish *v* постачати
furnishings *n* меблювання
furniture *n* меблі
furor *n* гнів
furrow *n* борозна, колія
furry *adj* пухнастий
further *adv* потім
furthermore *adv* крім того
fury *n* лють
fuse *n* запал
fusion *n* розплав
fuss *n* метушня
fussy *adj* метушливий
futile *adj* марний
futility *n* марність
future *n* майбутнє
fuzzy *adj* пухнастий

F

G

gadget *n* пристрій
gag *n* затичка
gag *v* затикати
gage *v* ручатися
gain *v* здобувати
gain *n* вигода, приріст
gal *n* дівчина
galaxy *n* галактика
gale *n* шторм
gall bladder *n* жовчний міхур
gallant *adj* гарний
gallery *n* галерея
gallon *n* галон
gallop *v* гнати галопом
gallows *n* шибениця
galvanize *v* оживляти
gamble *v* ризикувати
game *n* гра, дичина
gang *n* банда
gangrene *n* гангрена
gangster *n* бандит
gap *n* проміжок, розрив
garage *n* гараж
garbage *n* сміття
garden *n* сад, город

gardener *n* садівник
gargle *v* полоскати
garland *n* гірлянда
garlic *n* часник
garment *n* одежина
garnish *v* прикрашати
garnish *n* прикраса
garrison *n* гарнізон
garrulous *adj* балакучий
garter *n* підв'язка
gas *n* газ, бензин
gash *n* рана, надріз
gasoline *n* бензин
gasp *v* важко дихати
gastric *adj* шлунковий
gate *n* ворота, застава
gather *v* збирати
gathering *n* збір
gauge *v* виміряти
gauze *n* марля
gaze *v* вдивлятися
gear *n* прилад, одяг
geese *n* гуси
gem *n* самоцвіт
gender *n* стать
gene *n* ген
general *n* загальний
generalize *v* узагальнювати

generate *v* генерувати
generation *n* покоління
generator *n* генератор
generic *adj* загальний
generosity *n* щедрість
genetic *adj* генетичний
genial *adj* веселий
genius *n* геній
genocide *n* геноцид
genteel *adj* благородний
gentle *adj* ніжний
gentleman *n* джентльмен
gentleness *n* лагідність
genuine *adj* справжній
geography *n* географія
geology *n* геологія
geometry *n* геометрія
germ *n* зародок, бактерія
German *adj* німецький
Germany *n* Німеччина
germinate *v* проростати
gerund *n* герундій
gestation *n* вагітність
gesticulate *v* жестикулювати
gesture *n* жест, міміка
get *iv* отримувати
get along *v* ладити
get away *v* утікати

get back *v* повернутися
get by *v* проходити
get down *v* спуститися
get down to *v* приступити до
get in *v* входити
get off *v* зійти
get out *v* виходити
get over *v* перейти
get together *v* збиратися
get up *v* вставати
geyser *n* гейзер
ghastly *adj* жахливий
ghost *n* привид
giant *n* гігант
gift *n* дар
gifted *adj* обдарований
gigantic *adj* гігантський
giggle *v* хихикати
gimmick *n* трюк
ginger *n* імбир
gingerly *adv* обережно
giraffe *n* жираф
girl *n* дівчина
girlfriend *n* подруга
give *iv* давати
give away *v* віддати
give back *v* повертати
give in *v* поступатися

G

G

give out *v* видавати	**glossary** *n* глосарій
give up *v* здаватися	**glossy** *adj* блискучий
glacier *n* льодовик	**glove** *n* рукавичка
glad *adj* радісний	**glow** *v* світитися
gladiator *n* гладіатор	**glucose** *n* глюкоза
glamorous *adj* чарівний	**glue** *n* клей
glance *v* блискати	**glue** *v* клеїти
glance *n* блиск, погляд	**glut** *n* пересичення
gland *n* залоза	**glutton** *n* ненажера
glare *n* сліпучий блиск	**gnaw** *v* турбувати
glass *n* скло, склянка	**go** *iv* ходити, їхати
glasses *n* окуляри	**go ahead** *v* йти вперед
glassware *n* посуд	**go away** *v* покидати
gleam *n* мерехтіння	**go back** *v* повертатися
gleam *v* мерехтіти	**go down** *v* спускатися
glide *v* ковзати	**go in** *v* входити
glimmer *n* мигтіння	**go on** *v* продовжувати
glimpse *n* проблиск	**go out** *v* виходити
glimpse *v* промайнути	**go over** *v* переходити
glitter *v* блищати	**go through** *v* переглянути
globe *n* куля, глобус	**go under** *v* гинути
globule *n* глобула	**go up** *v* підійматися
gloom *n* темрява, смуток	**goad** *v* підбурювати
gloomy *adj* похмурий	**goal** *n* мета, гол
glorify *v* прославляти	**goalkeeper** *n* воротар
glorious *adj* славетний	**goat** *n* коза
glory *n* слава	**gobble** *v* пожирати
gloss *n* блиск	**God** *n* Бог

goddess n богиня

godless adj безбожний

goggles n окуляри

gold n золото

golden adj золотий

good adj хороший

good-looking adj красивий

goodness n доброта

goods n товари, майно

goodwill n добра воля

goof v дуріти

goof n дурень

goose n гусак

gorge n глотка, ущелина

gorgeous adj розкішний

gorilla n горила

gory adj закривавлений

gospel n Євангеліє

gossip v пліткувати

gossip n плітки, базікало

gout n подагра

govern v керувати

government n уряд

governor n губернатор

gown n халат

grab v хватати

grace n грація, милість

graceful adj граціозний

gracious adj ласкавий

grade n градус, клас

gradual adj поступовий

graduate v випускатися

graduation n закінчення

graft v щепити

graft n живець

grain n зерно

gram n грам

grammar n граматика

grand adj великий

grandchild n внук

granddad n дідусь

grandfather n дід

grandmother n бабуся

grandparents n дідусь і бабуся

grandson n внук

grandstand n трибуна

granite n граніт

granny n бабуся

grant v дозволяти

grant n дар, дозвіл

grape n виноград

grapefruit n грейпфрут

graphic adj графічний

grasp n хватка

grasp v хапати

grass n трава

G

grassroots *adj* низовий
grateful *adj* вдячний
gratify *v* задовольняти
gratifying *adj* приємний
gratitude *n* подяка
grave *adj* серйозний
grave *n* могила
gravel *n* гравій
gravely *adv* серйозно
gravestone *n* надгробок
graveyard *n* цвинтар
gravitate *v* притягатися
gravity *n* важливість
gravy *n* підливка
gray *adj* сірий
grayish *adj* сіруватий
graze *v* зачіпати, пасти
graze *n* торкання
grease *v* змащувати
grease *n* смалець
greasy *adj* жирний
great *adj* великий
greatness *n* велич
Greece *n* Греція
greed *n* жадібність
greedy *adj* жадібний
Greek *adj* грецький
green *adj* зелений

green bean *n* зелена квасоля
greenhouse *n* теплиця
Greenland *n* Гренландія
greet *v* вітати
greetings *n* вітання
gregarious *adj* стадний
grenade *n* граната
greyhound *n* хорт
grief *n* горе
grievance *n* образа
grieve *v* сумувати
grill *v* смажити
grill *n* гриль
grim *adj* похмурий
grimace *n* гримаса
grime *n* бруд
grind *iv* молоти, мучити
grip *v* схоплювати
grip *n* потиск, ручка
gripe *n* затиск, лещата
grisly *adj* жахливий
groan *v* стогнати
groan *n* стогін
groceries *n* бакалійні товари
groin *n* пах
groom *n* жених
groove *n* жолобок, звичка
gross *adj* великий

grossly *adv* грубо, оптом
grotesque *adj* гротескний
grotto *n* грот
grouch *v* бурчати
grouchy *adj* буркотливий
ground *n* ґрунт, підстава
groundless *adj* безпідставний
groundwork *n* фундамент
group *n* група
grow *iv* рости
growl *v* бурчати
grown-up *n* дорослий
growth *n* зростання
grudge *n* незадоволення
grudgingly *adv* неохоче
gruelling *adj* виснажливий
gruesome *adj* жахливий
grumble *v* бурчати
grumpy *adj* сварливий
guarantee *v* гарантувати
guarantee *n* гарантія
guarantor *n* гарант
guard *n* охорона
guardian *n* опікун
guerrilla *n* партизан
guess *v* вгадати
guess *n* припущення
guest *n* гість

guidance *n* керівництво
guide *v* керувати
guide *n* гід
guidebook *n* путівник
guidelines *n* керівні принципи
guild *n* цех
guile *n* підступність
guillotine *n* гільйотина
guilt *n* провина
guilty *adj* винний
guise *n* зовнішність
guitar *n* гітара
gulf *n* затока, прірва
gull *n* чайка, дурень
gullible *adj* легковірний
gulp *v* давитися
gulp *n* ковтання
gulp down *v* ковтати
gum *n* ясна, камедь
gun *n* гармата
gun down *v* застрелити
gunfire *n* стрільба
gunman *n* бандит
gunpowder *n* порох
gust *n* порив
gusto *n* смак
gusty *adj* вітряний
gut *n* кишка, канал

G

guts *n* кишки, мужність
gutter *n* жолоб
guy *n* хлопець, опудало
guzzle *v* об'їдатися
gymnasium *n* гімназія
gynecology *n* гінекологія
gypsy *n* циган

H

habit *n* звичка
habitable *adj* жилий
habitual *adj* звичайний
hack *v* рубати
haggle *v* торгуватися
hail *n* град, вітання
hail *v* сипатися градом
hair *n* волосся
hairbrush *n* щітка
haircut *n* стрижка
hairdo *n* зачіска
hairdresser *n* перукар
hairpiece *n* перука
hairy *adj* волосатий
half *n* половина

half *adj* частковий
hall *n* зал
hallucinate *v* галюцинувати
hallway *n* передпокій
halt *v* вагатися
halve *v* ділити навпіл
ham *n* стегно, шинка
hamburger *n* гамбургер
hamlet *n* хутір
hammer *n* молоток
hammock *n* гамак
hand *n* рука, лапа
hand down *v* передавати
hand in *v* вручати
hand out *v* роздавати
hand over *v* передавати
handbag *n* сумочка
handbook *n* посібник
handcuffs *n* наручники
handful *n* жменя
handgun *n* пістолет
handicap *n* перешкода
handkerchief *n* хусточка
handle *v* керувати
handle *n* ручка
handmade *adj* ручної роботи
handout *n* милостиня
handrail *n* поруччя

handshake *n* рукостискання

handsome *adj* привабливий

handwritting *n* почерк

handy *adj* зручний, умілий

hang *iv* висіти, вішати

hang around *v* гуляти

hang on *v* звисати, чекати

hang up *v* повісити

hanger *n* вішалка

hangup *n* пригніченість

happen *v* відбуватися

happening *n* подія

happiness *n* щастя

happy *adj* щасливий

harass *v* домагатися

harassment *n* домагання

harbor *n* гавань, притулок

hard *adj* важкий, суворий

harden *v* тверднути

hardly *adv* ледве, навряд

hardness *n* твердість

hardship *n* труднощі

hardware *n* боєприпаси

hardwood *n* деревина

hardy *adj* сміливий

hare *n* заєць

harm *v* шкодити

harm *n* шкода, лихо

harmful *adj* шкідливий

harmless *adj* нешкідливий

harmonize *v* узгоджувати

harmony *n* гармонія, згода

harp *n* арфа

harpoon *n* гарпун

harrowing *adj* болісний

harsh *adj* терпкий, грубий

harshly *adv* жорстко

harshness *n* різкість

harvest *n* врожай

harvest *v* збирати врожай

hashish *n* гашиш

hassle *v* надокучати

hassle *n* нервування

haste *n* поспішність

hasten *v* поспішати

hastily *adv* поспішно

hasty *adj* поспішний

hat *n* капелюх

hatchet *n* сокира

hate *v* ненавидіти

hateful *adj* ненависний

hatred *n* ненависть

haughty *adj* пихатий

haul *v* тягти

haunt *v* з'являтися

have *iv* мати, знати

H

have to *v* доводитися

haven *n* притулок

havoc *n* спустошення

hawk *n* яструб

hay *n* сіно

haystack *n* стіг сіна

hazard *n* небезпека

hazardous *adj* небезпечний

haze *n* імла

hazelnut *n* фундук

hazy *adj* імлистий

he *pro* він

head *n* голова

head for *v* спрямовувати

headache *n* головний біль

heading *n* заголовок

head-on *adv* головою, прямо

headphones *n* навушники

headquarters *n* центр

headway *n* вперед, успіх

heal *v* виліковувати

healer *n* цілитель

health *n* здоров'я

healthy *adj* здоровий

heap *n* купа

heap *v* нагромаджувати

hear *iv* чути, дізнаватися

hearing *n* слух, слухання

hearsay *n* чутка

hearse *n* катафалк

heart *n* серце

heartbeat *n* серцебиття

heartburn *n* печія

hearten *v* підбадьорювати

heartfelt *adj* щирий

heartless *adj* безсердечний

hearty *adj* привітний

heat *v* нагріватися

heat *n* жара

heater *n* обігрівач

heathen *n* язичник

heating *n* опалення

heatstroke *n* тепловий удар

heatwave *n* спека

heaven *n* небеса

heavenly *adj* небесний

heaviness *n* тягар

heavy *adj* важкий, сильний

heckle *v* запитувати

hectic *adj* гарячковий

heed *v* стежити

heel *n* п'ята, каблук

height *n* висота

heighten *v* підсилювати

heinous *adj* огидний

heir *n* спадкоємець

heiress *n* спадкоємиця

heist *n* грабіж

helicopter *n* гелікоптер

hell *n* пекло

hello *e* привіт

helm *n* кермо

helmet *n* шолом

help *v* допомагати

help *n* допомога

helper *n* помічник

helpful *adj* корисний

helpless *adj* безпорадний

hem *n* хмикання

hemisphere *n* півкуля

hemorrhage *n* кровотеча

hen *n* курка

hence *adv* отже

henchman *n* зброєносець

her *adj* її

herald *v* оповіщати

herald *n* герольд

herb *n* трава

here *adv* тут

hereafter *adv* у майбутньому

hereby *adv* таким чином

hereditary *adj* спадковий

heresy *n* єресь

heretic *adj* єретик

heritage *n* спадщина

hermetic *adj* герметичний

hermit *n* відлюдник

hernia *n* грижа

hero *n* герой

heroic *adj* героїчний

heroin *n* героїн

heroism *n* героїзм

hers *pro* її

herself *pro* саму себе

hesitant *adj* нерішучий

hesitate *v* вагатися

hesitation *n* вагання

heyday *n* розквіт

hiccup *n* гикавка

hidden *adj* прихований

hide *iv* ховати

hideaway *n* укриття

hideous *adj* огидний

hierarchy *n* ієрархія

high *adj* високий

highlight *n* виділення

highly *adv* високо

Highness *n* високість

highway *n* шосе

hijacker *n* грабіжник

hike *v* робити похід

hike *n* похід

hilarious *adj* веселий
hill *n* пагорок
hillside *n* узгір'я
hilly *adj* пагористий
hilt *n* ефес
hinder *v* перешкоджати
hindrance *n* перешкода
hinge *v* навішувати
hinge *n* завіса, суть
hint *n* натяк
hint *v* натякати
hip *n* стегно, поперек
hire *v* наймати
his *adj* його
his *pro* його, свій
Hispanic *adj* іспаномовний
hiss *v* свистіти
historian *n* історик
history *n* історія
hit *n* удар, успіх
hit *iv* ударяти, влучати
hit back *v* давати здачі
hitch *n* поштовх
hitch up *v* підтягати
hitherto *adv* досі
hive *n* вулик
hoard *v* запасати
hoarse *adj* хрипкий

hoax *n* підсміятися
hobby *n* хобі
hog *n* свиня
hoist *v* піднімати
hoist *n* підіймач
hold *iv* тримати
hold back *v* стримувати
hold on to *v* триматися за
hold out *v* простягати
hold up *v* показувати
holdup *n* наліт
hole *n* дірка, нора
holiday *n* свято
holiness *n* святість
Holland *n* Голландія
hollow *adj* порожній
holocaust *n* голокост
holy *adj* святий
homage *n* пошана
home *n* дім
homeland *n* батьківщина
homely *adj* домашній
hometown *n* рідне місто
homicide *n* убивця
homily *n* проповідь
honest *adj* чесний
honesty *n* чесність
honey *n* мед

honeymoon *n* медовий місяць

honk *v* сигналити

honor *n* честь

hood *n* капюшон, капот

hoodlum *n* хуліган

hoof *n* копито

hook *n* гачок, серп

hooligan *n* хуліган

hop *v* стрибати

hope *n* надія

hopefully *adv* з надією

hopeless *adj* безнадійний

horizon *n* горизонт

horizontal *adj* горизонтальний

hormone *n* гормон

horn *n* ріг, гудок

horrendous *adj* страхітливий

horrible *adj* страшний

horrify *v* жахати

horror *n* жах

horse *n* кінь

hose *n* шланг, панчохи

hospital *n* лікарня

hospitality *n* гостинність

hospitalize *v* госпіталізувати

host *n* господар

hostage *n* заручник

hostess *n* господиня

hostile *adj* ворожий

hostility *n* ворожість

hot *adj* гарячий

hotel *n* готель

hound *n* гончак

hour *n* година

hourly *adv* щогодини

house *n* будинок

household *n* родина

housekeeper *n* економка

hover *v* нависати

how *adv* як, скільки

however *c* однак

howl *v* вити

howl *n* виття

hub *n* втулка

huddle *v* навалювати

hug *v* обіймати

hug *n* обійми

huge *adj* величезний

hull *n* лушпина, корпус

hum *v* дзижчати

human *adj* людський

human being *n* людина

humankind *n* людство

humble *adj* скромний

humbly *adv* скромно

humid *adj* вологий

H

humidity n вологість
humiliate v принижувати
humility n покірність
humor n гумор
humorous adj смішний
hump n горб
hunch n горб, підозра
hunchback n горбань
hunched adj згорблений
hundred adj сто
hundredth adj сотий
hunger n голод
hungry adj голодний
hunt v полювати
hunter n мисливець
hunting n полювання
hurdle n тин, перешкода
hurl v кидати
hurricane n ураган
hurriedly adv поспішно
hurry v поспішати
hurry up v поспішати
hurt iv пошкодити
hurt adj пошкоджений
hurtful adj болісний
husband n чоловік
hush n тиша
hush up v замовчувати

husky adj сухий
hustle n штовханина
hut n хатина
hydraulic adj гідравлічний
hydrogen n водень
hyena n гієна
hygiene n гігієна
hymn n гімн
hyphen n дефіс
hypnosis n гіпноз
hypnotize v гіпнотизувати
hypocrisy n лицемірство
hypocrite adj лицемір
hypothesis n гіпотеза
hysteria n істерія
hysterical adj істеричний

I

I pro я
ice n лід
ice cream n морозиво
ice cube n кубик льоду
iceberg n айсберг
icebox n холодильник

ice-cold adj льодяний
icon n ікона, значок
icy adj льодяний
idea n ідея
ideal adj ідеальний
identical adj ідентичний
identify v визначати
identity n ідентичність
ideology n ідеологія
idiom n ідіома
idiot n ідіот
idiotic adj безглуздий
idle adj лінивий, вільний
idol n ідол
idolatry n ідолопоклонство
if c якщо, чи
ignite v запалювати
ignorance n неуцтво
ignorant adj неосвічений
ignore v ігнорувати
ill adj хворий
illegal adj незаконний
illegible adj нерозбірливий
illegitimate adj незаконний
illicit adj недозволений
illiterate adj неписьменний
illness n хвороба
illogical adj нелогічний

illuminate v освітлювати
illusion n ілюзія
illustrate v ілюструвати
illustration n ілюстрація
illustrious adj видатний
image n зображення
imagination n уява
imagine v уявляти
imbalance n дисбаланс
imitate v імітувати
imitation n імітування
immaculate adj бездоганний
immature adj незрілий
immaturity n незрілість
immediately adv негайно
immense adj величезний
immensity n безмірність
immerse v занурювати
immersion n занурення
immigrant n іммігрант
immigrate v іммігрувати
immigration n імміграція
imminent adj неминучий
immobile adj нерухомий
immoral adj аморальний
immorality n аморальність
immortal adj безсмертний
immortality n безсмертя**

I

immune *adj* імунний
immunity *n* імунітет
immunize *v* імунізувати
immutable *adj* незмінний
impact *n* удар, вплив
impact *v* вдарятися
impair *v* пошкоджувати
impartial *adj* неупереджений
impatience *n* нетерпіння
impatient *adj* нетерплячий
impeccable *adj* бездоганний
impediment *n* перешкода
impending *adj* загрозливий
imperfection *n* хиба
imperial *adj* імперський
imperialism *n* імперіалізм
impersonal *adj* безособовий
impertinence *n* зухвальство
impertinent *adj* зухвалий
impetuous *adj* навальний
implacable *adj* невблаганний
implant *v* імплантувати
implement *v* здійснювати
implicate *v* вплутувати
implication *n* вплутування
implicit *adj* прихований
implore *v* благати
imply *v* натякати

impolite *adj* неввічливий
import *v* імпортувати
importance *n* важливість
importation *n* імпорт
impose *v* обманювати
imposing *adj* показний
imposition *n* податок, обман
impossibility *n* неможливість
impossible *adj* неможливий
impotent *adj* слабкий
impound *v* заганяти
impoverished *adj* збіднілий
impractical *adj* непрактичний
imprecise *adj* неточний
impress *v* вражати
impressive *adj* вражаючий
imprison *v* ув'язнювати
impromptu *adv* експромтом
improper *adj* неправильний
improve *v* поліпшувати
improvement *n* поліпшення
improvise *v* імпровізувати
impulse *n* порив, імпульс
impulsive *adj* імпульсивний
impunity *n* безкарність
impure *adj* нечистий
in *pre* в, на
in depth *adv* глибоко

inability *n* нездатність
inaccessible *adj* недоступний
inaccurate *adj* неточний
inadequate *adj* неадекватний
inadmissible *adj* неприйнятний
inappropriate *adj* непідхожий
inasmuch as *c* оскільки
inaugurate *v* починати
inauguration *n* відкриття
incalculable *adj* незліченний
incapable *adj* нездатний
incarcerate *v* ув'язнювати
incense *n* ладан, лестощі
incentive *n* стимул
inception *n* початок
incessant *adj* безупинний
inch *n* дюйм
incident *n* випадок
incidentally *adv* випадково
incision *n* надріз
incite *v* спонукати
incitement *n* стимул
inclination *n* схильність
incline *v* схилятися
include *v* включати
inclusive *adv* включно
incoherent *adj* непослідовний
income *n* прибуток

incoming *adj* наступний
incompatible *adj* несумісний
incomplete *adj* неповний
inconsistent *adj* несумісний
incontinence *n* нетримання
inconvenient *adj* незручний
incorporate *v* включати
incorrect *adj* неправильний
incorrigible *adj* непоправний
increase *v* збільшувати
increase *n* зростання
increasing *adj* зростаючий
incredible *adj* неймовірний
increment *n* приріст
incriminate *v* обвинувачувати
incur *v* зазнавати
incurable *adj* невиліковний
indecency *n* непристойність
indecision *n* нерішучість
indecisive *adj* нерішучий
indeed *adv* справді
indefinite *adj* неясний
indemnify *v* звільнити
indemnity *n* звільнення
independence *n* незалежність
independent *adj* незалежний
index *n* індекс, стрілка
indicate *v* вказувати

indication *n* вказівка, ознака
indict *v* обвинувачувати
indifference *n* байдужість
indifferent *adj* байдужий
indigent *adj* бідний
indirect *adj* непрямий
indiscreet *adj* нескромний
indiscretion *n* нескромність
indispensable *adj* необхідний
indisposed *adj* нездоровий
indisputable *adj* незаперечний
indivisible *adj* неподільний
indoctrinate *v* хатній
induce *v* спонукати
indulge *v* балувати
indulgent *adj* поблажливий
industrious *adj* працьовитий
industry *n* промисловість
ineffective *adj* неефективний
inefficient *adj* недостатній
inept *adj* дурний
inequality *n* нерівність
inevitable *adj* неминучий
inexcusable *adj* непростимий
inexpensive *adj* недорогий
inexplicable *adj* нез'ясовний
infallible *adj* безпомилковий
infamous *adj* ганебний

infancy *n* дитинство
infant *n* дитина
infantry *n* піхота
infect *v* заражати
infection *n* інфекція
infectious *adj* інфекційний
infer *v* виводити
inferior *adj* нижчий
infertile *adj* неродючий
infested *adj* заражений
infidelity *n* невірність
infiltrate *v* проникати
infiltration *n* інфільтрація
infinite *adj* нескінченний
infirmary *n* лазарет
inflammation *n* запалення
inflate *v* надувати
inflation *n* надування
inflexible *adj* негнучкий
inflict *v* завдавати
influence *n* вплив
influential *adj* впливовий
influenza *n* грип
influx *n* приплив
inform *v* повідомляти
informal *adj* неофіційний
informality *n* неформальність
informant *n* інформатор

information *n* інформація

informer *n* інформатор

infraction *n* порушення

infrequent *adj* нечастий

infuriate *v* розлючувати

infusion *n* впливання

ingenuity *n* винахідливість

ingest *v* ковтати

ingot *n* зливок, брусок

ingrained *adj* закоренілий

ingratiate *v* здобувати

ingratitude *n* невдячність

ingredient *n* інгредієнт

inhabit *v* населяти

inhabitable *adj* жилий

inhabitant *n* житель

inhale *v* вдихати

inherit *v* успадковувати

inheritance *n* успадкування

inhibit *v* перешкоджати

inhuman *adj* нелюдяний

initial *adj* початковий

initially *adv* спочатку

initials *n* ініціали

initiate *v* починати

initiative *n* ініціатива, почин

inject *v* вводити

injection *n* ін'єкція

injure *v* пошкодити

injurious *adj* шкідливий

injury *n* травма

ink *n* чорнило

inkling *n* натяк, підозра

inlaid *adj* інкрустований

inland *adv* всередині

inland *adj* внутрішній

in-laws *n* рідня

inmate *n* пожилець

inn *n* готель

innate *adj* природжений

inner *adj* внутрішній

innocence *n* невинність

innocent *adj* невинний

innovation *n* інновація

innuendo *n* непрямий натяк

innumerable *adj* незліченний

input *n* дані, введення

inquest *n* дізнання

inquire *v* питати

inquiry *n* запит, довідка

inquisition *n* інквізиція

insane *adj* божевільний

insanity *n* божевілля

insatiable *adj* ненаситний

inscription *n* напис

insect *n* комаха

insecurity n небезпечність
insensitive adj нечутливий
inseparable adj нерозлучний
insert v вставляти
insertion n вставка
inside adj внутрішній
inside pre всередині
inside out adv навиворіт
insignificant adj незначний
insincere adj нещирий
insincerity n нещирість
insinuate v вселяти
insinuation n інсинуація
insipid adj несмачний
insist v наполягати
insistence n наполегливість
insolent adj зухвалий
insoluble adj нерозчинний
insomnia n безсоння
inspect v оглядати
inspection n огляд, інспекція
inspector n інспектор
inspiration n натхнення
inspire v надихати
instability n нестабільність
install v встановлювати
installation n установка
installment n внесок, частина

instance n приклад
instant n миттєвий
instantly adv відразу
instead adv замість
instigate v підбурювати
instil v крапати, вселяти
instinct n інстинкт
institute v інститут
institution n установа
instruct v інструктувати
instructor n інструктор
insufficient adj недостатній
insulate v ізолювати
insulation n ізоляція
insult v ображати
insult n образа, інсульт
insurance n страхування
insure v застрахувати
insurgency n заколот
insurrection n повстання
intact adj непошкоджений
intake n поглинання
integrate v інтегрувати
integration n інтеграція
integrity n цілісність
intelligent adj розумний
intend v мати намір
intense adj значний

intensify v посилювати

intensity n інтенсивність

intensive adj інтенсивний

intention n намір, суть

intercede v заступатися

intercept v перехоплювати

intercession n заступництво

interchange v обмінюватися

interchange n обмін

interest n інтерес, вигода

interested adj зацікавлений

interesting adj цікавий

interfere v втручатися

interference n втручання

interior adj інтер'єр

interlude n інтерлюдія

intermediary n посередник

intern v інтернувати

interpret v перекладати

interpretation n тлумачення

interpreter n перекладач

interrogate v допитувати

interrupt v переривати

interruption n перерва

intersect v перетинатися

intertwine v переплітатися

interval n інтервал

intervene v втручатися

intervention n втручання

interview n інтерв'ю

intestine n кишечник

intimacy n близькість

intimate adj інтимний

intimidate v залякувати

intolerable adj нетерпимий

intolerance n нетерпимість

intoxicated adj сп'янілий

intravenous adj безстрашний

intricate adj складний

intrigue n інтрига

intriguing adj інтригуючий

intrinsic adj внутрішній

introduce v представляти

introduction n вступ

introvert adj боязкий

intrude v вторгатися

intruder n зловмисник

intrusion n вторгнення

intuition n інтуїція

inundate v затоплювати

invade v вторгатися

invader n загарбник

invalid n хворий, інвалід

invalidate v неоцінений

invasion n вторгнення

invent v винаходити

invention *n* винахід
inventory *n* інвентар
invest *v* інвестувати
investigate *v* вивчати
investigation *n* слідство
investment *n* інвестування
investor *n* інвестор
invincible *adj* непереможний
invisible *adj* невидимий
invitation *n* запрошення
invite *v* запрошувати
invoice *n* рахунок-фактура
invoke *v* закликати
involve *v* втягати
involved *adv* залучений
involvement *n* втягання
inward *adj* внутрішній
inwards *adv* всередину
iodine *n* йод
irate *adj* розгніваний
Ireland *n* Ірландія
Irish *adj* ірландський
iron *n* залізо, праска
iron *v* прасувати
ironic *adj* іронічний
irony *n* іронія
irrational *adj* нелогічний
irrefutable *adj* неспростовний

irregular *adj* нерегулярний
irrelevant *adj* недоречний
irreparable *adj* непоправний
irresistible *adj* непереможний
irrespective *adj* незалежний
irreversible *adj* неповоротний
irrevocable *adj* непорушний
irrigate *v* зрошувати
irrigation *n* зрошення
irritate *v* дратувати
irritating *adj* дратівний
Islamic *adj* ісламістський
island *n* острів
isle *n* острівець
isolate *v* ізолювати
isolation *n* ізоляція
issue *n* проблема
Italian *adj* італійський
italics *adj* курсив
Italy *n* Італія
itch *v* свербіти
itchiness *n* сверблячка
item *n* предмет, пункт
itemize *v* перелічувати
itinerary *n* маршрут
ivory *n* слонова кістка

J

jackal *n* шакал

jacket *n* куртка

jackpot *n* джек-пот

jaguar *n* ягуар

jail *n* в'язниця

jail *v* ув'язнювати

jailer *n* тюремник

jam *n* затор, варення

janitor *n* сторож

January *n* січень

Japan *n* Японія

Japanese *adj* японський

jar *n* банка

jasmine *n* жасмин

jaw *n* щелепа

jealous *adj* ревнивий

jealousy *n* ревнощі

jeans *n* джинси

jeopardize *v* ризикувати

jerk *v* сіпатися

jerk *n* сіпання, ривок

jersey *n* в'язаний одяг

Jew *n* єврей

jewel *n* самоцвіт

jeweler *n* ювелір

Jewish *adj* єврейський

jigsaw *n* машинна пилка

job *n* робота, виріб

jobless *adj* безробітний

join *v* приєднуватися

joint *n* спільний

jointly *adv* спільно

joke *n* жарт

joke *v* жартувати

jokingly *adv* жартівливо

jolly *adj* веселий

jolt *v* трясти

jolt *n* поштовх

journal *n* щоденник

journalist *n* журналіст

journey *n* подорож

jovial *adj* веселий

joy *n* радість

joyful *adj* радісний

joyfully *adv* радісно

jubilant *adj* тріумфальний

Judaism *n* іудаїзм

judge *n* суддя, експерт

judgment *n* вирок, рішення

judicious *adj* розважливий

jug *n* глечик

juggler *n* жонглер

juice *n* сік

juicy *adj* соковитий
July *n* липень
jump *v* стрибати
jump *n* стрибок, перехід
jumpy *adj* нервовий
junction *n* з'єднання, вузол
June *n* червень
jungle *n* джунглі
junior *adj* молодший
junk *n* шматок, ганчір'я
jury *n* присяжні, журі
just *adj* точний
justice *n* суддя
justify *v* виправдувати
justly *adv* справедливо
juvenile *n* підліток
juvenile *adj* юнацький

K

kangaroo *n* кенгуру
karate *n* карате
keep *iv* зберігати
keep on *v* продовжувати
keep up *v* підтримувати
keg *n* барильце
kennel *n* розплідник
kettle *n* чайник
key *n* ключ, код
key ring *n* брелок
keyboard *n* клавіатура
kick *v* ударяти
kickback *n* хабар
kickoff *n* запуск
kid *n* малюк, обман
kidnap *v* викрадати
kidnapper *n* викрадач
kidnapping *n* викрадення
kidney *n* нирка
kidney bean *n* квасоля
kill *v* убивати
killer *n* убивця
killing *n* убивство, забій
kilogram *n* кілограм
kilometer *n* кілометр

kilowatt *n* кіловат
kind *adj* вид
kindle *v* запалювати
kindly *adv* доброзичливо
kindness *n* доброта
king *n* король
kingdom *n* королівство
kinship *n* спорідненість
kiosk *n* кіоск
kiss *v* цілувати
kiss *n* поцілунок
kitchen *n* кухня
kite *n* паперовий змій
kitten *n* кошеня
knee *n* коліно, наколінник
kneecap *n* колінна чашечка
kneel *iv* стояти навколішки
knife *n* ніж, різець
knight *n* лицар
knit *v* в'язати
knob *n* випуклість
knock *n* стук, поштовх
knock *v* стукати
knot *n* вузол, союз
know *iv* знати, вміти
know-how *n* досвід
knowingly *adv* свідомо
knowledge *n* знання

L

lab *n* лабораторія
label *n* ярлик, висотомір
labor *n* робота, пологи
laborer *n* робочий
labyrinth *n* лабіринт
lace *n* мереживо
lack *v* бракувати
lack *n* нестача
lad *n* хлопець
ladder *n* драбина, трап
laden *adj* навантажений
lady *n* пані, леді
ladylike *adj* вихований
lagoon *n* лагуна
lake *n* озеро
lamb *n* ягня
lame *adj* кривий
lament *v* стогнати
lament *n* стогін, елегія
lamp *n* лампа
lamppost *n* ліхтарний стовп
lampshade *n* абажур
land *n* земля, країна
land *v* приземлятися
landfill *n* смітник

K
L

landing *n* посадка

landlady *n* господиня

landlocked *adj* оточений сушею

landlord *n* господар

landscape *n* ландшафт

lane *n* дорога, провулок

language *n* мова

languish *v* слабнути

lantern *n* ліхтар

lap *n* пелена, коліна

lapse *n* помилка, плин

lapse *v* деградувати

larceny *n* крадіжка

lard *n* смалець

large *adj* великий, широкий

larynx *n* гортань

laser *n* лазер

lash *n* батіг, критика

lash *v* хльостати

lash out *v* кинутися

last *v* тривати

last *adj* останній

last name *n* прізвище

last night *adv* вчора увечері

lasting *adj* тривалий

lastly *adv* нарешті

latch *n* засувка

late *adv* пізній, минулий

lately *adv* останнім часом

later *adv* пізніше

later *adj* пізніший

lateral *adj* побічний

latest *adj* найпізніший

lather *n* мильна піна

latitude *n* широта, свобода

latter *adj* останній

laugh *v* сміятися

laugh *n* сміх

laughable *adj* смішний

laughing stock *n* посміховище

laughter *n* сміх

launch *n* запуск

launch *v* кидати

laundry *n* пральня

lavatory *n* туалетна кімната

lavish *adj* марнотратний

lavish *v* бути щедрим

law *n* закон, право

lawful *adj* законний

lawmaker *n* законодавець

lawn *n* газон, батист

lawsuit *n* позов

lawyer *n* юрист, адвокат

lax *adj* слабкий

laxative *adj* проносний

lay *n* балада, положення

lay *iv* класти
lay off *v* знімати, звільнити
layer *n* шар, укладальник
layman *n* мирянин
layout *n* розміщення, макет
laziness *n* лінощі
lazy *adj* ледачий
lead *iv* вести
lead *n* керівництво
leaded *adj* освинцьований
leader *n* лідер, провід
leadership *n* керівництво
leading *adj* провідний
leaf *n* листок, сторінка
leaflet *n* листівка
league *n* ліга
leak *v* просочуватися
leak *n* витік
leakage *n* просочування
lean *adj* худий, пісний
lean *iv* нахилятися
lean back *v* відкинутися назад
lean on *v* покладатися на
leaning *n* нахил, співчуття
leap *iv* стрибати
leap *n* стрибок
leap year *n* високосний рік
learn *iv* вчитися

learned *adj* учений
learner *n* учень
learning *n* навчання, знання
lease *v* орендувати
lease *n* оренда
leash *n* прив'язь
least *adj* найменший
leather *n* шкіра
leave *iv* залишати
leave out *v* пропускати
lectern *n* аналой
lecture *n* лекція, нотація
ledger *n* головна книга
leech *n* п'явка
leftovers *n* залишки
leg *n* нога, опора
legacy *n* спадщина
legal *adj* юридичний
legality *n* законність
legalize *v* узаконювати
legend *n* легенда
legible *adj* чіткий
legion *n* легіон
legislate *v* видавати закони
legislation *n* законодавство
legitimate *adj* законний
leisure *n* дозвілля
lemon *n* лимон

L

lemonade *n* лимонад

lend *iv* позичати

length *n* довжина

lengthen *v* подовжувати

lengthy *adj* тривалий

leniency *n* поблажливість

lenient *adj* поблажливий

lense *n* лінза

Lent *n* великий піст

lentil *n* сочевиця

leopard *n* леопард

leper *n* прокажений

leprosy *n* проказа

less *adj* менший

lessee *n* наймач

lessen *v* зменшувати

lesser *adj* менший

lesson *n* урок, нотація

lessor *n* орендодавець

let *iv* дозволяти

let down *v* опускати

let go *v* відпускати

let in *v* впускати

let out *v* випускати

lethal *adj* смертоносний

letter *n* буква, лист

lettuce *n* салат-латук

leukemia *n* лейкемія

level *v* зрівнювати

level *n* рівень, нівелір

lever *n* важіль, ручка

leverage *n* дія важеля

levy *v* стягувати

lewd *adj* непристойний

liability *n* відповідальність

liable *adj* відповідальний

liaison *n* зв'язок

liar *n* брехун

libel *n* наклеп

liberate *v* звільняти

liberation *n* звільнення

liberty *n* свобода

librarian *n* бібліотекар

library *n* бібліотека

lice *n* воші

licence *n* ліцензія

license *v* давати право

lick *v* лизати, мчати

lid *n* кришка, повіка

lie *iv* лежати

lie *v* брехати

lie *n* брехня

lieu *n* замість

lieutenant *n* лейтенант

life *n* життя

lifeguard *n* рятівник

lifeless *adj* неживий
lifestyle *n* спосіб життя
lifetime *adj* ціле життя
lift *v* піднімати
lift off *v* здіймати
lift-off *n* підйом
ligament *n* зв'язка
light *iv* освітлювати
light *adj* світлий, легкий
light *n* світло, аспект
lighter *n* освітлювач
lighthouse *n* маяк
lighting *n* освітлення
lightly *adv* злегка
lightning *n* блискавка
likable *adj* привабливий
like *pre* ніби
like *v* подобатися
likelihood *n* ймовірність
likely *adv* мабуть
likeness *n* схожість
likewise *adv* подібно, також
liking *n* симпатія
limb *n* кінцівка, сучок
lime *n* вапно
limestone *n* вапняк
limit *n* межа, допуск
limit *v* обмежувати

limitation *n* обмеження
limp *v* шкутильгати
limp *n* шкутильгання
linchpin *n* загвіздок
line *n* лінія, межа
line up *v* шикуватися
linen *n* полотно
linger *v* затримуватися
lingerie *n* жіноча білизна
lingering *adj* повільний
lining *n* накладка, вміст
link *v* з'єднувати
link *n* ланка, посилання
lion *n* лев, знаменитість
lioness *n* левиця
lip *n* губа, край
liqueur *n* лікер
liquid *n* рідина
liquidate *v* ліквідувати
liquidation *n* ліквідація
liquor *n* спиртний напій
list *v* складати перелік
list *n* список, нахил
listen *v* слухати
listener *n* слухач
litany *n* літанія
liter *n* літр
literal *adj* буквальний

L

literally *adv* буквально

literate *adj* грамотний

literature *n* література

litigate *v* судитися

litigation *n* судовий процес

litre *n* літр

litter *n* сміття, ноші

little *adj* маленький

little bit *n* трохи

little by little *adv* мало-помалу

liturgy *n* літургія

live *adj* живий

live *v* жити

live off *v* жити за рахунок

live up *v* виправдати

livelihood *n* зарплатня

lively *adj* жвавий

liver *n* печінка

livestock *n* худоба

livid *adj* мертовно-блідий

living room *n* вітальня

lizard *n* ящірка

load *v* завантажити

load *n* вантаж, тягар

loaded *adj* завантажений

loaf *n* буханка, качан

loan *v* позичати

loan *n* позика

loathe *v* ненавидіти

loathing *n* огида

lobby *n* приймальня

lobby *v* лобіювати

lobster *n* омар

local *adj* місцевий

localize *v* локалізувати

locate *v* визначати

located *adj* розташований

location *n* розміщення

lock *v* замикати

lock *n* замок, стопор

lock up *v* замкнути

locker room *n* роздягальня

locksmith *n* слюсар

locust *n* сарана

lodge *v* поселити

lodging *n* житло

lofty *adj* високий

log *n* колода, вхід

log *v* реєструвати

log in *v* входити

log off *v* виходити

logic *n* логіка

logical *adj* логічний

loin *n* філе

loiter *v* тинятися

loneliness *n* самотність

lonely *adv* одиноко

loner *n* індивідуаліст

lonesome *adj* самотній

long *adj* довгий

long for *v* бажати

longing *n* прагнення

longitude *n* довгота

long-standing *adj* давній

long-term *adj* довгостроковий

look *n* погляд, вигляд

look *v* дивитися

look after *v* доглядати

look at *v* дивитися на

look down *v* дивитися звисока

look for *v* шукати

look forward *v* чекати

look into *v* заглядати

look out *v* оглядатися

look over *v* переглядати

look through *v* дивитися через

looking glass *n* дзеркало

looks *n* зовнішність

loom *n* ткання, обриси

loom *v* маячити

loophole *n* лазівка

loose *v* звільняти

loose *adj* вільний

loosen *v* послабити

loot *v* грабувати

loot *n* пограбування

lord *n* пан, Бог

lordship *n* влада

lose *iv* губити

loser *n* невдаха

loss *n* втрата, збиток

lot *adv* значно

lotion *n* лосьйон

lots *n* багато

lottery *n* лотерея

loud *adj* гучний

loudly *adv* голосно

loudspeaker *n* гучномовець

lounge *n* вітальня, крісло

louse *n* воша

lousy *adj* мерзенний

lovable *adj* приязний

love *v* любити, хотіти

love *n* любов, кохання

lovely *adj* чудовий

lover *n* коханий

loving *adj* люблячий

low *adj* низький

lower *adj* нижчий

lowkey *adj* неголосний

lowly *adj* невибагливий

loyal *adj* вірний

L

loyalty *n* вірність
lubricate *v* змащувати
lubrication *n* змащування
lucid *adj* ясний
luck *n* талан, удача
lucky *adj* удачливий
lucrative *adj* прибутковий
ludicrous *adj* безглуздий
luggage *n* багаж
lukewarm *adj* тепленький
lumber *n* мотлох
luminous *adj* світлий
lump *n* брила, купа
lump together *v* об'єднувати
lunacy *n* божевілля
lunatic *adj* божевільний
lunch *n* обід
lung *n* легеня
lure *v* спокушати
lurid *adj* похмурий
lurk *v* ховатися
lush *adj* соковитий
lust *v* жадати
lust *n* похіть
lustful *adj* похітливий
luxurious *adj* розкішний
luxury *n* розкіш
lynch *v* лінчувати

lynx *n* рись
lyrics *n* лірика

M

machine *n* машина
machine gun *n* кулемет
mad *adj* божевільний
madam *n* мадам, пані
madden *v* дратувати
madly *adv* божевільно
madman *n* безумець
madness *n* божевілля, сказ
magazine *n* журнал
magic *n* магія
magical *adj* чарівний
magician *n* чарівник
magistrate *n* суддя
magnet *n* магніт
magnetic *adj* магнітний
magnetism *n* магнетизм
magnificent *adj* чудовий
magnify *v* збільшувати
magnitude *n* розмір
maid *n* покоївка

maiden *n* дівчина

mail *v* надсилати поштою

mail *n* пошта, броня

mailman *n* листоноша

maim *v* калічити

main *adj* головний

mainland *n* материк

mainly *adv* переважно

maintain *v* зберігати

majestic *adj* величний

majesty *n* величність

major *n* повнолітній

major *adj* більший

major in *v* спеціалізуватися

majority *n* більшість

make *n* виробництво

make *iv* робити

make up *v* виготовляти

make up for *v* надолужити

maker *n* творець

makeup *n* макіяж, склад

malaria *n* малярія

male *n* чоловік, самець

malfunction *n* несправність

malice *n* злочинний намір

malign *v* обмовляти

malignancy *n* злоба

malignant *adj* злобний

mall *n* торговельний центр

malnutrition *n* недоїдання

mammal *n* ссавець

mammoth *n* мамонт

man *n* людина

manage *v* управляти

management *n* управління

manager *n* менеджер

mandate *n* мандат, наказ

mandatory *adj* обов'язковий

maneuver *n* маневр

manger *n* ясла

mangle *v* рубати, калічити

manhandle *v* грубо поводитися

manhunt *n* переслідування

maniac *adj* маніакальний

manifest *v* показувати

manipulate *v* маніпулювати

mankind *n* людство

manliness *n* мужність

manly *adj* мужній

manner *n* манера, спосіб

mannerism *n* манірність

manners *n* звичаї

manpower *n* робоча сила

mansion *n* особняк

manslaughter *n* вбивство

M

manual *n* посібник
manual *adj* ручний
manufacture *v* виробляти
manure *n* гній
manuscript *n* рукопис
many *adj* багато
map *n* карта, план
marble *n* мармур
march *v* марширувати
march *n* марш, кордон
March *n* березень
mare *n* кобила
margin *n* грань
marginal *adj* граничний
marinate *v* маринувати
marine *adj* морський
marital *adj* подружній
mark *n* знак, марка
mark *v* відзначати
mark down *v* записувати
marker *n* маркер
market *n* ринок, торгівля
marksman *n* влучний стрілець
marmalade *n* мармелад
marriage *n* шлюб
married *adj* одружений
marrow *n* кістковий мозок
marry *v* одружуватися

Mars *n* Марс
marshal *n* маршал
martyr *n* мученик
martyrdom *n* мучеництво
marvel *n* чудо
marvelous *adj* дивовижний
marxist *adj* марксистський
masculine *adj* чоловічий
mash *v* давити
mask *n* маска
masochism *n* мазохізм
mason *n* каменяр, масон
masquerade *v* маскуватися
mass *n* маса, літургія
massacre *n* різанина
massage *n* масаж
massage *v* масажувати
masseur *n* масажист
masseuse *n* масажистка
massive *adj* масивний
mast *n* щогла
master *n* господар
master *v* вивчати
mastermind *n* керівництво
mastermind *v* управляти
masterpiece *n* шедевр
mastery *n* майстерність
mat *n* килимок

match *n* сірник, матч
match *v* змагатися
mate *n* товариш, самець
material *n* матеріал,
materialism *n* матеріалізм
maternal *adj* материнський
maternity *n* материнство
math *n* математика
matriculate *v* приймати
matrimony *n* шлюб
matter *n* справа, речовина
mattress *n* матрац
mature *adj* зрілий
maturity *n* зрілість
maul *v* бити, критикувати
maxim *n* принцип
maximum *adj* максимальний
May *n* травень
may *iv* могти
may-be *adv* можливо
mayhem *n* хаос
mayor *n* мер
maze *n* лабіринт
meadow *n* луг
meager *adj* худий, убогий
meal *n* їжа
mean *iv* означати
mean *adj* підлий, середній

meaning *n* значення
meaningful *adj* значущий
meaningless *adj* безглуздий
meanness *n* підлість
means *n* засіб
meantime *adv* тим часом
meanwhile *adv* тим часом
measles *n* кір
measure *v* міра, ступінь
measurement *n* вимірювання
meat *n* м'ясо
meatball *n* фрикаделька
mechanic *n* механік
mechanism *n* механізм
mechanize *v* механізувати
medal *n* медаль
medallion *n* медальйон
meddle *v* втручатися
mediator *n* посередник
medication *n* лікування, ліки
medicinal *adj* лікарський
medicine *n* медицина, ліки
medieval *adj* середньовічний
mediocre *adj* звичайний
mediocrity *n* посередність
meditate *v* роздумувати
meditation *n* медитація
medium *adj* середній

M

meek *adj* покірний

meekness *n* лагідність

meet *iv* зустрічатися

meeting *n* зустріч, збори

melancholy *n* меланхолія

mellow *adj* стиглий

mellow *v* достигати

melodic *adj* мелодійний

melody *n* мелодія

melon *n* диня

melt *v* танути

member *n* учасник

membership *n* членство

membrane *n* мембрана

memento *n* нагадування

memo *n* пам'ятка

memoirs *n* мемуари

memorable *adj* пам'ятний

memorize *v* запам'ятовувати

memory *n* пам'ять, спомин

men *n* люди, чоловіки

menace *n* загроза

mend *v* виправляти

meningitis *n* менінгіт

menstruation *n* менструація

mental *adj* розумовий

mentality *n* менталітет

mentally *adv* мислено

mention *v* згадувати

mention *n* згадування

menu *n* меню

merchandise *n* товари

merchant *n* купець

merciful *adj* милосердний

merciless *adj* безжалісний

mercury *n* ртуть, пролісок

mercy *n* милосердя

merely *adv* просто

merge *v* зливатися

merger *n* злиття

merit *n* заслуга

merit *v* заслуговувати

mermaid *n* русалка

merry *adj* веселий

mesh *n* сітка, зачеплення

mesmerize *v* гіпнотизувати

mess *n* безлад, їдальня

mess around *v* байдикувати

mess up *v* бруднити

message *n* повідомлення

messenger *n* посланець

Messiah *n* месія

messy *adj* безладний

metal *n* метал

metallic *adj* металічний

metaphor *n* метафора

meteor *n* метеор
meter *n* метр, лічильник
method *n* метод
methodical *adj* методичний
meticulous *adj* скрупульозний
metric *adj* метричний
metropolis *n* столиця
Mexican *adj* мексиканський
mice *n* миші
microbe *n* мікроб
microphone *n* мікрофон
microscope *n* мікроскоп
midday *n* південь
middle *n* середина
middleman *n* посередник
midget *n* карлик
midnight *n* північ
midsummer *n* середина літа
midwife *n* акушерка
mighty *adj* могутній
migraine *n* мігрень
migrant *n* мігрант
migrate *v* мігрувати
mild *adj* м'який
mildew *n* мільдью
mile *n* миля
mileage *n* пробіг, вигода
milestone *n* верстовий стовп

militant *adj* войовничий
milk *n* молоко
milky *adj* молочний
mill *n* млин, фреза
millennium *n* тисячоліття
milligram *n* міліграм
millimeter *n* міліметр
million *n* мільйон
millionaire *adj* мільйонер
mime *v* передражнювати
mince *v* дрібно різати
mincemeat *n* фарш
mind *v* пам'ятати
mind *n* розум, думка
mindful *adj* уважний
mindless *adj* безглуздий
mine *n* рудник, міна
mine *v* видобувати
mine *pro* мій
minefield *n* мінне поле
miner *n* шахтар, мінер
mineral *n* мінеральний
mingle *v* змішуватися
miniature *n* мініатюра, макет
minimize *v* применшувати
minimum *n* мінімум
miniskirt *n* міні-спідниця
minister *n* міністр, священик

M

minister *v* сприяти, служити

ministry *n* міністерство

minor *adj* менший

minority *n* меншість

mint *n* м'ята, джерело

mint *v* карбувати

minus *adj* негативний

minute *n* хвилина

miracle *n* чудо

miraculous *adj* чудотворний

mirage *n* міраж

mirror *n* дзеркало

miscalculate *v* прораховувати

miscarriage *n* невдача

miscarry *v* не вдаватися

mischief *n* біда, пустун

mischievous *adj* злий

misdemeanor *n* злочин

miser *n* скупій

miserable *adj* нещасний

misery *n* лихо, злидні

misfit *adj* непідхожий

misfortune *n* нещастя

misgivings *n* побоювання

misguided *adj* обманутий

misjudge *v* недооцінювати

mislead *v* вводити в оману

misleading *adj* обманливий

mismanage *v* псувати

misplace *v* приткнути

miss *v* схибити, нудьгувати

miss *n* промах, нудьга

missile *n* ракета

missing *adj* недостатній

mission *n* місія

missionary *n* місіонер

mist *n* туман

mistake *iv* помилятися

mistake *n* помилка

mistaken *adj* помилковий

mister *n* містер

mistress *n* господиня, місіс

mistrust *n* недовіра

mistrust *v* сумніватися

misty *adj* туманний

misuse *n* зловживання

mitigate *v* пом'якшувати

mix *v* змішувати

mixed-up *adj* розгублений

mixer *n* змішувач

mixture *n* суміш, мікстура

mix-up *n* плутанина

moan *v* стогнати

moan *n* стогін

mob *v* товпитися

mob *n* натовп

mobile *adj* мобільний

mobilize *v* мобілізувати

mobster *n* бандит

mock *v* насміхатися

mockery *n* висміювання

mode *n* спосіб

model *n* зразок, манекен

moderate *adj* помірний

moderation *n* помірність

modern *adj* сучасний

modernize *v* модернізувати

modest *adj* скромний

modesty *n* скромність

modify *v* змінювати

module *n* модуль

moisten *v* зволожувати

moisture *n* вологість

molar *n* молярний

mold *v* пліснявіти

mold *n* цвіль

moldy *adj* запліснявілий

mole *n* кріт, родимка

molecule *n* молекула

molest *v* набридати

mom *n* мама

moment *n* момент

momentarily *adv* миттєво

momentous *adj* важливий

monarch *n* монарх

monarchy *n* монархія

monastery *n* монастир

monastic *adj* монастирський

Monday *n* понеділок

money *n* гроші

monitor *v* радити

monk *n* монах

monkey *n* мавпа

monogamy *n* одношлюбність

monologue *n* монолог

monopoly *n* монополія

monotonous *adj* монотонний

monotony *n* монотонність

monster *n* виродок

monstrous *adj* жахливий

month *n* місяць

monthly *adv* щомісяця

monument *n* пам'ятник

mood *n* настрій, спосіб

moody *adj* похмурий

moon *n* луна

moor *v* причалювати

mop *v* витирати

moral *adj* моральний

moral *n* мораль

morality *n* моральність

more *adj* більший

M

M

moreover *adv* крім того
morning *n* ранок
moron *adj* недоумкуватий
morphine *n* морфій
morsel *n* шматочок
mortal *adj* смертний
mortality *n* смертність
mortar *n* ступка, міномет
mortgage *n* застава
mortification *n* приборкання
mortify *v* вгамовувати
mortuary *n* морг
mosaic *n* мозаїка
mosque *n* мечеть
mosquito *n* комар
moss *n* мох, лишайник
most *adj* найбільший
mostly *adv* здебільшого
motel *n* мотель
moth *n* міль, метелик
mother *n* мати
motherhood *n* материнство
mother-in-law *n* теща
motion *n* рух
motionless *adj* нерухомий
motivate *v* мотивувати
motive *n* мотив
motor *n* двигун

motorcycle *n* мотоцикл
motto *n* девіз
mouldy *adj* запліснявілий
mount *n* гора, оправа
mount *v* сходити
mountain *n* гора
mountainous *adj* скелястий
mourn *v* оплакувати
mourning *n* скорбота
mouse *n* миша
mouth *n* рот, гирло
move *n* рух, переїзд
move *v* рухатися
move back *v* відходити
move forward *v* просуватися
move out *v* виїжджати
move up *v* просунути
movement *n* рух, перехід
movie *n* фільм
mow *v* косити
much *adv* багато
mucus *n* слиз
mud *n* бруд, мул
muddle *n* плутанина
muddy *adj* брудний
muffle *v* закутувати
muffler *n* глушник
mug *v* кривлятися

mule n мул
multiple adj численний
multiplication n множення
multiply v множити
multitude n безліч, натовп
mumble v бурмотати
mummy n мумія
mumps n свинка
munch v жувати
munitions n боєприпаси
murder n убивство
murderer n убивця
murky adj похмурий
murmur v дзюрчати
murmur n дзюрчання
muscle n м'яз
museum n музей
mushroom n гриб
music n музика, ноти
musician n музикант
Muslim adj мусульманський
must iv мусити
mustache n вуса
mustard n гірчиця
muster v збиратися
mutate v видозмінюватися
mute adj німий, мовчазний
mutilate v калічити

mutiny n заколот
mutually adv взаємно
muzzle v заглушати
muzzle n пика, намордник
my adj мій
myopic adj короткозорий
myself pro себе
mysterious adj таємничий
mystery n таємниця
mystic adj містичний
mystify v містифікувати
myth n міф, вигадка

M
N

N

nag v прискіпуватися
nagging adj бурчання
nail n ніготь, цвях
naive adj наївний
naked adj голий
name n ім'я, прізвище
namely adv а саме
nanny n няня
nap n короткий сон
napkin n серветка

narcotic n наркотик

narrate v розказувати

narrow adj вузький

narrowly adv вузько, ледве

nasty adj неприємний

nation n нація

national adj національний

nationality n національність

nationalize v націоналізувати

native adj рідний

natural adj природний

naturally adv звичайно

nature n природа

naughty adj неслухняний

nausea n нудота, відраза

nave n втулка, неф

navel n пупок, середина

navigate v плавати

navigation n навігація

near pre поблизу

nearby adj близький

nearly adv майже, близько

nearsighted adj короткозорий

neat adj акуратний

neatly adv охайно, чітко

necessary adj необхідний

necessitate v нужда

necessity n необхідність

neck n шия, комір

necklace n намисто

necktie n краватка

need v потребувати

need n потреба

needle n голка, спиця

needless adj непотрібний

needy adj нужденний

negative adj негативний

neglect v зневажати

neglect n зневага

negligence n халатність

negligent adj недбалий

negotiation n переговори

neighbor n сусід

neighborhood n околиця

neither adj жоден

neither adv також не

nephew n племінник

nerve n нерв, мужність

nervous adj нервовий

nest n гніздо, виводок

net n мережа, прибуток

Netherlands n Нідерланди

network n мережа

neurotic adj невротичний

neutral adj нейтральний

neutralize v нейтралізувати

N

never adv ніколи, ніяк
nevertheless adv незважаючи на
new adj новий
newborn n новонароджений
newcomer n новачок
newly adv знову
newlywed adj щойно одружені
news n новини
newscast n останні новини
newspaper n газета
newsstand n газетний кіоск
next adj наступний
next door adj сусідній
nibble v відкушувати
nice adj гарний, приємний
nicely adv гарно, приємно
nickel n нікель
nickname n прізвисько
nicotine n нікотин
niece n племінниця
night n ніч
nightfall n сутінки
nightgown n нічна сорочка
nightingale n соловей
nightmare n кошмар
nine adj дев'ять
nineteen adj дев'ятнадцять
ninety adj дев'яносто

ninth adj дев'ятий
nip n щипок, ковток
nip v щипати
nipple n сосок, ніпель
nitpicking adj педантичний
nitrogen n азот
nobility n знать
noble adj славний
nobleman adj дворянин
nobody pro ніхто
nocturnal adj нічний
nod v кивати
noise n шум
noisily adv шумно
noisy adj галасливий
nominate v призначати
none pre ніхто, ніякий
nonetheless c проте
nonsense n нісенітниця
nonsmoker n некурець
nonstop adv безупинно
noon n південь, зеніт
noose n петля, пастка
no one pro ніхто
nor c також не
norm n норма
normal adj нормальний
normalize v нормалізувати

N

normally adv нормально
north n північ, норд
northeast n північний схід
northern adj північний
Norway n Норвегія
Norwegian adj норвезький
nose n ніс, чуття
nosedive v пікірування
nostalgia n ностальгія
nostril n ніздря
nosy adj носатий
not adv не
notable adj видатний
notably adv помітно
notary n нотаріус
note n нотатка, знак
note v помічати
notebook n блокнот
noteworthy adj визначний
nothing n дрібниці
notice v помічати
notice n сповіщення
noticeable adj помітний
notification n повідомлення
notify v повідомляти
notion n поняття
notorious adj горезвісний
noun n іменник

nourish v живити
nourishment n живлення, їжа
novel n роман
novelist n романіст
novelty n новинка
November n листопад
novice n новак, неофіт
now adv тепер
nowadays adv нині
nowhere adv ніде, нікуди
noxious adj шкідливий
nozzle n носик, сопло
nuance n нюанс
nuclear adj ядерний
nude adj голий
nudism n нудизм
nudist n нудист
nudity n нагота
nuisance n прикрість
null adj недійсний
nullify v скасовувати
numb adj онімілий
number n число, номер
numbness n заціпеніння
numerous adj численний
nun n черниця
nurse n медсестра, няня
nurse v вигодовувати

N

nursery *n* ясла, розплідник
nurture *v* виховувати
nut *n* горіх, гайка
nutrition *n* харчування
nutritious *adj* поживний
nut-shell *n* шкаралупа
nutty *adj* пряний

O

oak *n* дуб
oar *n* весло, весляр
oasis *n* оазис
oath *n* присяга
oatmeal *n* вівсянка
obedience *n* покірність
obedient *adj* слухняний
obese *adj* ожирілий
obey *v* коритися
object *v* заперечувати
object *n* предмет, об'єкт
objection *n* заперечення
objective *n* об'єктивний
obligate *v* зобов'язувати
obligation *n* зобов'язання

obligatory *adj* обов'язковий
oblige *v* зобов'язувати
obliged *adj* зобов'язаний
oblique *adj* косий
obliterate *v* стирати
oblivion *n* забуття
oblivious *adj* неуважний
oblong *adj* довгастий
obnoxious *adj* нестерпний
obscene *adj* непристойний
obscenity *n* лайка
obscure *adj* затемнювати
obscurity *n* темрява
observation *n* спостереження
observatory *n* обсерваторія
observe *v* спостерігати
obsess *v* заволодівати
obsession *n* одержимість
obsolete *adj* застарілий
obstacle *n* перепона
obstinacy *n* впертість
obstinate *adj* впертий
obstruct *v* перешкоджати
obstruction *n* перешкода
obtain *v* діставати
obvious *adj* очевидний
obviously *adv* очевидно
occasion *n* подія, нагода

N
O

occasionally *adv* іноді

occult *adj* таємний

occupant *n* мешканець

occupation *n* заняття

occupy *v* займати

occur *v* відбуватися

ocean *n* океан

October *n* жовтень

octopus *n* восьминіг

ocurrence *n* виникнення

odd *adj* дивний, непарний

oddity *n* дивацтво, дивак

odds *n* нерівність

odious *adj* огидний

odometer *n* одометр

odor *n* запах

odyssey *n* одіссея

of *pre* з, про

off *adv* поза

offend *v* ображати

offense *n* образа, злочин

offensive *adj* образливий

offer *v* пропонувати

offer *n* пропозиція

offering *n* пропонування

office *n* офіс, служба

officer *n* службовець

official *adj* службовий

offset *v* відшкодовувати

offspring *n* паросток

often *adv* часто

oil *n* олія, нафта

ointment *n* мазь

okay *adv* добре

old *adj* старий

old age *n* старість

old-fashioned *adj* старомодний

olive *n* маслина

olympics *n* олімпійські ігри

omelette *n* омлет

omen *n* прикмета

ominous *adj* зловісний

omission *n* пропуск

omit *v* пропускати

on *pre* на, в

once *adv* одного разу

once *n* один раз

one *adj* один

oneself *pre* себе

ongoing *adj* існуючий

onion *n* цибуля

onlooker *n* глядач

only *adv* тільки

onset *n* наступ, початок

onslaught *n* штурм

onwards *adv* вперед, далі

O

opaque *adj* непрозорий

open *v* відкривати

open *adj* відкритий

open up *v* розкривати

opening *n* отвір, відкриття

open-minded *adj* неупереджений

openness *n* відвертість

opera *n* опера

operate *v* працювати

operation *n* операція

opinion *n* думка

opinionated *adj* впертий

opium *n* опій

opponent *n* противник

opportune *adj* своєчасний

opportunity *n* можливість

oppose *v* заважати

opposite *adj* протилежний

opposite *adv* навпроти

opposite *n* протилежність

opposition *n* опір

oppress *v* гнітити

oppression *n* пригнічення

opt for *v* вибирати

optical *adj* оптичний

optician *n* оптик

optimism *n* оптимізм

optimistic *adj* оптимістичний

option *n* вибір

optional *adj* необов'язковий

opulence *n* багатство

or *c* або

oracle *n* оракул

orally *adv* усно

orange *n* апельсин

orangutan *n* орангутанг

orbit *n* орбіта

orchard *n* фруктовий сад

orchestra *n* оркестр

ordain *v* посвячувати

ordeal *n* випробування

order *n* порядок

ordinarily *adv* звичайно

ordinary *adj* звичайний

ordination *n* класифікація

ore *n* руда

organ *n* орган

organism *n* організм

organist *n* органіст

organization *n* організація

organize *v* організовувати

orient *n* схід

oriental *adj* східний

orientation *n* орієнтація

oriented *adj* орієнтований

origin *n* походження

O

original *adj* первісний
originally *adv* спочатку
originate *v* походити
ornament *n* орнамент
ornamental *adj* декоративний
orphan *n* сирота
orphanage *n* притулок
orthodox *adj* православний
ostentatious *adj* показний
ostrich *n* страус
other *adj* інший
otherwise *adv* інакше
otter *n* видра
ought to *iv* мусити
ounce *n* унція, ірбіс
our *adj* наш
ours *pro* наш
ourselves *pro* себе
oust *v* витісняти
out *adv* з, зовні
outbreak *n* спалах, заколот
outburst *n* вибух
outcast *adj* вигнаний
outcome *n* підсумок
outcry *n* вигук, протест
outdated *adj* застарілий
outdo *v* перевершити
outdoor *adv* для вулиці

outdoors *adv* надворі
outer *adj* зовнішній
outfit *n* спорядження
outgoing *adj* вихідний
outgrow *v* переростати
outing *n* прогулянка
outlaw *v* забороняти
outlast *v* перетривати
outlet *n* вихід, розетка
outline *n* обрис, ескіз
outline *v* накреслити
outlive *v* пережити
outlook *n* перспектива
outmoded *adj* старомодний
outperform *v* перевершити
outpouring *n* вилив
output *n* виробництво
outrage *n* обурення
outrageous *adj* обурливий
outright *adj* прямий, повний
outrun *v* переганяти
outset *n* вирушання
outshine *v* затьмарити
outside *adv* зовні, надворі
outsider *n* сторонній
outskirts *n* околиці
outspoken *adj* відвертий
outstanding *adj* видатний

O

outstretched adj простягнутий
outward adj зовнішній
outweigh v переважати
oval adj овальний
ovary n яєчник
ovation n овація
oven n піч
over pre над, за
overall adv скрізь, повністю
overbearing adj владний
overboard adv за бортом
overcast adj похмурий
overcoat n пальто
overcome v подолати
overcrowded adj переповнений
overdo v перестаратися
overdone adj перебільшений
overdose n передозування
overdue adj запізнілий
overestimate v переоцінювати
overflow v переповнятися
overhaul v розглядати
overlap v перекривати
overlook v оглядати
overnight adv протягом ночі
overpower v переважати
overrate v переоцінювати
override v переїхати

overrule v скасувати
overrun v затоплювати
overseas adv за кордоном
oversee v наглядати
overshadow v затемнювати
oversight n недогляд
overstep v переступати
overtake v наздогнати
overthrow v скинути
overthrow n скинення
overtime adv понаднормово
overturn v падати, скидати
overview n огляд
overwhelm v заливати
owe v заборгувати
owing to adv внаслідок
owl n сова
own v володіти
own adj власний
owner n власник
ownership n власність
ox n бик
oxen n бики
oxygen n кисень
oyster n устриця

O

P

pace v крокувати
pace n крок, темп
pacify v заспокоювати
pack v пакувати
package n посилка, пакет
pact n пакт
pad v розм'якшувати
padding n набивка
paddle v веслувати
padlock n загін
pagan adj язичницький
page n сторінка
pail n відро
pain n біль, страждання
painful adj болючий
painless adj безболісний
paint v фарбувати
paint n фарба
paintbrush n пензель
painter n художник
painting n живопис
pair n пара
pajamas n піжама
pal n приятель
palace n палац

palate n піднебіння
pale adj блідий
paleness n блідість
palm n долоня, пальма
palpable adj відчутний
paltry adj мізерний
pamper v балувати
pamphlet n памфлет
pan n сковорода, таз
pander v звідникувати
pang n муки
panic n паніка
panorama n панорама
panther n пантера
pantry n комора
pants n штани
pantyhose n колготки
papacy n папство
paper n папір, газета
paperclip n скріпка
paperwork n документи
parable n притча
parachute n парашут
parade n парад, показ
paradise n рай
paradox n парадокс
paragraph n абзац, пункт
parallel n паралель

paralysis *n* параліч
paralyze *v* паралізувати
parameters *n* параметри
paramount *adj* першочерговий
paranoid *adj* параноїчний
parasite *n* паразит
paratrooper *n* десантник
parcel *n* пакунок, купка
parcel post *n* поштова служба
parched *adj* підсмажений
parchment *n* пергамент
pardon *v* прощати
pardon *n* прощення
parenthesis *n* круглі дужки
parents *n* батьки
parish *n* парафія
parishioner *n* парафіянин
parity *n* рівність
park *v* паркуватися
park *n* парк, стоянка
parking *n* стоянка
parliament *n* парламент
parochial *adj* парафіяльний
parrot *n* папуга
parsley *n* петрушка
parsnip *n* пастернак
part *v* ділити
part *n* частина, участь

partial *adj* частковий
partially *adv* частково
participate *v* брати участь
participation *n* участь
participle *n* дієприкметник
particle *n* частка
particular *adj* особливий
particularly *adv* дуже, зокрема
parting *n* прощання
partisan *n* прибічник
partition *n* перегородка
partly *adv* частково
partner *n* партнер
partnership *n* партнерство
partridge *n* куріпка
party *n* партія, вечірка
pass *n* прохід
pass *v* проходити
pass around *v* обходити
pass away *v* зникати
passage *n* прохід, епізод
passenger *n* пасажир
passer-by *n* перехожий
passion *n* пристрасть
passionate *adj* пристрасний
passive *adj* пасивний
passport *n* паспорт, ключ
password *n* пароль

P

past *adj* минулий
paste *v* наклеювати
paste *n* клей, паста
pasteurize *v* пастеризоване
pastime *n* дозвілля
pastor *n* пастор
pastoral *adj* пасторальний
pastry *n* випічка
pasture *n* пасовище
pat *n* поплескування
patch *v* латати
patch *n* латка, уривок
patent *n* патент, право
patent *adj* явний
paternity *n* батьківство
path *n* шлях
pathetic *adj* жалісний
patience *n* терпіння
patient *adj* пацієнт
patio *n* патіо
patriarch *n* патріарх
patrimony *n* спадок
patriot *n* патріот
patriotic *adj* патріотичний
patrol *n* патруль
patron *n* захисник
patronage *n* опікування
patronize *v* опікувати

pattern *n* зразок, схема
pavement *n* тротуар
pavilion *n* павільйон
paw *n* лапа
pawn *v* закладати
pawnbroker *n* лихвар
pay *n* плата, платня
pay *iv* платити
pay back *v* відплачувати
payable *adj* оплачуваний
paycheck *n* зарплата
payee *n* одержувач
payment *n* оплата
pea *n* горох
peace *n* спокій, мир
peaceful *adj* мирний
peach *n* персик
peacock *n* павич
peak *n* пік, кінчик
peanut *n* арахіс
pear *n* груша
pearl *n* перлина
peasant *n* селянин
pebble *n* галька
peck *v* клювати
peck *n* пек, клювок
peculiar *adj* своєрідний
pedagogy *n* педагогіка

P

pedal *n* педаль
pedantic *adj* педантичний
pedestrian *n* пішохід
peel *v* очищати
peel *n* шкірка
peep *v* заглядати
peer *n* лорд, рівня
pelican *n* пелікан
pellet *n* кулька, пігулка
pen *n* ручка, загін
penalize *v* карати
penalty *n* кара, штраф
penance *n* кара, покаяння
penchant *n* схильність
pencil *n* олівець, пензель
pendant *n* кулон
pending *adj* незакінчений
pendulum *n* маятник
penetrate *v* проникати
penguin *n* пінгвін
penicillin *n* пеніцилін
peninsula *n* півострів
penniless *adj* безгрошовий
penny *n* пенні, цент
pension *n* пенсія, пансіон
pentagon *n* п'ятикутник
pent-up *adj* стримуваний
people *n* народ, люди

pepper *n* перець
per *pre* через, за
perceive *v* сприймати
percent *adv* відсоток
percentage *n* відсотковий зміст
perception *n* сприйняття
perennial *adj* річний, вічний
perfect *adj* досконалий
perfection *n* досконалість
perforate *v* проникати
perforation *n* отвір
perform *v* виконувати
performance *n* виконання
perfume *n* парфуми
perhaps *adv* можливо
peril *n* небезпека
perilous *adj* небезпечний
perimeter *n* периметр
period *n* період, крапка
perish *v* гинути
perishable *adj* нетривкий
perjury *n* лжесвідчення
permanent *adj* постійний
permeate *v* проникати
permission *n* дозвіл
permit *v* дозволяти
pernicious *adj* згубний
perpetrate *v* здійснювати

P

persecute *v* переслідувати
persist *v* упиратися
persistence *n* наполегливість
persistent *adj* наполегливий
person *n* особа
personal *adj* особистий
personality *n* особистість
personify *v* уособлювати
personnel *n* персонал
perspective *n* перспектива
perspiration *n* піт
perspire *v* пітніти
persuade *v* переконувати
persuasion *n* переконання
persuasive *adj* переконливий
pertain *v* належати
pertinent *adj* доречний
perturb *v* хвилювати
perverse *adj* хибний
pervert *v* псувати
pervert *adj* збочений
pessimism *n* песимізм
pessimistic *adj* песимістичний
pest *n* паразит
pester *v* надокучати
pesticide *n* пестицид
pet *n* улюбленець
petal *n* пелюстка

petite *adj* крихітний
petition *n* прохання
petrified *adj* скам'янілий
petroleum *n* нафта
pettiness *n* дріб'язковість
petty *adj* неважливий
pew *n* стілець
phantom *n* фантом
pharmacist *n* фармацевт
pharmacy *n* аптека
phase *n* фаза, аспект
pheasant *n* фазан
phenomenon *n* явище
philosopher *n* філософ
philosophy *n* філософія
phobia *n* фобія
phone *n* телефон, фона
phone *v* телефонувати
phoney *adj* фальшивий
phosphorus *n* фосфор
photo *n* фото
photocopy *n* фотокопія
photograph *v* фотографувати
photographer *n* фотограф
photography *n* фотографія
phrase *n* фраза
physically *adj* фізично
physician *n* лікар

P

physics *n* фізика
pianist *n* піаніст
piano *n* піаніно
pick *v* вибирати
pick up *v* підібрати
pickup *n* знайомство
picture *n* картина
picture *v* зображати
picturesque *adj* мальовничий
pie *n* пиріг, безладдя
piece *n* штука, твір
piecemeal *adv* частинами
pier *n* стояк, пірс
pierce *v* протинати
piercing *n* пірсинг
piety *n* благочестя
pig *n* свиня, нахаба
pigeon *n* голуб
piggy bank *n* копилка
pile *v* накопичувати
pile *n* куча, стояк
pile up *v* нагромаджувати
pilfer *v* красти
pilgrim *n* пілігрим
pilgrimage *n* паломництво
pill *n* пігулка
pillage *v* грабувати
pillar *n* стовп, опора

pillow *n* подушка
pillowcase *n* наволочка
pilot *n* пілот
pimple *n* прищ
pin *n* кнопка, значок
pincers *n* щипці
pinch *v* щипати
pinch *n* щіпок
pine *n* сосна
pineapple *n* ананас
pink *adj* рожевий
pinpoint *v* засікати ціль
pint *n* пінта
pioneer *n* піонер, новатор
pious *adj* благочестивий
pipe *n* труба, дудка
pipeline *n* трубопровід
piracy *n* піратство
pirate *n* пірат
pistol *n* пістолет
pit *n* яма, шахта
pitchfork *n* вила
pitfall *n* пастка, вибоїна
pitiful *adj* жалісний
pity *n* жаль
placard *n* плакат
placate *v* примиряти
place *n* місце

P

placid *adj* спокійний
plague *n* чума
plain *n* рівнина
plain *adj* ясний, простий
plainly *adv* відверто
plaintiff *n* позивач
plan *v* планувати
plan *n* план, намір
plane *n* літак, площина
planet *n* планета
plant *v* саджати
plant *n* рослина, завод
plaster *n* штукатурка, гіпс
plaster *v* штукатурити
plastic *n* пластичний
plate *n* тарілка, плита
plateau *n* плоскогір'я
platform *n* платформа
platinum *n* платина
platoon *n* взвод, загін
plausible *adj* правдоподібний
play *v* грати
play *n* гра, вистава
player *n* гравець, актор
playful *adj* грайливий
plea *n* привід, прохання
plead *v* захищати
pleasant *adj* приємний

please *v* догоджати
pleasing *adj* приємний
pleasure *n* задоволення
pleat *n* складка
pleated *adj* в складку
pledge *v* заставляти
pledge *n* застава, дар
plentiful *adj* рясний
plenty *n* достаток, безліч
pliable *adj* поступливий
pliers *n* щипці
plot *v* планувати
plot *n* ділянка, план
plow *v* орати
ploy *n* хитрість
pluck *v* збирати
plug *v* затикати
plug *n* затичка, штепсель
plum *n* слива
plumber *n* водопровідник
plumbing *n* водопровід
plummet *v* падати
plump *adj* повний, прямий
plunder *v* грабувати
plunge *v* пірнати
plunge *n* пірнання
plural *n* множина
plus *adv* додатковий

P

plush *adj* плюшевий
plutonium *n* плутоній
pneumonia *n* пневмонія
pocket *n* кишеня
poem *n* вірш
poet *n* поет
poetry *n* поезія
poignant *adj* гострий, гіркий
point *n* вістря, місце
point *v* вказувати
pointed *adj* гострий
pointless *adj* безглуздий
poise *n* рівновага
poison *v* отруювати
poison *n* отрута
poisoning *n* отруєння
poisonous *adj* отруйний
Poland *n* Польща
polar *adj* полярний
pole *n* кілок, полюс
police *n* поліція
policeman *n* поліцейський
policy *n* політика, поліс
Polish *adj* польський
polish *n* полірування
polish *v* чистити
polite *adj* ввічливий
politeness *n* ввічливість

politician *n* політик
politics *n* політика
poll *n* опитування
pollen *n* пилок
pollute *v* забруднювати
pollution *n* забруднення
polygamist *adj* полігаміст
polygamy *n* полігамія
pomegranate *n* гранат
pomposity *n* пихатість
pond *n* ставок
ponder *v* міркувати
pontiff *n* понтифік
pool *n* ставок, басейн
pool *v* об'єднувати
poor *n* біднота
poorly *adv* бідно, погано
popcorn *n* попкорн
Pope *n* Папа Римський
poppy *n* мак
popular *adj* популярний
populate *v* населяти
population *n* населення
porcelain *n* фарфор
porch *n* ганок
porcupine *n* дикобраз
pore *n* пора
pork *n* свинина

P

porous *adj* пористий
port *n* порт, ворота
portable *adj* переносний
portent *n* передвістя
porter *n* воротар, носій
portion *n* частина, порція
portrait *n* портрет, опис
portray *v* зображати
Portugal *n* Португалія
Portuguese *adj* португальський
pose *v* показувати
posh *adj* шикарний
position *n* позиція, місце
positive *adj* позитивний
possess *v* володіти
possession *n* володіння
possibility *n* можливість
possible *adj* можливий
post *n* стовп, пошта
postage *n* поштові витрати
postcard *n* листівка
poster *n* плакат
posterity *n* потомство
postman *n* листоноша
postpone *v* відкладати
pot *n* горщик, чайник
potato *n* картопля
potent *adj* сильнодіючий

potential *adj* потенційний
pothole *n* вибоїна
poultry *n* птиця
pound *v* бити, ув'язнювати
pound *n* загорода, фунт
pour *v* литися, сипати
poverty *n* бідність
powder *n* порошок, порох
power *n* сила, вплив
powerful *adj* потужний
powerless *adj* безсилий
practical *adj* практичний
practice *v* практика
practise *v* застосовувати
practising *adj* практикуючий
pragmatist *adj* прагматик
prairie *n* прерія
praise *v* хвалити
praise *n* похвала
praiseworthy *adj* похвальний
prank *n* пустощі
prawn *n* креветка
pray *v* молитися
prayer *n* молитва, прохач
preach *v* проповідувати
preacher *n* проповідник
preaching *n* проповідь
preamble *n* преамбула

precarious *adj* випадковий
precaution *n* обережність
precede *v* передувати
precedent *n* прецедент
preceding *adj* попередній
precept *n* вказівка
precious *adj* дорогоцінний
precipice *n* провалля
precipitate *v* скидати
precise *adj* точний
precision *n* точність
precocious *adj* передчасний
precursor *n* предтеча
predecessor *n* предок
predicament *n* категорія
predict *v* передбачати
prediction *n* передбачення
predilection *n* пристрасть
predisposed *adj* схильний
predominate *v* переважати
preempt *v* випереджати
prefabricate *v* виготовляти
preface *n* передмова
preference *n* перевага
prefix *n* префікс
pregnancy *n* вагітність
pregnant *adj* вагітна
prejudice *n* збитки

preliminary *adj* попередній
prelude *n* прелюдія
premature *adj* передчасний
premeditate *v* обмірковувати
premeditation *n* навмисність
premier *adj* перший
premise *n* посилка
premises *n* власність
premonition *n* передчуття
preoccupation *n* заклопотаність
preoccupy *v* займати
preparation *n* підготовка
prepare *v* готувати
preposition *n* прийменник
prerequisite *n* передумова
prerogative *n* прерогатива
prescribe *v* прописувати
prescription *n* рецепт
presence *n* присутність
present *adj* присутній
present *v* дарувати
presentation *n* презентація
preserve *v* зберігати
preside *v* головувати
presidency *n* президентство
president *n* президент
press *n* друк
press *v* тиснути

P

pressing *adj* поспішний

pressure *v* тиснути

pressure *n* тиск, труднощі

prestige *n* престиж

presume *v* припускати

presumption *n* припущення

presuppose *v* припускати

presupposition *n* припущення

pretend *v* прикидатися

pretense *n* прикидання

pretension *n* претензія

pretty *adj* гарненький

prevail *v* переважати

prevalent *adj* переважний

prevent *v* запобігати

prevention *n* запобігання

preventive *adj* запобіжний

previous *adj* попередній

previously *adv* раніше

prey *n* здобич

price *n* ціна

pricey *adj* дорогий

prick *v* мучити

pride *n* гордість

priest *n* священик

priestess *n* жриця

priesthood *n* священство

primacy *n* першість

primarily *adv* спочатку

prime *adj* головний

primitive *adj* первісний

prince *n* принц

princess *n* принцеса

principal *adj* головний

principle *n* принцип

print *v* друкувати

print *n* слід, друк

printer *n* друкар

printing *n* друк, тираж

prior *adj* попередній

priority *n* пріоритет

prism *n* призма

prison *n* в'язниця

prisoner *n* в'язень

privacy *n* самота

private *adj* приватний

privilege *n* привілей

prize *n* приз

probability *n* ймовірність

probable *adj* ймовірний

probe *v* досліджувати

probing *n* дослідницький

problem *n* проблема

procedure *n* процедура

proceed *v* діяти

proceedings *n* праці

proceeds *n* виторг
process *v* обробляти
process *n* процес, рух
procession *n* процесія
proclaim *v* заявляти
procrastinate *v* відкладати
procreate *v* породжувати
procure *v* добувати
prod *v* колоти
produce *v* виготовляти
produce *n* продукція
product *n* продукт
production *n* виробництво
profane *adj* світський
profess *v* викладати
profession *n* професія
professional *adj* професійний
professor *n* професор
proficiency *n* досвідченість
proficient *adj* досвідчений
profile *n* обрис, профіль
profit *v* давати користь
profit *n* прибуток
profitable *adj* прибутковий
profound *adj* глибокий
program *n* програма
programmer *n* програміст
progress *v* розвиватися

progress *n* прогрес
progressive *adj* прогресивний
prohibit *v* забороняти
prohibition *n* заборона
project *v* проектувати
project *n* проект
projectile *n* снаряд
prologue *n* пролог
prolong *v* відкладати
promenade *n* променад
prominent *adj* видатний
promiscuous *adj* різнорідний
promise *n* обіцянка
promote *v* просувати
promotion *n* заохочення
prompt *adj* швидкий
prone *adj* схильний
pronoun *n* займенник
pronounce *v* вимовляти
proof *n* доказ
propaganda *n* пропаганда
propagate *v* поширювати
propel *v* рухати
propensity *n* схильність
proper *adj* властивий
properly *adv* правильно
property *n* власність
prophecy *n* пророцтво

prophet _n_ пророк
proportion _n_ пропорція
proposal _n_ пропозиція
propose _v_ запропонувати
proposition _n_ пропозиція
prose _n_ проза
prosecute _v_ вести
prosecutor _n_ прокурор
prospect _n_ перспектива
prosper _v_ процвітати
prosperity _n_ процвітання
prosperous _adj_ процвітаючий
prostate _n_ простата
prostrate _adj_ знесилений
protect _v_ захищати
protection _n_ захист
protein _n_ протеїн
protest _v_ протестувати
protest _n_ протест
protocol _n_ протокол
prototype _n_ прототип
protract _v_ зволікати
protracted _adj_ тривалий
protrude _v_ випинатися
proud _adj_ гордий
proudly _adv_ гордо
prove _v_ доводити
proven _adj_ доказаний

proverb _n_ прислів'я
provide _v_ надавати
providing that _c_ за умови
province _n_ провінція
provision _n_ заготівля
provisional _adj_ тимчасовий
provocation _n_ виклик
provoke _v_ провокувати
prow _n_ ніс
prowl _v_ блукати
proximity _n_ близькість
proxy _n_ доручений
prudence _n_ розсудливість
prudent _adj_ розсудливий
prune _v_ обрізати
prune _n_ чорнослив
prurient _adj_ хтивий
pseudonym _n_ псевдонім
psychiatrist _n_ психіатр
psychiatry _n_ психіатрія
psychic _adj_ психічний
psychology _n_ психологія
psychopath _n_ психопат
puberty _n_ юнацтво
public _adj_ народний
publication _n_ публікація
publicity _n_ реклама
publicly _adv_ публічно

P

publisher *n* видавець
pudding *n* пудинг
puerile *adj* незрілий
puff *n* подув, димок
puffed *adj* роздутий
pull *v* тягти
pull ahead *v* випереджати
pull down *v* зносити
pull out *v* витягати
pulley *n* шків
pulp *n* м'якуш, пульпа
pulpit *n* кафедра
pulsate *v* пульсувати
pulse *n* пульс, ритм
pulverize *v* подрібнювати
pump *v* викачувати
pump *n* насос
pumpkin *n* гарбуз
punch *v* бити
punch *n* перфоратор
punctual *adj* пунктуальний
puncture *n* прокол
punish *v* карати
punishable *adj* карний
punishment *n* покарання
pupil *n* учень
puppet *n* маріонетка
puppy *n* щеня

purchase *v* придбавати
purchase *n* придбання
pure *adj* чистий
puree *n* пюре
purgatory *n* чистилище
purge *n* очищення
purge *v* очищати
purification *n* очищення
purify *v* очищати
purity *n* чистота
purple *adj* фіолетовий
purpose *n* мета
purposely *adv* навмисно
purse *n* гаманець
pursue *v* переслідувати
pursuit *n* прагнення
pus *n* гній
push *v* штовхати
pushy *adj* напористий
put *iv* покласти
put aside *v* відкласти
put away *v* прибирати
put off *v* відкладати
put out *v* викладати
put up *v* піднімати
put up with *v* терпіти
putrid *adj* гнилий
puzzle *n* головоломка

P

puzzling *adj* що спантеличує
pyramid *n* піраміда
python *n* пітон, віщун

Q

quagmire *n* трясовина
quail *n* перепел
quake *v* тремтіти
qualify *v* визначати
quality *n* якість
qualm *n* нудота, сумнів
quandery *n* скрута
quantity *n* кількість
quarrel *v* сваритися
quarrel *n* сварка
quarrelsome *adj* сварливий
quarry *n* кар'єр
quarter *n* чверть
quarterly *adj* квартальний
quarters *n* квартира
quash *v* скасовувати
queen *n* королева
queer *adj* дивний
quell *v* придушувати

quench *v* гасити
quest *n* пошуки
question *v* запитувати
question *n* запитання
questionable *adj* сумнівний
questionnaire *n* анкета
queue *n* черга
quick *adj* швидкий
quicken *v* оживати
quickly *adv* швидко
quicksand *n* сипучий пісок
quiet *adj* тихий
quietness *n* спокій
quilt *n* ковдра
quit *iv* виходити
quite *adv* цілком
quiver *v* тремтіти
quiz *v* опитувати
quotation *n* цитата
quote *v* цитувати
quotient *n* частка

P
Q

R

rabbi *n* рабин
rabbit *n* кролик
rabies *n* сказ
raccoon *n* єнот
race *v* змагатися
race *n* перегони
racism *n* расизм
racist *adj* расистський
racket *n* ракетка, шум
racketeering *n* бандитизм
radar *n* радар
radiator *n* радіатор
radical *adj* основний
radio *n* радіо
radish *n* редиска
radius *n* радіус
raffle *n* лотерея
raft *n* пліт, безліч
rag *n* ганчірка
rage *n* лють
ragged *adj* нерівний
raid *n* набіг, облава
raid *v* спустошувати
raider *n* рейдер
rail *n* поручні, рейка

railroad *n* залізниця
rain *n* дощ
rain *v* дощити
rainbow *n* веселка
raincoat *n* плащ
rainy *adj* дощовий
raise *n* збільшення
raise *v* піднімати
raisin *n* родзинка
rake *n* граблі
rally *n* об'єднання
ram *n* баран, таран
ram *v* таранити
ramification *n* розгалуження
ramp *n* вимагання
rampage *v* шаленіти
rampant *adj* нестримний
ranch *n* ранчо
rancor *n* злоба
randomly *adv* випадково
range *n* лінія, межа
rank *n* ранг, ряд
ransack *v* шукати
ranson *v* викуповувати
ranson *n* викуп
rape *v* ґвалтувати
rape *n* свиріпа
rapid *adj* швидкий

R

rapist *n* ґвалтівник	**react** *v* реагувати
rapport *n* взаємовідносини	**reaction** *n* реакція
rare *adj* рідкісний	**read** *iv* читати
rarely *adv* рідко	**reader** *n* читач
rascal *n* шахрай	**readiness** *n* готовність
rash *n* висип	**reading** *n* читання
rash *adj* поспішний	**ready** *adj* готовий
raspberry *n* малина	**real** *adj* дійсний
rat *n* пацюк	**realism** *n* реалізм
rate *n* ставка, частка	**reality** *n* реальність
rather *adv* швидше	**realize** *v* уявляти
ratification *n* ратифікація	**really** *adv* дійсно
ratify *v* ратифікувати	**realm** *n* царство
ratio *n* коефіцієнт	**realty** *n* нерухомість
ration *v* видавати пайок	**reap** *v* пожинати
ration *n* пайок, раціон	**rear** *v* піднімати
rational *adj* раціональний	**rear** *n* тил, спина
rattle *v* тріскотіти	**rear** *adj* задній
ravage *v* спустошувати	**reason** *v* міркувати
ravage *n* спустошення	**reason** *n* причина
raven *n* ворон	**reasonable** *adj* розумний
ravine *n* яр	**reasoning** *n* аргументація
raw *adj* сирий	**reassure** *v* переконувати
ray *n* промінь	**rebate** *n* знижка
raze *v* руйнувати	**rebel** *v* повставати
razor *n* бритва	**rebel** *n* повстанець
reach *v* досягати	**rebellion** *n* повстання
reach *n* простягання	**rebirth** *n* відродження

R

rebound v відскакувати
rebuff v відбивати
rebuff n відсіч
rebuild v відбудовувати
rebuke v докоряти
rebuke n докір
rebut v спростовувати
recall v відкликати
recant v зрікатися
recap v повторювати
recapture v брати назад
recede v відступати
receipt n отримання
receive v одержувати
recent adj недавній
reception n прийом
receptionist n секретар
recess n перерва
recession n відступ
recipe n рецепт
reciprocal adj взаємний
recital n виклад
recite v розповідати
reckless adj необачний
reckon v розраховувати
reclaim v виправляти
recline v спиратися
recluse n відлюдник

recognition n визнання
recognize v визнавати
recollect v згадати
recollection n спогад
recompense n нагорода
reconcile v примиряти
reconsider v переглядати
record v записувати
record n запис, звіт
recorder n магнітофон
recording n запис
recount n перерахунок
recourse v звертатися
recourse n звернення
recover v повертати
recovery n відновлення
recreate v відновлювати
recreation n відпочинок
recruit v вербувати
recruit n новобранець
rectangle n прямокутник
rectangular adj прямокутний
rectify v виправляти
rector n ректор
rectum n пряма кишка
recuperate v відновлювати
recur v повторюватися
recurrence n рецидив

R

recycle *v* обробляти
red *adj* червоний
red tape *n* бюрократизм
redden *v* червоніти
redeem *v* рятувати
redemption *n* викуп
red-hot *adj* розпалений
redo *v* робити знову
redouble *v* подвоювати
redress *v* відновлювати
reduce *v* зменшувати
redundant *adj* надмірний
reed *n* очерет
reef *n* риф
reel *n* котушка
reelect *v* переобирати
reenactment *n* реконструкція
reentry *n* повернення
refer to *v* посилатися
referee *n* рефері
reference *n* посилання
referendum *n* референдум
refill *v* поповнювати
refinance *v* рефінансувати
refine *v* рафінувати
reflect *v* відображати
reflection *n* відображення
reflexive *adj* зворотний

reform *v* реформувати
reform *n* реформа
refrain *v* утримуватися
refresh *v* освіжати
refreshing *adj* освіжаючий
refreshment *n* закуска
refrigerate *v* охолоджувати
refuel *v* заправлятися
refuge *n* притулок
refugee *n* біженець
refund *n* повернення
refurbish *v* відновлювати
refusal *n* відмова
refuse *v* відмовлятися
refuse *n* залишки
refute *v* спростовувати
regain *v* відновляти
regal *adj* величний
regard *v* розглядати
regarding *pre* стосовно
regards *n* привіт
regeneration *n* регенерація
regent *n* регент
regime *n* режим
regiment *n* полк
region *n* регіон
regional *adj* регіональний
register *v* реєстр

registration *n* реєстрація
regret *v* шкодувати
regret *n* жаль
regrettable *adj* прикрий
regularity *n* регулярність
regularly *adv* регулярно
regulate *v* регулювати
regulation *n* регулювання
rehabilitate *v* реабілітувати
rehearsal *n* репетиція
rehearse *v* репетирувати
reign *v* царювати
reign *n* панування
rein *v* управляти
rein *n* повід, контроль
reinforce *v* підсилювати
reiterate *v* повторювати
reject *v* відхиляти
rejection *n* відмова
rejoice *v* радіти
rejoin *v* приєднуватися
relapse *n* рецидив
related *adj* пов'язаний
relationship *n* стосунки
relative *adj* відносний
relative *n* родич
relax *adj* розслаблений
relay *v* змінювати

release *v* звільняти
relegate *v* направляти
relent *v* м'якшати
relentless *adj* невпинний
relevant *adj* доречний
reliable *adj* надійний
reliance *n* довіра, опора
relic *n* релікт, слід
relief *n* рельєф
relieve *v* полегшувати
religion *n* релігія
religious *adj* релігійний
relinquish *v* відмовлятися
relish *v* приправляти
relive *v* переживати
relocate *v* переселятися
relocation *n* переїзд
reluctant *adj* неохочий
reluctantly *adv* неохоче
rely on *v* покладатися на
remain *v* залишатися
remainder *n* решта
remaining *adj* залишковий
remains *n* рештки, руїни
remake *v* переробляти
remark *v* зауважувати
remark *n* зауваження
remarkable *adj* чудовий

R

remedy v виправляти

remedy n ліки, засіб

remember v пам'ятати

remembrance n пам'ять

remind v нагадувати

reminder n нагадування

remission n прощення

remit v прощати

remittance n пересилання

remnant n залишок

remodel v переробляти

remorse n каяття

remorseful adj жалісливий

remote adj віддалений

removal n усунення

remove v видаляти

remunerate v нагорода

renew v поновлювати

renewal n оновлення

renounce v відмовлятися

renovate v поновлювати

renovation n відбудова

renowned adj відомий

rent v орендувати

rent n оренда

repair v вирушати

repatriate v репатріювати

repayment n оплата

repeal v скасовувати

repeal n скасування

repeat v повторювати

repel v відштовхувати

repent v розкаюватися

repentance n покаяння

repetition n повторення

replace v заміняти

replacement n заміна

replay n повтор

replenish v поповнювати

replete adj наповнений

replica n репліка

replicate v повторювати

reply v відповідати

reply n відповідь

report v доповідати

report n доповідь

reporter n репортер

repose v покладатися на

repose n відпочинок

represent v представляти

repress v придушувати

repression n репресія

reprieve n відстрочення

reprint n передрук

reprisal n репресалія

reproach v дорікати

reproach *n* докір, ганьба

reproduce *v* виробляти

reproduction *n* відтворення

reptile *n* плазун

republic *n* республіка

repudiate *v* зрікатися

repugnant *adj* нестерпний

repulse *v* відкидати

repulse *n* відсіч

repulsive *adj* відразливий

reputation *n* репутація

reputedly *adv* ймовірно

request *v* прохати

request *n* запит

require *v* вимагати

requirement *n* вимога

rescue *v* рятувати

rescue *n* рятування

research *v* досліджувати

research *n* дослідження

resemblance *n* схожість

resemble *v* походити

resent *v* ображатися

resentment *n* образа

reserve *v* резервувати

reservoir *n* резервуар

reside *v* проживати

residence *n* проживання

residue *n* залишок

resign *v* відмовлятися

resignation *n* відставка

resilient *adj* стійкий

resist *v* чинити опір

resistance *n* опір

resolute *adj* рішучий

resolution *n* резолюція

resolve *v* вирішувати

resort *v* відвідувати

resounding *adj* оглушливий

resource *n* ресурс

respect *v* поважати

respect *n* повага

respectful *adj* шанобливий

respective *adj* відповідний

respiration *n* дихання

respite *n* відстрочка

respond *v* відповідати

response *n* відповідь

responsive *adj* чуйний

rest *v* відпочивати

rest *n* відпочинок

rest room *n* туалет

restaurant *n* ресторан

restful *adj* заспокійливий

restitution *n* відновлення

restless *adj* неспокійний

R

restoration *n* реставрація
restore *v* відновлювати
restrain *v* стримувати
restraint *n* стриманість
restrict *v* обмежувати
result *n* результат
resume *v* відновлювати
resumption *n* відновлення
resurrection *n* відродження
resuscitate *v* оживляти
retain *v* зберігати
retaliate *v* мстити
retaliation *n* відплата
retarded *adj* відсталий
retention *n* стримування
retire *v* іти у відставку
retirement *n* відставка
retract *v* відмовлятися
retreat *v* відходити
retreat *n* відступ
retrieval *n* повернення
retrieve *v* рятувати
retroactive *adj* зворотний
return *v* повертатися
return *n* повернення
reunion *n* возз'єднання
reveal *v* відкривати
revealing *adj* відкритий

revel *v* бенкетувати
revelation *n* відкриття
revenge *v* мститися
revenge *n* помста
revenue *n* надходження
reverence *n* шанування
reversal *n* скасування
reverse *n* зміна
reversible *adj* оборотний
revert *v* повертатися
review *v* оглядати
review *n* огляд
revise *v* переглядати
revision *n* перевірка
revive *v* оживати
revoke *v* скасовувати
revolt *v* повставати
revolt *n* повстання
revolting *adj* відразливий
revolve *v* обертатися
revolver *v* револьвер
revue *n* ревю
revulsion *n* відраза
reward *n* нагорода
rewarding *adj* вартий
rheumatism *n* ревматизм
rhinoceros *n* носоріг
rhyme *n* рима

R

rhythm *n* ритм
rib *n* ребро
ribbon *n* стрічка
rice *n* рис
rich *adj* багатий
rid of *iv* позбуватися
riddle *n* загадка
ride *iv* їхати
ridge *n* гребінь
ridicule *v* висміювати
ridicule *n* осміяння
ridiculous *adj* смішний
rifle *n* гвинтівка
rift *n* тріщина
right *adv* справедливо
right *adj* правий
right *n* право
rigid *adj* жорсткий
rigor *n* заціпеніння
rim *n* обідок, оправа
ring *iv* дзвонити
ring *n* дзвін, кільце
ringleader *n* ватажок
rinse *v* полоскати
riot *v* бунтувати
riot *n* бунт
rip *v* рвати, здирати
rip apart *v* розривати

rip off *v* здирати
ripe *adj* стиглий
ripen *v* дозрівати
ripple *n* брижі
rise *iv* підніматися
risk *v* ризикувати
risk *n* ризик
risky *adj* ризикований
rite *n* обряд
rival *n* конкурент
rivalry *n* суперництво
river *n* ріка
rivet *v* заклепувати
riveting *adj* захоплюючий
road *n* дорога
roam *v* блукати
roar *v* ревти
roar *n* рев, регіт
roast *v* жарити
roast *n* печеня
rob *v* грабувати
robber *n* розбійник
robbery *n* грабіж
robe *n* халат
robust *adj* міцний
rock *n* скеля
rocket *n* ракета
rocky *adj* скелястий

R

rod *n* жезл, тяга
rodent *n* гризун
roll *v* котити
romance *n* роман
roof *n* дах
room *n* кімната
roomy *adj* просторий
rooster *n* півень
root *n* корінь
rope *n* мотузка
rosary *n* розарій
rose *n* троянда
rosy *adj* рожевий
rot *v* гнити
rot *n* гниття
rotate *v* обертатися
rotation *n* обертання
rotten *adj* гнилий
rough *adj* грубий
round *adj* круглий
roundup *n* облава
rouse *v* будити
rousing *adj* збуджуючий
route *n* маршрут
routine *n* рутина
row *v* веслувати
row *n* ряд
rowdy *adj* бешкетний

royal *adj* королівський
royalty *n* знать
rub *v* терти
rubber *n* гума
rubbish *n* сміття
rubble *n* галька
ruby *n* рубін
rudder *n* кермо
rude *adj* грубий
rudeness *n* грубість
rug *n* килим
ruin *v* руйнувати
ruin *n* загибель
rule *v* керувати
rule *n* правило
ruler *n* правитель
rum *n* ром
rumble *v* грюкати
rumble *n* грюкання
rumor *n* чутка
run *iv* бігти
run away *v* втікати
run into *v* впадати в
run out *v* закінчитися
run over *v* переливатися
runner *n* бігун
runway *n* злітна смуга
rupture *n* перелом

R

rupture v розривати
rural adj сільський
ruse n хитрощі
rush v мчати
Russia n Росія
Russian adj російський
rust v іржавіти
rust n іржа
rustic adj простий
rust-proof adj нержавіючий
rusty adj іржавий
ruthless adj безжалісний
rye n жито

S

sabotage v саботувати
sabotage n саботаж
sack v пограбувати
sack n мішок
sacrament n таїнство
sacred adj священний
sacrilege n святотатство
sad adj сумний
sadden v сумувати

saddle n сідло
sadist n садист
sadness n смуток
safe adj безпечний
safeguard n гарантія
safety n безпека
sail v плавати
sail n вітрило
sailor n матрос
saint n святий
salad n салат
salary n платня
sale n продаж
salesman n продавець
saliva n слина
salmon n лосось
saloon n бар, салон
salt n сіль
salty adj солоний
salvage v рятувати
salvation n порятунок
same adj той самий
sample n проба
sanctify v освячувати
sanction v схвалювати
sanction n санкція
sanctity n святість
sanctuary n святилище

R
S

sand *n* пісок

sandwich *n* бутерброд

sane *adj* розсудливий

sanity *n* розсудливість

sap *n* живиця

sap *v* сушити

saphire *n* сапфір

sarcasm *n* сарказм

sarcastic *adj* саркастичний

sardine *n* сардина

satanic *adj* сатанинський

satellite *n* супутник

satire *n* сатира

satisfaction *n* задоволення

satisfactory *adj* задовільний

satisfy *v* задовольняти

saturate *v* насичувати

Saturday *n* субота

sauce *n* соус

saucepan *n* каструля

saucer *n* блюдце

sausage *n* ковбаса

savage *adj* дикий

savagery *n* жорстокість

save *v* рятувати

savings *n* заощадження

savior *n* рятівник

savor *v* пікантність

saw *iv* пиляти

saw *n* прислів'я

say *iv* говорити

saying *n* приказка

scaffolding *n* риштування

scald *v* обварювати

scale *v* чистити

scale *n* луска, шкала

scalp *n* скальп

scam *n* шахрайство

scan *v* сканувати

scandal *n* скандал

scandalize *v* обурювати

scar *n* шрам, скеля

scarce *adj* дефіцитний

scarcely *adv* ледве

scarcity *n* недостача

scare *v* лякати

scare *n* переляк

scare away *v* відлякувати

scarf *n* скіс, шарф

scary *adj* страшний

scatter *v* розкидати

scenario *n* сценарій

scene *n* сцена

scenery *n* пейзаж

scenic *adj* сценічний

scent *n* запах, духи

S

sceptic *adj* скептичний

schedule *n* список

scheme *n* схема

schism *n* розкол

scholar *n* вчений

scholarship *n* ученість

school *n* школа

science *n* наука

scientific *adj* науковий

scientist *n* вчений

scissors *n* ножиці

scoff *v* жерти

scold *v* сваритися

scolding *n* лайка

scooter *n* скутер

scope *n* масштаб

scorch *v* вигоряти

score *n* мітка, рахунок

score *v* відмічати

scorn *v* зневажати

scornful *n* зневажливий

scorpion *n* скорпіон

scoundrel *n* негідник

scour *v* чистити

scourge *n* батіг, лихо

scout *n* розвідник

scramble *v* продиратися

scrambled *adj* кодований

scrap *n* шматок м'яса

scrap *v* зчепитися

scrape *v* шкребти

scratch *v* дряпатися

scratch *n* подряпина

scream *v* кричати

scream *n* крик

screech *v* верещати

screen *n* екран, заслон

screen *v* прикривати

screw *v* натискати

screw *n* гвинт

screwdriver *n* викрутка

scribble *v* писати

script *n* почерк

scroll *n* сувій, список

scrub *v* терти

scruples *n* докори сумління

scrutiny *n* дослідження

scuffle *n* бійка

sculptor *n* скульптор

sculpture *n* скульптура

sea *n* море

seafood *n* морепродукти

seagull *n* чайка

seal *v* запечатувати

seal *n* печатка, тюлень

seal off *v* запечатувати

S

seam *n* шов
seamless *adj* безшовний
seamstress *n* швачка
search *v* розшукувати
search *n* пошук
seashore *n* морський берег
seaside *adj* приморський
season *n* сезон
seasonal *adj* сезонний
seasoning *n* приправа
seat *n* сидіння, місце
seated *adj* сидячий
secluded *adj* усамітнений
seclusion *n* самотність
second *n* помічник
secondary *adj* вторинний
secrecy *n* таємниця
secret *n* таємниця
secretary *n* секретар
secretly *adv* таємно
sect *n* секта
section *n* розтин, секція
sector *n* сектор
secure *v* забезпечувати
secure *adj* безпечний
security *n* безпека
sedate *v* статечний
sedation *n* спокій

seduce *v* спокушати
seduction *n* спокуса
see *iv* бачити
seed *n* насіння
seedless *adj* без насіння
seedy *adj* пошарпаний
seek *iv* розшукувати
seem *v* здаватися
segment *n* сегмент
seize *v* схопити
seizure *n* захоплення
seldom *adv* рідко
select *v* вибирати
selection *n* вибір
self-concious *adj* соромливий
self-esteem *n* самоповага
self-interest *n* егоїзм
selfish *adj* егоїстичний
selfishness *n* егоїзм
self-respect *n* самоповага
sell *iv* продавати
seller *n* продавець
sellout *n* розпродаж
semblance *n* подібність
semester *n* семестр
seminary *n* семінарія
senate *n* сенат
senator *n* сенатор**

send *iv* посилати
sender *n* відправник
senile *adj* старечий
senior *adj* старший
seniority *n* старшинство
sensation *n* сенсація
sense *v* відчувати
sense *n* почуття
senseless *adj* безглуздий
sensible *adj* розумний
sensitive *adj* чутливий
sensual *adj* чуттєвий
sentence *v* засуджувати
sentence *n* вирок
sentiment *n* настрій
sentry *n* вартовий
separate *v* розділятися
separate *adj* окремий
separation *n* поділ
September *n* вересень
sequel *n* продовження
sequence *n* послідовність
serenade *n* серенада
serene *adj* спокійний
serenity *n* спокій
sergeant *n* сержант
series *n* серія
serious *adj* серйозний

seriousness *n* серйозність
sermon *n* проповідь
serpent *n* змія
serum *n* сироватка
servant *n* слуга
serve *v* служити
service *n* служба
session *n* сесія
set *n* набір, установка
set *iv* ставити
set about *v* починати
set off *v* відкладати
set out *v* виставляти
set up *v* ставити
setback *n* затримка
setting *n* оточення
settle *v* оселятися
settle down *v* братися
settle for *v* погодитися
settlement *n* поселення
settler *n* поселенець
setup *n* постава
seven *adj* сім
seventeen *adj* сімнадцять
seventh *adj* сьомий
seventy *adj* сімдесят
sever *v* розривати
several *adj* кілька

S

severance *n* розрив

severe *adj* суворий

severity *n* суворість

sew *v* шити

sewage *n* каналізація

sewer *n* стічна труба

sewing *n* шиття

sex *n* стать, секс

sexuality *n* сексуальність

shabby *adj* потертий

shack *n* халупа

shackle *n* наручник

shade *n* тінь, екран

shadow *n* тінь

shady *adj* тіністий

shake *iv* трясти

shaken *adj* шокований

shaky *adj* хиткий

shallow *adj* мілкий

sham *n* обман

shambles *n* безлад

shame *v* соромити

shame *n* сором

shameful *adj* ганебний

shameless *adj* безсоромний

shape *v* формувати

shape *n* форма

share *v* розділяти

share *n* частина, акція

shareholder *n* акціонер

shark *n* акула, шахрай

sharp *adj* гострий

sharpen *v* гострити

sharpener *n* точило

shave *v* голитися

she *pro* вона

shear *iv* стригти

shed *iv* втрачати

sheep *n* вівця

sheets *n* простирадла

shelf *n* полиця, риф

shell *n* шкаралупа

shellfish *n* молюск

shelter *v* сховатися

shelter *n* притулок

shelves *n* полиці

shepherd *n* пастух

sherry *n* херес

shield *v* захищати

shield *n* щит, екран

shift *n* зміна

shift *v* міняти

shine *iv* блищати

shiny *adj* блискучий

ship *n* корабель

shipment *n* вантаж

shipyard *n* верф

shirk *v* ухилятися

shirt *n* сорочка

shiver *v* тремтіти

shiver *n* осколок

shock *v* шокувати

shock *n* удар, шок

shocking *adj* шокуючий

shoddy *adj* неякісний

shoe *n* черевик

shoelace *n* шнурок

shoestore *n* магазин взуття

shoot *iv* стріляти

shoot down *v* збивати

shop *v* купувати

shop *n* магазин

shoplifting *n* крадіжка

shopping *n* покупки

shore *n* опора, берег

short *adj* короткий

shortage *n* недостача

shortcoming *n* недолік

shortcut *n* короткий шлях

shorten *v* скорочувати

shorthand *n* стенографія

shortly *adv* незабаром

shorts *n* шорти

shortsighted *adj* короткозорий

shot *n* постріл

shotgun *n* дробовик

shoulder *n* плече

shout *v* кричати

shout *n* крик

shouting *n* крики

shove *v* штовхатися

shove *n* штовхання

shovel *n* лопата

show *iv* показувати

show off *v* виставляти

show up *v* викривати

showdown *n* розкриття

shower *n* душ, злива

shrapnel *n* шрапнель

shred *v* різати

shred *n* клаптик

shrewd *adj* проникливий

shriek *v* верещати

shriek *n* вереск

shrimp *n* креветка

shrine *n* гробниця

shrink *iv* збігатися

shroud *n* пелена

shrouded *adj* покритий

shrub *n* чагарник

shrug *v* знизувати

shudder *n* тремтіння

S

shudder v тремтіти
shuffle v човгати
shun v уникати
shut iv закривати
shut off v вимикати
shut up v замикати
shuttle v човник, шатл
shy adj сором ливий
sick adj хворий
sicken v захворіти
sickening adj бридкий
sickle n серп
sickness n хвороба
side n сторона
sideburns n баки
sidestep v обходити
sidewalk n тротуар
sideways adv боком
siege n облога
siege v обложити
sift v сіяти, сипати
sigh n зітхання
sigh v зітхати
sight n зір, погляд
sign v відмічати
sign n знак
signal n сигнал
signature n підпис

significance n значення
significant adj значний
signify v значити
silence n тиша
silence v заглушати
silent adj мовчазний
silhouette n силует
silk n шовк
silly adj дурний
silver n срібло
silverplated adj посріблений
silversmith n ювелір
silverware n столові вироби
similar adj подібний
similarity n подібність
simmer v кипіти
simple adj простий
simplicity n простота
simplify v спрощувати
simply adv просто
simulate v симулювати
simultaneous adj одночасний
sin v грішити
sin n гріх
since c з тих пір, як
since pre після, оскільки
since then adv відтоді
sincere adj щирий

sincerity *n* щирість
sinful *adj* грішний
sing *iv* співати
singer *n* співак
single *n* одинак
single *adj* одинокий
singlehanded *adj* однорукий
singleminded *adj* щирий
singular *adj* дивний
sinister *adj* злий
sink *iv* падати, тонути
sink in *v* вгрузати
sinner *n* грішник
sip *v* сьорбати
sir *n* сер
siren *n* сирена
sirloin *n* філей
sissy *adj* зніжений
sister *n* сестра
sister-in-law *n* невістка
sit *iv* сидіти
site *n* місце, сайт
sitting *n* засідання
situation *n* ситуація
six *adj* шість
sixteen *adj* шістнадцять
sixth *adj* шостий
sixty *adj* шістдесят

sizable *adj* значний
size *n* розмір, клей
skate *n* ковзан
skeleton *n* скелет
skeptic *adj* скептичний
sketch *v* малювати ескізи
sketch *n* ескіз, нарис
sketchy *adj* схематичний
ski *v* ходити на лижах
skill *n* уміння
skillful *adj* умілий
skim *v* мчати
skin *v* обдирати
skin *n* шкіра
skinny *adj* худорлявий
skip *v* пропускати
skip *n* стрибок, скіп
skirmish *n* сутичка
skirt *n* спідниця
skull *n* череп
sky *n* небо
skylight *n* засклений дах
skyscraper *n* хмарочос
slab *n* обапіл, плита
slack *adj* слабкий
slacken *v* ослабляти
slacks *n* широкі штани
slam *v* грюкати

S

slander *n* наклеп
slanted *adj* похилий
slap *n* ляпанець
slap *v* ляпати
slash *n* рана, болото
slash *v* рубати
slate *n* сланець, дошка
slaughter *n* забій
slave *n* раб
slavery *n* рабство
slay *iv* вбивати
sleazy *adj* тонкий
sleep *iv* спати
sleep *n* сон
sleeve *n* рукав
sleeveless *adj* безрукавний
sleigh *n* сани
slender *adj* тонкий
slice *v* тонко різати
slice *n* скибочка
slide *iv* ковзати
slightly *adv* злегка
slim *adj* стрункий
slip *v* ковзати
slip *n* ковзання
slipper *n* пантофля
slippery *adj* слизький
slit *iv* розрізати

slob *adj* звичайний
slogan *n* гасло
slope *n* схил
sloppy *adj* мокрий
slot *n* щілина, отвір
slow *adj* повільний
slowly *adv* повільно
sluggish *adj* млявий
slum *n* нетрі, юшка
slump *v* спадати
slump *n* спад, зсув
sly *adj* хитрий
smack *n* смак
smack *v* пахнути
small *adj* маленький
smallpox *n* віспа
smart *adj* різкий
smash *v* ламатися
smear *n* мазок
smear *v* мазати
smell *iv* нюхати
smelly *adj* смердючий
smile *v* посміхатися
smile *n* посмішка
smith *n* коваль
smoke *v* диміти
smoked *adj* димчастий
smoker *n* курець

S

smoking gun *n* димова зброя

smooth *v* мастити

smooth *adj* гладкий

smoothly *adv* плавно

smoothness *n* гладкість

smother *v* душити

snail *n* слимак

snake *n* змія

snare *v* піймати

snare *n* пастка

snatch *v* хапатися

sneak *v* підкрадатися

sneeze *v* чхати

sneeze *n* чхання

sniff *v* нюхати, сопіти

sniper *n* снайпер

snitch *v* украсти

snooze *v* подріматі

snore *v* хропіти

snore *n* хропіння

snow *v* іде сніг

snow *n* сніг

snowfall *n* снігопад

snowflake *n* сніжинка

snub *v* осадити

soak *v* змочувати

soak in *v* занурюватися

soak up *v* вбирати

soar *v* здійматися

sob *v* ридати

sob *n* ридання

sober *adj* тверезий

so-called *adj* так званий

sociable *adj* товариський

socialism *n* соціалізм

socialize *v* спілкуватися

society *n* суспільство

sock *n* шкарпетка

sod *n* дерен

soda *n* сода

sofa *n* диван

soft *adj* м'який

soften *v* пом'якшувати

softly *adv* м'яко

softness *n* м'якість

soggy *adj* вогкий

soil *v* бруднити

soil *n* земля, ґрунт

soiled *adj* забруднений

solace *n* утіха

solar *adj* сонячний

solder *v* паяти

soldier *n* солдат

sold-out *adj* розпроданий

sole *n* підошва

sole *adj* єдиний

S

solely *adv* виключно

solemn *adj* урочистий

solicit *v* прохати

solid *adj* твердий

solidarity *n* солідарність

solitary *adj* самітний

solitude *n* самітність

soluble *adj* розчинний

solution *n* розчин

solve *v* вирішувати

solvent *adj* розчинник

somber *adj* похмурий

some *adj* якийсь

somebody *pro* хто-небудь

someday *adv* одного дня

somehow *adv* якось

someone *pro* хто-небудь

something *pro* щось

sometimes *adv* іноді

someway *adv* якимсь чином

somewhat *adv* почасти

son *n* син

song *n* пісня

son-in-law *n* зять

soon *adv* незабаром

soothe *v* заспокоювати

sorcerer *n* чарівник

sorcery *n* чаклунство

sore *n* болячка

sore *adj* хворий

sorrow *n* сумувати

sorrowful *adj* скорботний

sorry *adj* засмучений

sort *n* сорт

sort out *v* сортувати

soul *n* душа

sound *n* звук, зонд

sound *v* звучати

sound out *v* довідуватися

soup *n* суп

sour *adj* кислий

source *n* джерело

south *n* південь

southbound *adv* південний

southern *adj* південний

souvenir *n* сувенір

sovereign *adj* суверенний

sovereignty *n* суверенітет

soviet *adj* радянський

sow *iv* сіяти

spa *n* курорт, спа

space *n* космос

space out *v* розтягувати

spacious *adj* просторий

spade *n* лопата, вино

Spain *n* Іспанія

span *v* вимірювати
span *n* п'ядь, розмах
Spaniard *n* іспанець
Spanish *adj* іспанський
spank *v* шльопати
spanking *n* прочуханка
spare *v* берегти
spare *adj* запасний
sparingly *adv* помірно
spark *n* іскра
spark off *v* розпалювати
sparkle *v* іскритися
sparrow *n* горобець
sparse *adj* розсіяний
spasm *n* спазм
speak *iv* говорити
speaker *n* промовець
spear *n* спис, паросток
spearhead *v* вістря списа
special *adj* спеціальний
specialty *n* спеціальність
species *n* вид, порода
specific *adj* конкретний
specimen *n* зразок, тип
speck *n* плямочка
spectacle *n* видовище
spectator *n* глядач
speculate *v* роздумувати

speculation *n* спекуляція
speech *n* мовлення
speechless *adj* німий
speed *iv* поспішати
speed *n* швидкість
speedily *adv* швидко
speedy *adj* швидкий
spell *iv* вимовляти
spell *n* заклинання
spelling *n* правопис
spend *iv* витрачати
spending *n* витрата
sperm *n* сперма
sphere *n* сфера, коло
spice *n* пряність
spicy *adj* пряний
spider *n* павук
spiderweb *n* павутина
spill *iv* розливати
spill *n* падіння, скалка
spin *iv* прясти
spine *n* хребет
spinster *n* стара діва
spirit *n* дух
spiritual *adj* духовний
spit *iv* плювати
spite *n* злоба
spiteful *adj* злобний

S

splash *v* хлюпатися

splendid *adj* прекрасний

splendor *n* пишнота

splint *n* осколок

splinter *n* осколок

split *n* розкол

split *iv* ділитися

split up *v* розділятися

spoil *v* псувати

spoils *n* здобич

sponge *n* губка

sponsor *n* спонсор, опікун

spontaneity *n* спонтанність

spontaneous *adj* спонтанний

spooky *adj* жахливий

spool *n* котушка

spoon *n* ложка

spoonful *n* повна ложка

sporadic *adj* спорадичний

sport *n* спорт, гравець

sportman *n* спортсмен

sporty *adj* спортивний

spot *v* плямувати

spot *n* пляма, ганьба

spotless *adj* бездоганний

spotlight *n* прожектор

spouse *n* чоловік

sprawl *v* розкидатися

spray *v* обприскувати

spread *iv* розгорнути

spring *iv* стрибати

spring *n* стрибок, весна

springboard *n* трамплін

sprinkle *v* бризкати

spruce up *v* прибирати

spur *v* спонукати

spur *n* шпора

spy *v* шпигувати

spy *n* шпигун

squalid *adj* убогий

squander *v* марнувати

square *adj* квадратний

square *n* квадрат

squash *v* роздавлювати

squeak *v* скрипіти

squeaky *adj* скрипучий

squeamish *adj* слабкий

squeeze *v* стискувати

squeeze in *v* впихати

squeeze up *v* пролазити

squid *n* кальмар

squirrel *n* білка

stab *v* заколоти

stab *n* удар

stability *n* стабільність

stable *adj* стійкий

S

stable *n* стайня

stack *v* складати

stack *n* стіг, купа

staff *n* опора

stage *n* сцена

stage *v* інсценувати

stagger *v* хитатися

stagnant *adj* стоячий

stagnate *v* застоюватися

stagnation *n* застій

stain *v* фарбувати

stain *n* фарба, пляма

stair *n* східець

staircase *n* сходи

stairs *n* сходи

stake *n* стовп, заклад

stake *v* підпирати

stale *adj* несвіжий

stalemate *n* безвихідь

stalk *v* виступати

stalk *n* стебло

stall *n* стійло

stall *v* застрягати

stammer *v* заїкатися

stamp *v* штампувати

stamp *n* штамп, марка

stamp out *v* придушувати

stampede *n* панічна втеча

stand *iv* стояти

stand *n* підставка

stand for *v* підтримувати

stand out *v* виділятися

stand up *v* вставати

standard *n* стандарт

standing *n* стояння

standpoint *n* точка зору

standstill *adj* зупинений

staple *v* скріпляти

staple *n* сировина

stapler *n* степлер

star *n* зірка

starch *n* крохмаль

starchy *adj* крохмалистий

stare *v* витріщатися

stark *adj* абсолютний

start *v* починати

start *n* початок

startle *v* перелякати

startled *adj* вражений

starvation *n* голод

starve *v* голодувати

state *n* стан, держава

state *v* заявляти

statement *n* заява, виклад

station *n* місце, станція

stationary *adj* постійний

S

stationery n канцтовари
statistic n статистика
statue n статуя
status n статус, стан
statute n статут
staunch adj твердий
stay v зупиняти
stay n витримка
steady adj стійкий
steak n шматок м'яса
steal iv красти
stealthy adj прихований
steam n пара
steel n сталь
steep adj крутий
stem n стовбур, рід
stem v походити
stench n сморід
step n крок, слід
step down v спуститися
step out v виходити
step up v підійти
stepbrother n зведений брат
stepdaughter n падчерка
stepfather n вітчим
stepladder n драбина
stepmother n мачуха
stepson n пасинок

sterile adj неплідний
sterilize v стерилізувати
stern n корма, хвіст
stern adj суворий
sternly adv суворо
stewardess n стюардеса
stick iv липнути
stick n палиця
stick around v тинятися
stick out v стирчати
sticker n колючка
sticky adj липкий
stiff adj тугий
stiffness n жорсткість
stifle v душити
stifling adj задушливий
still adj спокійний
still adv спокійно
stimulant n стимул
stimulate v стимулювати
stimulus n стимул
sting iv жалити
sting n жало, укус
stinging adj жалкий
stingy adj скупий
stink iv смердіти
stink n сморід
stinking adj смердючий

S

stipulate *v* зумовлювати
stir *v* ворушитися
stir up *v* збовтувати
stitch *v* шити
stitch *n* стібок, шов
stock *v* запасати
stock *n* опора, запас
stocking *n* панчоха
stockpile *n* запас
stockroom *n* склад
stoic *adj* стоїк
stomach *n* шлунок
stone *n* камінь
stone *v* облицьовувати
stool *n* табурет
stop *v* зупинятися
stop *n* зупинка
stop by *v* зайти
stop over *v* зарівнювати
storage *n* склад
store *v* запасати
store *n* запас, магазин
stork *n* лелека
storm *n* буря
stormy *adj* бурхливий
story *n* оповідання
stove *n* плита
straight *adj* прямий

straighten out *v* виправляти
strain *v* розтягати
strain *n* порода
strained *adj* напружений
strainer *n* сито
strait *n* протока
stranded *adj* скрутний
strange *adj* чужий
stranger *n* чужоземець
strangle *v* душити
strap *n* ремінь
strategy *n* стратегія
straw *n* солома
strawberry *n* полуниця
stray *adj* бездомний
stray *v* заблудити
stream *n* потік
street *n* вулиця
streetcar *n* трамвай
streetlight *n* світлофор
strength *n* сила
strengthen *v* посилювати
strenuous *adj* сильний
stress *n* стрес, тиск
stressful *adj* стресовий
stretch *n* розминка
stretch *v* витягувати
stretcher *n* розтягувач

S

strict *adj* суворий
stride *iv* крокувати
strife *n* розбрат
strike *n* удар, страйк
strike *iv* бити
strike back *v* дати здачі
strike out *v* викреслити
strike up *v* починати
striking *adj* вражаючий
string *n* мотузка
stringent *adj* суворий
strip *n* смужка
strip *v* здирати
stripe *n* смуга
striped *adj* смугастий
strive *iv* прагнути
stroke *n* удар, прийом
stroll *v* прогулюватися
strong *adj* сильний
structure *n* структура
struggle *v* боротися
struggle *n* боротьба
stub *n* пеньок, корінець
stubborn *adj* упертий
student *n* студент
study *v* вивчати
stuff *n* матеріал, речі
stuff *v* заповнювати

stuffing *n* начинка
stuffy *adj* душний
stumble *v* спотикатися
stun *v* вражати
stupendous *adj* дивовижний
stupid *adj* дурний
stupidity *n* дурість
sturdy *adj* стійкий
stutter *v* заїкатися
style *n* стиль
subdue *v* перемагати
subject *v* підкоряти
subject *n* тема, суб'єкт
sublime *adj* величний
submerge *v* затоплювати
submissive *adj* покірний
submit *v* підкорятися
subscribe *v* підписатися
subscription *n* підписка
subsequent *adj* наступний
subsidiary *adj* допоміжний
subsidize *v* субсидувати
subsidy *n* субсидія
subsist *v* існувати
substance *n* речовина
substandard *adj* неякісний
substantial *adj* істотний
substitute *v* заміняти

S

substitute *n* заміна
subtitle *n* субтитр
subtle *adj* тонкий
subtract *v* віднімати
subtraction *n* віднімання
suburb *n* передмістя
subway *n* метро
succeed *v* процвітати
success *n* успіх
successful *adj* успішний
successor *n* наступник
succulent *adj* соковитий
succumb *v* поступитися
such *adj* такий
suck *v* смоктати
sucker *adj* сисунець
sudden *adj* раптовий
suddenly *adv* раптово
sue *v* подавати позов
suffer *v* страждати
suffering *n* страждання
sufficient *adj* достатній
suffocate *v* душити
sugar *n* цукор
suggest *v* пропонувати
suggestion *n* пропозиція
suicide *n* самогубство
suit *n* прохання

suitable *adj* підхожий
suitcase *n* чемодан
sullen *adj* похмурий
sulphur *n* сірка
sum *n* сума
sum up *v* підсумовувати
summary *n* конспект
summer *n* літо
summit *n* вершина
summon *v* викликати
sumptuous *adj* розкішний
sun *n* сонце
sunburn *n* загар
Sunday *n* неділя
sundown *n* захід сонця
sunken *adj* затонулий
sunny *adj* сонячний
sunrise *n* схід сонця
sunset *n* захід сонця
superb *adj* чудовий
superfluous *adj* надмірний
superior *adj* вищий
superiority *n* перевага
supermarket *n* супермаркет
superpower *n* наддержава
supersede *v* заміняти
superstition *n* забобон
supervise *v* наглядати

S

supervision *n* нагляд
supper *n* вечеря
supple *adj* гнучкий
supplier *n* постачальник
supplies *n* припаси
supply *v* постачати
support *v* підтримувати
supporter *n* прихильник
suppose *v* припускати
supposing *c* якби
supposition *n* припущення
suppress *v* придушувати
supremacy *n* панування
supreme *adj* верховний
surcharge *n* доплата
sure *adj* вірний
surely *adv* твердо
surface *n* поверхня
surge *n* велика хвиля
surgeon *n* хірург
surgical *adv* хірургічний
surname *n* прізвище
surplus *n* решта
surprise *v* дивувати
surprise *n* здивування
surrender *v* здаватися
surrender *n* відмова
surround *v* оточувати

surroundings *n* околиці
surveillance *n* нагляд
survey *n* огляд
survival *n* виживання
survive *v* пережити
survivor *n* той що вижив
suspect *v* підозрювати
suspect *n* підозрюваний
suspend *v* призупиняти
suspenders *n* підтяжки
suspense *n* непевність
suspension *n* призупинення
suspicion *n* підозра
suspicious *adj* підозрілий
sustain *v* підтримувати
swallow *v* ковтати
swamp *n* болото
swamped *adj* заболочений
swan *n* лебідь
swap *v* міняти
swap *n* обмін
swarm *n* рій
sway *v* гойдатися
swear *iv* клястися
sweat *n* піт
sweat *v* потіти
sweater *n* светр
Sweden *n* Швеція

S

Sweedish adj шведський
sweep iv мчати
sweet adj солодкий
sweetheart n коханий
sweetness n солодкість
sweets n солодощі
swell iv пухнути
swelling n опух
swift adj швидкий
swim iv плавати
swimmer n плавець
swimming n плавання
swindle v обманювати
swindle n шахрайство
swindler n шахрай
swing iv гойдатися
swing n гойдання
switch v перемикати
switch n вимикач
switch off v вимикати
switch on v вмикати
Switzerland n Швейцарія
swivel v вертлюг
swollen adj опухлий
sword n меч
swordfish n меч-риба
syllable n склад, звук
symbol n символ

symbolic adj символічний
symmetry n симетрія
sympathize v співчувати
sympathy n співчуття
symphony n симфонія
symptom n симптом
synagogue n синагога
synod n синод
synonym n синонім
synthesis n синтез
syphilis n сифіліс
syringe n шприц
syrup n сироп
system n система

T

table n стіл, таблиця
tablecloth n скатертина
tablet n дощечка
tack n кнопка, галс
tackle v схопити
tact n тактовність
tactful adj тактовний
tactical adj тактичний

S
T

tactics *n* тактика

tag *n* петля, ярлик

tail *n* хвіст

tail *v* тягтися

tailor *n* кравець

tainted *adj* зіпсований

take *iv* брати

take apart *v* розбирати

take away *v* забирати

take back *v* повертати

take in *v* приймати

take off *v* знімати

take out *v* виводити

take over *v* перевозити

tale *n* оповідання

talent *n* талант

talk *v* говорити

talkative *adj* говіркий

tall *adj* високий

tame *v* приручати

tangent *n* дотична

tangerine *n* мандарин

tangible *adj* відчутний

tangle *n* клубок

tank *n* бак

tantamount to *adj* рівний

tap *n* втулка, кран

tape *n* стрічка

tape recorder *n* магнітофон

tapestry *n* гобелен

tar *n* смола

tarantula *n* тарантул

tardy *adv* запізнілий

target *n* ціль, завдання

tariff *n* тариф

tarnish *v* тьмяніти

tart *n* пиріг

tartar *n* винний камінь

task *n* задача, норма

taste *v* покуштувати

taste *n* смак

tasteful *adj* зі смаком

tasteless *adj* несмачний

tasty *adj* смачний

tavern *n* таверна

tax *n* податок

tea *n* чай

teach *iv* навчати

teacher *n* вчитель

team *n* команда

teapot *n* чайник

tear *iv* розривати

tear *n* дірка, сльоза

tearful *adj* слізливий

tease *v* дражнити

teaspoon *n* чайна ложка**

technical *adj* технічний
technicality *n* формальність
technician *n* фахівець
technique *n* техніка, прийом
technology *n* технологія
tedious *adj* стомливий
tedium *n* стомлюваність
teenager *n* підліток
teeth *n* зуби
telegram *n* телеграма
telepathy *n* телепатія
telephone *n* телефон
telescope *n* телескоп
television *n* телебачення
tell *iv* сказати
teller *n* оповідач
telling *adj* відчутний
temper *n* характер
temperature *n* температура
tempest *n* буря
temple *n* скроня, храм
temporary *adj* тимчасовий
tempt *v* спокушати
temptation *n* спокуса
tempting *adj* привабливий
ten *adj* десять
tenacity *n* завзятість
tenant *n* орендар

tendency *n* тенденція
tender *adj* ніжний
tenderness *n* ніжність
tennis *n* теніс
tenor *n* течія, тенор
tense *adj* напружений
tension *n* напруженість
tent *n* намет
tentacle *n* щупальце
tentative *adj* пробний
tenth *n* десятий
tenuous *adj* незначний
tepid *adj* прохолодний
term *n* термін, семестр
terminate *v* припиняти
terminology *n* термінологія
termite *n* терміт
terms *n* умови угоди
terrace *n* тераса
terrain *n* місцевість
terrestrial *adj* земний
terrible *adj* жахливий
terrific *adj* незвичайний
terrify *v* жахати
terrifying *adj* жахливий
territory *n* територія
terror *n* жах, терор
terrorism *n* тероризм

T

terrorist *n* терорист

terrorize *v* тероризувати

terse *adj* лаконічний

test *v* випробовувати

test *n* аналіз

testament *n* заповіт

testify *v* свідчити

testimony *n* свідчення

text *n* текст

textbook *n* підручник

texture *n* текстура

thank *v* дякувати

thankful *adj* вдячний

thanks *n* подяка

that *adj* той, який

thaw *v* танути

thaw *n* відлига

theater *n* театр

theft *n* крадіжка

theme *n* тема, основа

themselves *pro* себе

then *adv* тоді

theologian *n* богослов

theology *n* богослов'я

theory *n* теорія

therapy *n* терапія

there *adv* там, туди

therefore *adv* тому

thermometer *n* термометр

thermostat *n* термостат

these *adj* ці

thesis *n* теза

they *pro* вони

thick *adj* товстий

thicken *v* згущувати

thickness *n* товщина

thief *n* злодій

thigh *n* стегно

thin *adj* тонкий, рідкий

thing *n* річ, справа

think *iv* думати

thinly *adv* тонко

third *adj* третій

thirst *v* хотіти пити

thirsty *adj* спраглий

thirteen *adj* тринадцять

thirty *adj* тридцять

this *adj* цей

thorn *n* колючка

thorny *adj* колючий

thorough *adj* повний

those *adj* ті

though *c* хоча

thought *n* думка, намір

thoughtful *adj* замислений

thousand *adj* тисяча

thread *v* нанизувати

thread *n* нитка, хід

threat *n* загроза

threaten *v* погрожувати

three *adj* три

thresh *v* молотити

threshold *n* поріг

thrifty *adj* ощадливий

thrill *v* тремтіти

thrill *n* збудження

thrive *v* процвітати

throat *n* горло

throb *n* пульсація

throb *v* пульсувати

thrombosis *n* тромбоз

throne *n* трон

throng *n* товпитися

through (thru) *pre* через

throw *iv* кидати

throw away *v* відкидати

throw up *v* підкидати

thug *n* головоріз

thumb *n* великий палець

thumbtack *n* кнопка

thunder *n* грім

thunderstorm *n* гроза

Thursday *n* четвер

thus *adv* таким чином

tickle *v* лоскотати

tickle *n* ускладнення

ticklish *adj* лоскотний

tide *n* прилив, течія

tidy *adj* охайний

tie *v* зав'язувати

tie *n* краватка

tiger *n* тигр

tight *adj* щільний

tighten *v* натягувати

tile *n* черепиця

till *adv* до

tilt *v* нахиляти

timber *n* лісоматеріал

time *n* час, строк

timeless *adj* несвоєчасний

timely *adj* своєчасний

times *n* часи

timetable *n* графік

timid *adj* боязкий

timidity *n* боязкість

tin *n* олово

tiny *adj* крихітний

tip *n* кінчик, нахил

tired *adj* стомлений

tiredness *n* втома

tireless *adj* невтомний

tiresome *adj* стомливий

T

tissue n тканина
title n назва, титул
to pre до, на
toad n жаба
toast v підсмажувати
toast n грінка, тост
toaster n тостер
tobacco n тютюн
today adv сьогодні
toddler n дитина
toe n палець ноги
toenail n ніготь
together adv разом
toil v трудитися
toilet n туалет
token n знак, жетон
tolerable adj терпимий
tolerance n терпимість
tolerate v терпіти
toll n дзвін, плата
toll v благовістити
tomato n томат
tomb n гробниця
tomorrow adv завтра
ton n тонна, мода
tone n тон
tongs n кліщі
tongue n язик, мова

tonic n тонік
tonsil n мигдалина
too adv надто, також
tool n інструмент
tooth n зуб
toothache n зубний біль
toothpick n зубочистка
top n верх
topic n тема
topple v перекидати
torch n факел, світоч
torment v мучити
torment n мука
torrent n потік
torrid adj пекучий
torso n тулуб, торс
tortoise n черепаха
torture v катувати
torture n катування
toss v кидати
total adj повний
totalitarian adj тоталітарний
totality n сукупність
touch n дотик, контакт
touch v доторкатися
touch on v зачіпати
touch up v нагадати
touching adj зворушливий

tough *adj* жорсткий

toughen *v* посилювати

tour *n* подорож, тур

tourism *n* туризм

tourist *n* турист

tournament *n* турнір

tow *v* тягти

tow truck *n* буксир

towards *pre* до

towel *n* рушник

tower *n* башта

towering *adj* високий

town *n* місто

town hall *n* ратуша

toxic *adj* токсичний

toxin *n* токсин

toy *n* іграшка

trace *v* стежити

track *n* слід, колія

track *v* слідкувати

traction *n* тяга

tractor *n* трактор

trade *n* торгівля

trade *v* торгувати

trademark *n* товарний знак

trader *n* торговець

tradition *n* традиція

traffic *n* рух, торгівля

traffic *v* торгувати

tragedy *n* трагедія

tragic *adj* трагічний

trail *v* волочитися

trail *n* стежка, слід

trailer *n* причіп

train *n* поїзд, процесія

train *v* їхати поїздом

trainee *n* стажер

trainer *n* тренер

training *n* тренування

trait *n* штрих, ознака

traitor *n* зрадник

trajectory *n* траєкторія

tram *n* трамвай

trample *v* топтати

trance *n* транс

tranquility *n* спокій

transaction *n* угода

transcend *v* перевищувати

transcribe *v* переписувати

transfer *v* передавати

transfer *n* пересадка

transformation *n* перетворення

transfusion *n* переливання

transit *n* транзит, зміна

transition *n* перехід

translate *v* перекладати

T

translator *n* перекладач
transmit *v* передавати
transparent *adj* прозорий
transplant *v* пересаджувати
transport *v* перевозити
trap *n* пастка, трап
trash *n* сміття
trash can *n* кошик
traumatic *adj* травматичний
traumatize *v* травмувати
travel *v* подорожувати
traveler *n* мандрівник
tray *n* піднос, жолоб
treacherous *adj* віроломний
treachery *n* віроломство
tread *iv* крокувати
treason *n* злочин
treasure *n* скарб
treasurer *n* скарбник
treat *v* поводитися
treat *n* пригощання
treatment *n* ставлення
treaty *n* договір
tree *n* дерево
tremble *v* тремтіти
tremendous *adj* величезний
tremor *n* тремтіння
trench *n* канава

trend *n* напрям
trendy *adj* модний
trespass *v* зловживати
trial *n* дослід, суд
triangle *n* трикутник
tribe *n* плем'я
tribulation *n* нещастя
tribunal *n* трибунал
tribute *n* данина
trick *v* обманювати
trick *n* хитрість, трюк
trickle *v* сочитися
tricky *adj* підступний
trigger *v* спускати
trigger *n* тригер
trim *v* підрізувати
trimester *n* триместр
trimmings *n* приправа
trip *n* поїздка
trip *v* спотикатися
triple *adj* потрійний
tripod *n* триніжок
triumph *n* тріумф
trivial *adj* дрібний
trivialize *v* опошляти
trolley *n* візок
troop *n* загін, ескадрон
trophy *n* трофей

tropic *n* тропік

tropical *adj* тропічний

trouble *n* турбота

trouble *v* турбувати

troublesome *adj* клопітний

trousers *n* брюки

trout *n* форель

truce *n* перемир'я

truck *n* вантажівка

trumpet *n* труба, рупор

trunk *n* тулуб

trust *v* довіряти

trust *n* довіра, опіка

truth *n* правда

truthful *adj* правдивий

try *v* намагатися

tub *n* діжка

tuberculosis *n* туберкульоз

Tuesday *n* вівторок

tuition *n* навчання

tulip *n* тюльпан

tumble *v* падати

tummy *n* черевце

tumor *n* пухлина

tumult *n* шум, бунт

tumultuous *adj* шумний

tuna *n* тунець

tune *n* мотив

tune *v* настроювати

tune up *v* настроювати

tunic *n* туніка, мундир

tunnel *n* тунель

turbine *n* турбіна

turbulence *n* буйність

turf *n* дерен, торф

Turk *n* турок

Turkey *n* Туреччина

turmoil *n* безлад

turn *n* оберт, зміна

turn *v* повертати

turn down *v* відхиляти

turn in *v* зайти

turn off *v* вимикати

turn on *v* вмикати

turn out *v* вигнати

turn over *v* повертатися

turn up *v* піднімати

turret *n* башточка

turtle *n* черепаха

tusk *n* ікло

tutor *n* репетитор

tweezers *n* пінцет

twelfth *adj* дванадцятий

twelve *adj* дванадцять

twentieth *adj* двадцятий

twenty *adj* двадцять

T

twice *adv* двічі

twilight *n* сутінки

twin *n* близнюк

twinkle *v* мерехтіти

twist *v* крутити

twist *n* поворот, твіст

twisted *adj* покручений

twister *n* сукальник

two *adj* два

tycoon *n* магнат

type *n* тип, шрифт

type *v* друкувати

typical *adj* типовий

tyranny *n* тиранія

tyrant *n* тиран

U

ugliness *n* потворність

ugly *adj* потворний

ulcer *n* виразка

ultimate *adj* кінцевий

ultimatum *n* ультиматум

ultrasound *n* ультразвук

umbrella *n* парасолька

umpire *n* посередник

unable *adj* нездатний

unarmed *adj* безрогий

unavoidable *adj* неминучий

unbearable *adj* нестерпний

unbeatable *adj* непереможний

unbelievable *adj* неймовірний

unbroken *adj* цілий

unbutton *v* розстібати

uncertain *adj* невизначений

uncle *n* дядько

uncomfortable *adj* незручний

uncommon *adj* незвичайний

unconscious *adj* несвідомий

uncover *v* виявляти

undecided *adj* невирішений

undeniable *adj* незаперечний

under *pre* під, за

undercover *adj* секретний

underdog *n* невдаха

undergo *v* зазнавати

underground *adj* підземний

underlie *v* лежати під

underline *v* підкреслювати

underlying *adj* основний

undermine *v* підривати

underneath *pre* під

underpass *n* тунель

understand v розуміти
understandable adj зрозумілий
understanding adj розуміючий
undertake v ручитися
underwear n спідня білизна
underwrite v підтверджувати
undeserved adj незаслужений
undesirable adj небажаний
undisputed adj незаперечний
undo v розбирати
undoubtedly adv безсумнівно
undress v роздягатися
undue adj непідхожий
unearth v виривати
uneasiness n незручність
uneasy adj незручний
uneducated adj неосвічений
unemployed adj безробітний
unemployment n безробіття
unending adj нескінченний
unequal adj нерівний
unequivocal adj недвозначний
uneven adj нерівний
uneventful adj звичайний
unexpected adj несподіваний
unfailing adj надійний
unfaithful adj невірний
unfamiliar adj незнайомий

unfasten v відстібати
unfit adj непридатний
unfold v розгортати
unforgettable adj незабутній
unfriendly adj недружний
ungrateful adj невдячний
unhappiness n нещастя
unhappy adj сумний
unhealthy adj нездоровий
unheard-of adj нечуваний
unification n уніфікація
uniform n уніформа
unify v уніфікувати
unilateral adj односторонній
union n союз
unique adj унікальний
unit n одиниця
unite v об'єднуватися
unity n єдність, згода
universal adj універсальний
universe n всесвіт
university n університет
unknown adj невідомий
unlawful adj незаконний
unleaded adj неетилований
unleash v розв'язувати
unless c якщо не
unlike adj не схожий на

U

unlikely *adj* малоймовірний
unlimited *adj* необмежений
unload *v* позбуватися
unlock *v* відмикати
unlucky *adj* нещасливий
unmarried *adj* неодружений
unmask *v* викривати
unnecessary *adj* зайвий
unnoticed *adj* непомічений
unoccupied *adj* незайнятий
unofficially *adv* неофіційно
unpack *v* розпаковувати
unpleasant *adj* неприємний
unplug *v* від'єднувати
unpopular *adj* непопулярний
unprofitable *adj* невигідний
unprotected *adj* незахищений
unravel *v* розгадувати
unreal *adj* нереальний
unrealistic *adj* нереалістичний
unreasonable *adj* нерозумний
unrelated *adj* непов'язаний
unreliable *adj* ненадійний
unrest *n* неспокій
unsafe *adj* небезпечний
unselfish *adj* безкорисливий
unspeakable *adj* невимовний
unstable *adj* нестабільний

unsteady *adj* нестійкий
unsuccessful *adj* невдалий
unsuitable *adj* непридатний
unthinkable *adj* немислимий
untie *v* розв'язувати
until *pre* до
untimely *adj* несвоєчасний
untouchable *adj* недоторканний
untrue *adj* невірний
unusual *adj* незвичайний
unveil *v* розкривати
unwillingly *adv* неохоче
unwind *v* розмотувати
unwise *adj* нерозсудливий
unwrap *v* розгортати
upbringing *n* виховання
upcoming *adj* майбутній
update *v* модернізувати
upgrade *v* покращувати
upheaval *n* зрушення
uphill *adv* вгору
uphold *v* підтримувати
upholstery *n* оббивка
upkeep *n* утримання
upon *pre* на
upper *adj* верхній
upright *adj* прямий

uprising *n* повстання
uproar *n* шум
uproot *v* викорінювати
upset *v* засмучувати
upside-down *adv* догори дном
upstairs *adv* нагорі
uptight *adj* стривожений
up-to-date *adj* актуальний
upturn *n* підвищення
upwards *adv* вгору, більше
urban *adj* міський
urge *n* спонукання
urge *v* примушувати
urgency *n* настійність
urgent *adj* терміновий
urinate *v* мочитися
urine *n* сеча
urn *n* урна
us *pro* нас
usage *n* вживання
use *v* вживати
use *n* користь
used to *adj* звиклий
useful *adj* корисний
usefulness *n* користь
useless *adj* марний
user *n* користувач
usher *n* швейцар

usual *adj* звичайний
usurp *v* узурпувати
utensil *n* приладдя
uterus *n* матка
utmost *adj* найбільший
utter *v* висловлювати

V

vacancy *n* пустота
vacant *adj* незайнятий
vacate *v* скасовувати
vacation *n* відпустка
vaccinate *v* вакцинувати
vaccine *n* вакцина
vacillate *v* вагатися
vagrant *n* бродяга
vague *adj* невиразний
vain *adj* марний
vainly *adv* марно, пихато
valiant *adj* доблесний
valid *adj* дійсний
validate *v* стверджувати
validity *n* дійсність
valley *n* долина

U
V

valuable *adj* цінний

value *n* значення

valve *n* клапан

vampire *n* вампір

van *n* фургон

vandal *n* вандал

vandalism *n* вандалізм

vandalize *v* хуліганити

vanguard *n* авангард

vanish *v* зникати

vanity *n* суєта, пиха

vanquish *v* перемагати

variable *adj* змінний

varied *adj* різноманітний

various *adj* різний

varnish *v* лак, блиск

varnish *n* лакувати

vary *v* відрізнятися

vase *n* ваза

vast *adj* просторий

veal *n* телятина

veer *v* змінювати

vegetable *n* овоч

vegetarian *v* вегетаріанець

vegetation *n* вегетація

veil *n* вуаль, покрив

vein *n* вена, жилка

velocity *n* швидкість

velvet *n* оксамит

venerate *v* шанувати

vengeance *n* помста

venison *n* оленина

venom *n* отрута

vent *n* отвір, вихід

ventilate *v* вентилювати

ventilation *n* вентиляція

venture *v* ризикувати

venture *n* авантюра

verb *n* дієслово

verbally *adv* словесно

verbatim *adv* дослівно

verdict *n* вердикт

verge *n* край

verification *n* перевірка

verify *v* перевіряти

versatile *adj* різнобічний

verse *n* вірш

versed *adj* досвідчений

version *n* версія

versus *pre* порівняно з

vertebra *n* хребець

very *adv* дуже

vessel *n* судно, посуд

vest *n* жилет

vestige *n* залишок

veteran *n* ветеран

V

veterinarian *n* ветеринар
veto *v* забороняти
viaduct *n* шляхопровід
vibrant *adj* тремтячий
vibrate *v* вібрувати
vibration *n* вібрація
vice *n* недолік
vicinity *n* околиці
vicious *adj* порочний
victim *n* жертва
victimize *v* мучити
victor *n* переможець
victorious *adj* переможний
victory *n* перемога
view *n* вид, думка
view *v* оглядати
viewpoint *n* точка зору
vigil *n* пильнування
village *n* село
villain *n* лиходій
vindicate *v* обстоювати
vindictive *adj* мстивий
vine *n* виноградна лоза
vinegar *n* оцет
vineyard *n* виноградник
violate *v* порушувати
violence *n* насильство
violent *adj* насильний

violet *n* фіалка
violin *n* скрипка
violinist *n* скрипаль
viper *n* гадюка
virgin *n* діва
virginity *n* незайманість
virile *adj* мужній
virility *n* змужнілість
virtually *adv* фактично
virtue *n* чеснота
virtuous *adj* доброчесний
virulent *adj* отруйний
virus *n* вірус
visibility *n* видимість
visible *adj* видимий
vision *n* зір
visit *n* відвідування
visit *v* відвідувати
visitor *n* відвідувач
visual *adj* видимий
visualize *v* уявляти
vital *adj* життєвий
vitality *n* життєздатність
vitamin *n* вітамін
vivacious *adj* жвавий
vivid *adj* жвавий
vocabulary *n* словник
vocation *n* покликання

V

vogue *n* мода
voice *n* голос, думка
void *adj* пустий
volatile *adj* леткий
volcano *n* вулкан
volleyball *n* волейбол
voltage *n* напруга
volume *n* том, обсяг
volunteer *n* доброволець
vomit *v* блювати
vomit *n* блювота
vote *v* голосувати
vote *n* голосування
voting *n* голосування
vouch for *v* поручитися
voucher *n* ваучер
vow *v* клястися
vowel *n* голосний звук
voyage *n* плавання
voyager *n* мореплавець
vulgar *adj* вульгарний
vulgarity *n* вульгарність
vulnerable *adj* уразливий
vulture *n* гриф, хижак

W

wafer *n* вафля
wag *v* махати
wage *n* заробітна плата
wagon *n* фургон
wail *v* кричати, тужити
wail *n* тужіння
waist *n* талія
wait *v* чекати
waiter *n* офіціант
waiting *n* чекання
waitress *n* офіціантка
waive *v* відмовлятися
wake up *iv* будити
walk *v* ходити, гуляти
walk *n* ходіння
walkout *n* страйк
wall *n* стіна
wallet *n* гаманець
walnut *n* волоський горіх
walrus *n* морж
waltz *n* вальс
wander *v* блукати
wanderer *n* мандрівник
wane *v* спадати
want *v* хотіти

V
W

war *n* війна
ward *n* палата, камера
warden *n* наглядач
wardrobe *n* гардероб
warehouse *n* склад
warfare *n* війна, сутичка
warm *adj* теплий
warm up *v* розминатися
warmth *n* тепло
warn *v* попереджати
warning *n* знак
warp *v* викривляти
warped *adj* викривлений
warrant *v* ручатися
warrant *n* ордер, дозвіл
warranty *n* гарантія
warrior *n* воїн
wart *n* бородавка
wary *adj* обережний
wash *v* мити
washable *adj* що можна мити
wasp *n* оса
waste *v* марнувати
waste *n* втрата
wasteful *adj* марнотратний
watch *n* годинник
watch *v* стежити
watch out *v* остерігатися

watchful *adj* пильний
watchmaker *n* годинникар
water *n* вода
water *v* мочити
water down *v* розводити
waterfall *n* водоспад
waterheater *n* кип'ятильник
watermelon *n* кавун
watershed *n* вододіл
watery *adj* мокрий
watt *n* ват
wave *n* хвиля
waver *v* коливатися
wavy *adj* хвилястий
wax *n* віск
way *n* шлях, спосіб
way in *n* вхід
way out *n* вихід
we *pro* ми
weak *adj* слабкий
weaken *v* ослабляти
weakness *n* слабкість
wealth *n* багатство
wealthy *adj* багатий
weapon *n* зброя
wear *n* носіння, одяг
wear *iv* носити
wear down *v* зношувати

W

wear out *v* вичерпувати
weary *adj* стомлений
weather *n* погода
weave *iv* ткати, плести
web *n* павутина
web site *n* веб-сайт
wed *iv* одружуватися
wedding *n* весілля
wedge *n* клин
Wednesday *n* середа
weed *n* бур'ян
weed *v* полоти
week *n* тиждень
weekday *adj* будень
weekend *n* вихідний
weekly *adv* щотижня
weep *iv* плакати
weigh *v* важити
weight *n* вага, значення
weird *adj* дивний
welcome *v* вітати
welcome *n* привітання
weld *v* зварювати
welder *n* зварник
welfare *n* добробут
well *n* добро
well-known *adj* відомий
well-to-do *adj* заможний

west *n* захід
westbound *adv* західний
western *adj* західний
wet *adj* вологий
whale *n* кит
wharf *n* пристань
what *adj* що, який
whatever *adj* будь-який
wheat *n* пшениця
wheel *n* колесо
wheelbarrow *n* візок
wheeze *v* хрипіти
when *adv* коли
whenever *adv* коли
where *adv* де, куди
whereas *c* тоді як
whereupon *c* після чого
wherever *c* де б не
whether *c* чи
which *adj* який, що
while *c* поки, коли
whim *n* примха
whine *v* скиглити
whip *v* хльостати
whip *n* хлист
whirl *v* крутитися
whirlpool *n* вир
whiskers *n* бакенбарди

whisper *v* шепотіти

whisper *n* шепіт

whistle *v* свистіти

whistle *n* свист

white *adj* білий

whiten *v* білити

whittle *v* стругати

who *pro* хто

whoever *pro* хто б не

whole *adj* цілий

wholehearted *adj* щирий

wholesome *adj* корисний

whom *pro* кому

why *adv* чому

wicked *adj* злий

wickedness *n* злісність

wide *adj* широкий

widely *adv* широко

widen *v* розширювати

widow *n* вдова

widower *n* вдівець

width *n* ширина

wield *v* володіти

wife *n* дружина

wig *n* перука

wiggle *v* погойдуватися

wild *adj* дикий

wild boar *n* кабан

wilderness *n* пустеля

wildlife *n* жива природа

will *n* воля

willfully *adv* навмисно

willing *adj* охочий

willingly *adv* охоче

willingness *n* готовність

willow *n* верба

wily *adj* хитрий

wimp *adj* нудний

win *iv* перемагати

win back *v* відіграти

wind *n* вітер

wind *iv* вертітися

wind up *v* заводити

winding *adj* звивистий

windmill *n* вітряк

window *n* вікно, вітрина

windpipe *n* трахея

windshield *n* вітрове скло

windy *adj* вітряний

wine *n* вино

winery *n* винний завод

wing *n* крило

wink *n* моргання

wink *v* моргати

winner *n* переможець

winter *n* зима

W

wipe v витирати

wipe out v знищити

wire n провід

wireless adj мобільний

wisdom n мудрість

wise adj мудрий

wish v хотіти

wish n бажання

wit n розум

witch n відьма

witchcraft n чаклунство

with pre з

withdraw v відкликати

withdrawal n знімання

withdrawn adj замкнутий

wither v в'янути

withhold iv утримуватися

within pre всередині

without pre без

withstand v витримувати

witness n свідок

witty adj дотепний

wives n дружини

wizard n чаклун

wobble v хитатися

woes n біди

wolf n вовк

woman n жінка

womb n матка, лоно

women n жінки

wonder v дивуватися

wonder n диво

wonderful adj чудовий

wood n дерево

wooden adj дерев'яний

wool n вовна

woolen adj вовняний

word n слово

work n робота, твір

work v працювати

work out v опрацьовувати

workable adj здійсненний

workbook n робочий зошит

worker n працівник

workshop n майстерня

world n світ

worldly adj земний

worldwide adj всесвітній

worm n черв'як

worn-out adj зношений

worrisome adj тривожний

worry v турбуватися

worry n турбота

worse adj гірший

worsen v погіршуватися

worship n поклоніння

W

worst *adj* найгірший
worthless *adj* нікчемний
worthwhile *adj* вартий
worthy *adj* достойний
would-be *adj* потенційний
wound *n* рана, образа
wound *v* поранити
woven *adj* плетений
wrap *v* загортати
wrap up *v* загортати
wrapping *n* обгортка
wrath *n* гнів
wreath *n* вінок
wreck *v* руйнувати
wreckage *n* уламки
wrench *n* гайковий ключ
wrestle *v* боротися
wrestler *n* борець
wrestling *n* боротьба
wretched *adj* поганий
wring *iv* викручувати
wrinkle *v* морщитися
wrinkle *n* зморшка
wrist *n* зап'ясток
write *iv* писати
write down *v* записувати
writer *n* письменник
writhe *v* мучитися

writing *n* письмо
written *adj* письмовий
wrong *adj* неправильний

Y

yacht *n* яхта
yam *n* ямс
yard *n* ярд, двір
yarn *n* пряжа
yawn *n* позіхання
yawn *v* позіхати
year *n* рік
yearly *adv* щорічно
yearn *v* тужити
yeast *n* дріжджі
yell *v* кричати
yellow *adj* жовтий
yes *adv* так
yesterday *adv* вчора
yet *c* однак
yield *v* родити
yield *n* урожай
yoke *n* ярмо, хомут
yolk *n* жовток

W

Y

you *pro* ти, ви
young *adj* молодий
youngster *n* підліток
your *adj* ваш, твій
yours *pro* ваш, твій
yourself *pro* себе
youth *n* юність
youthful *adj* молодий

Z

zap *v* вбивати
zeal *n* завзятість
zealous *adj* завзятий
zebra *n* зебра
zero *n* нуль
zest *n* пікантність
zinc *n* цинк
zone *n* зона
zoo *n* зоопарк
zoology *n* зоологія

Y
Z

Ukrainian-English

Bilingual Dictionaries, Inc.

Abbreviations

English - Ukrainian

a - article - артикль
adj - adjective - прикметник
adv - adverb - прислівник
c - conjunction - сполучник
e - exclamation - вигук
n - noun - іменник
pre - preposition - прийменник
pro - pronoun - займенник
v - verb - дієслово

а

а саме *adv* namely
абажур *n* lampshade
абат *n* abbot
абатство *n* abbey
абзац *n* paragraph
або *c* or
аборт *n* abortion
абревіатура *n* abbreviation
абрикоса *n* apricot
абсолютний *adj* absolute
абстрактний *adj* abstract
авангард *n* vanguard
авантюра *n* venture
аварія *n* casualty
авіалайнер *n* airliner
авіалінія *n* airline
авіапошта *n* airmail
авіатариф *n* airfare
авіатор *n* aviator
авіація *n* aviation, aircraft
авто *n* auto
автобус *n* bus
автограф *n* autograph
автоматичний *adj* automatic
автомобіль *n* automobile
автономія *n* autonomy
автономний *adj* autonomous
автор *n* author

авторитет *n* credibility
автострада *n* freeway
агент *n* agent
агентство *n* agency
агітатор *n* agitator
агітувати *v* campaign
агностик *n* agnostic
агонізувати *v* agonize
агонія *n* agony
агресивний *adj* aggressive
агресія *n* aggression
агресор *n* aggressor
адаптація *n* adaptation
адаптер *n* adapter
адвокат *n* attorney
адмірал *n* admiral
адресат *n* addressee
аеродром *n* airfield
аероплан *n* aeroplane
аеропорт *n* airport
азот *n* nitrogen
айсберг *n* iceberg
академічний *adj* academic
академія *n* academy
акваріум *n* aquarium
акведук *n* aqueduct
акордеон *n* accordion
акр *n* acre
акробат *n* acrobat
акселератор *n* accelerator

аксіома *n* axiom
акт *n* deed
актив *n* asset
активація *n* activation
активізувати *v* activate
активний *adj* active
актор *n* actor
актриса *n* actress
актуальний *adj* up-to-date
акула *n* shark
акуратний *adj* neat
акустичний *adj* acoustic
акушерка *n* midwife
акцент *n* accent, emphasis
акціонер *n* shareholder
алгебра *n* algebra
але *c* but
алегорія *n* allegory
алергічний *adj* allergic
алергія *n* allergy
алея *n* alley
алігатор *n* alligator
алкоголізм *n* alcoholism
алкогольний *adj* alcoholic
алмаз *n* diamond
алфавіт *n* alphabet
альянс *n* alliance
алюміній *n* aluminum
аматор *n* outsider
амбіція *n* ambition

американський *adj* American
аміак *n* ammonia
амнезія *n* amnesia
амністія *n* amnesty
аморальний *adj* immoral
аморальність *n* immorality
амортизація *n* depreciation
аморфний *adj* amorphous
ампутація *n* amputation
ампутувати *v* amputate
амфітеатр *n* amphitheater
аналіз *n* analysis
аналізувати *v* analyze
аналогія *n* analogy
аналой *n* lectern
ананас *n* pineapple
анархіст *n* anarchist
анархія *n* anarchy
анатомія *n* anatomy
ангел *n* angel
ангельський *adj* angelic
ангіна *n* angina
англійський *adj* English
англіканський *adj* Anglican
Англія *n* England
анекдот *n* anecdote
анексія *n* annexation
анемічний *adj* anemic
анемія *n* anemia
анестезія *n* anesthesia

анімація *n* animation
анкер *n* anchor
анкета *n* questionnaire
анклав *n* enclave
анонімний *adj* anonymous
анонімність *n* anonymity
анотація *n* annotation
анотувати *v* annotate
антена *n* antenna
антибіотик *n* antibiotic
антилопа *n* antelope
антипатія *n* antipathy
античність *n* antiquity
антре *n* entree
анулювання *n* annulment
апатія *n* apathy
апельсин *n* orange
апелювати *v* appeal
апендицит *n* appendicitis
аперитив *n* aperitif
апетит *n* appetite
аплодувати *v* applaud
апокаліпсис *n* apocalypse
апостол *n* apostle
апостроф *n* apostrophe
аптека *n* drugstore, pharmacy
арабський *adj* Arabic
арахіс *n* peanut
арбітр *n* arbiter
арбітраж *n* arbitration

аргумент *n* argument
аргументація *n* reasoning
арена *n* arena
арешт *n* arrest
арештовувати *v* arrest
аристократ *n* aristocrat
аристократія *n* aristocracy
арифметика *n* arithmetic
арка *n* arch
арктичний *adj* arctic
армія *n* army
аромат *n* flavor
ароматичний *adj* aromatic
ароматний *adj* balmy
арсен *n* arsenic
арсенал *n* arsenal
артерія *n* artery
артикулювати *v* articulate
артикуляція *n* articulation
артилерія *n* artillery
артишок *n* artichoke
артрит *n* arthritis
арфа *n* harp
архаїчний *adj* archaic
археологія *n* archaeology
архів *n* archive
архієпископ *n* archbishop
архітектор *n* architect
архітектура *n* architecture
асимілювати *v* assimilate

асортимент *n* assortment
асоціація *n* association
аспект *n* aspect
аспірин *n* aspirin
астероїд *n* asteroid
астма *n* asthma
астматичний *adj* asthmatic
астролог *n* astrologer
астрологія *n* astrology
астронавт *n* astronaut
астроном *n* astronomer
астрономія *n* astronomy
асфальт *n* asphalt
атака *n* attack
атакувати *v* attack
атеїзм *n* atheism
атеїст *n* atheist
атлет *n* athlete
атлетичний *adj* athletic
атмосфера *n* atmosphere
атмосферний *adj* atmospheric
атом *n* atom
атомний *adj* atomic
аудиторія *n* audience
аукціон *n* auction
аукціоніст *n* auctioneer
афіша *n* bill

б

бабуся *n* grandmother
бавовна *n* cotton
багаж *n* luggage
багатий *adj* wealthy, rich
багато *n* lots
багатство *n* fortune, wealth
багаття *n* campfire
багет *n* baguette
багнет *n* bayonet
бажаний *adj* desirable
бажання *n* desire, wish
бажати *v* desire
база даних *n* database
базар *n* bazaar
базікало *n* gossip
байдикувати *v* mess around
байдужий *adj* indifferent
байдужість *n* indifference
байка *n* fable
бак *n* tank
бакалавр *n* bachelor
бакенбарди *n* whiskers
баки *n* sideburns
бактерії *n* bacteria
бактерія *n* germ
балада *n* lay
балакучий *adj* garrulous

балансувати *v* balance
балкон *n* balcony
балотування *n* ballot
балувати *v* indulge, pamper
бальзам *n* balm
бальзамувати *v* embalm
бамбук *n* bamboo
бампер *n* bumper
банальність *n* banality
банан *n* banana
бандит *n* bandit, gunman
бандитизм *n* racketeering
банк *n* bank
банка *n* can, jar
банкрутство *n* bankruptcy
бант *n* bow
бар *n* saloon
барабан *n* drum
баран *n* ram
барбекю *n* barbecue
барвистий *adj* colorful
барвник *n* dye
бар'єр *n* barrier
баржа *n* barge
барикада *n* barricade
барильце *n* keg
бармен *n* barman
барометр *n* barometer
баскетбол *n* basketball
батальйон *n* battalion

батарея *n* battery
батист *n* lawn
баті *n* lash
батіг *n* scourge
батьки *n* parents
батьківство *n* fatherhood
батьківський *adj* fatherly
батьківщина *n* homeland
батько *n* father
бахрома *n* fringe
бачити *iv* see
башта *n* tower
башточка *n* turret
бджола *n* bee
без *pre* without
без кофеїну *adj* decaff
без насіння *adj* seedless
безбожний *adj* godless
безбожність *n* infidelity
безболісний *adj* painless
безвихідь *n* stalemate
безглуздий *adj* absurd
безгрошовий *adj* penniless
бездітний *adj* childless
бездоганний *adj* blameless
бездомний *adj* stray
бездонний *adj* bottomless
бездротовий *adj* cordless
безжалісний *adj* merciless
беззахисний *adj* defenseless

беззвучний *adj* dumb
безкарність *n* impunity
безкорисливий *adj* unselfish
безлад *n* mess, turmoil
безладдя *n* disorder
безладний *adj* messy
безліч *n* multitude
безлюдний *adj* desolate
безмежний *adj* boundless
безмірність *n* immensity
безнадійний *adj* hopeless
безодня *n* abyss
безособовий *adj* impersonal
безпека *n* safety
безперервний *adj* continuous
безперервність *n* continuity
безпечний *adj* secure
безпідставний *adj* baseless
безплатний *adj* free
безплідний *adj* infertile
безпорадний *adj* helpless
безпритульний *adj* homeless
безробітний *adj* jobless
безробіття *n* unemployment
безрогий *adj* unarmed
безрукавний *adj* sleeveless
безсердечний *adj* callous
безсилий *adj* powerless
безсмертний *adj* immortal
безсмертя *n* immortality

безсоння *n* insomnia
безсоромний *adj* shameless
безстрашний *adj* intrepid
безсумнівно *adv* undoubtedly
безтурботний *adj* carefree
безупинний *adj* incessant
безупинно *adv* nonstop
безхмарний *adj* cloudless
безцільний *adj* aimless
безчесний *adj* dishonorable
безчестя *n* dishonor
безшлюбність *n* celibacy
безшовний *adj* seamless
бейсбол *n* baseball
бекон *n* bacon
бельгійський *adj* Belgian
Бельгія *n* Belgium
бензин *n* gas
бенкет *n* banquet, feast
бенкетувати *v* revel
бентежити *v* embarrass
берег *n* brink, bank
берегова лінія *n* coastline
береговий *adj* coastal
берегти *v* spare
березень *n* March
берет *n* beret
бетон *n* concrete
бетонний *adj* concrete
бешкетний *adj* rowdy

бик *n* bull, ox
бики *n* oxen
бинт *n* bandage
бита *n* bat
битва *n* battle
бити *v* beat, club, strike
битий *adj* beaten
битися *v* battle
биття *n* beating
біб *n* bean
біблейський *adj* biblical
бібліографія *n* bibliography
бібліотека *n* library
бібліотекар *n* librarian
Біблія *n* bible
бігти *v* run
біда *n* mischief
бідний *adj* indigent
бідність *n* poverty
бідно *adv* poorly
біднота *n* poor
біженець *n* refugee
бізнес *n* business
бізнесмен *n* businessman
бізон *n* bison
бій *n* combat
бій биків *n* bull fight
бійка *n* scuffle
бік *n* flank
білий *adj* white

білити *v* bleach, whiten
білка *n* squirrel
білок *n* egg white
біль *n* ache, pain
більший *adj* major
більшість *n* majority
більярд *n* billiards
біля *pre* at, by
білявий *adj* blond
бінокль *n* binoculars
біографія *n* biography
біологічний *adj* biological
біологія *n* biology
бісквіт *n* biscuit
благати *v* beg, implore
благовістити *v* toll
благоговіння *n* awe
благодійність *n* charity
благородний *adj* genteel
благословення *n* blessing
благословляти *v* bless
благочестивий *adj* pious
благочестя *n* piety
блаженний *adj* blissful
блаженство *n* bliss
близнюк *n* twin
близький *adj* intimate
близькість *n* intimacy
близько *pre* by, near
близько до *pre* close to

б

блимати *v* blink
блиск *n* gloss, glare
блискавка *n* lightning
блискати *v* glance
блискучий *adj* glossy, shiny
блищати *v* glitter
блідий *adj* pale
блідість *n* paleness
блок *n* block
блокада *n* blockade
блокнот *n* notebook
блокування *n* blockage
блокувати *v* blockade
блоха *n* flea
блукати *v* wander, roam
блювати *v* vomit
блювота *n* vomit
блюдце *n* saucer
блюзнірство *n* blasphemy
бобер *n* beaver
Бог *n* God
богиня *n* goddess
богослов *n* theologian
богослов'я *n* theology
боєзапаси *n* ammunition
боєприпаси *n* munitions
боєць *n* combatant
божевілля *n* craziness
божевільний *adj* crazy
божевільно *adv* madly

божественний *adj* divine
божество *n* deity
бойкотувати *v* boycott
бойлер *n* boiler
бойня *n* butchery
боком *adv* sideways
бокс *n* boxing
боксер *n* boxer
болісний *adj* excruciating
болото *n* bog, swamp
болт *n* bolt
болючий *adj* painful
болячка *n* sore
бомба *n* bomb
бомбити *v* bomb
борг *n* debt
борець *n* wrestler
боржник *n* debtor
борода *n* beard
бородавка *n* wart
бородатий *adj* bearded
борозна *n* furrow
боротися *v* combat, fight
боротьба *n* fight, struggle
борошно *n* flour
бос *n* boss
босий *adj* barefoot
ботаніка *n* botany
бочка *n* barrel
боягуз *n* coward

6

боягузтво *n* cowardice
боязкий *adj* timid
боязкість *n* timidity
боязко *adv* cowardly
боярин *n* best man
бракувати *v* condemn
браслет *n* bracelet
брат *n* brother
братерство *n* fraternity
братерський *adj* brotherly
брати *iv* take
брати назад *v* recapture
брати участь *v* participate
братися *v* settle down
братія *n* brethren
браузер *n* browser
брелок *n* key ring
бренді *n* brandy
брехати *v* lie
брехливий *adj* deceitful
брехня *n* falsehood
брехун *n* liar
бригада *n* brigade
бридкий *adj* sickening
брижі *n* ripple
бриз *n* breeze
бризкати *v* sprinkle
брила *n* cob, lump
Британія *n* Britain
британський *adj* British

бритва *n* razor
брифінг *n* briefing
брова *n* eyebrow
броварня *n* brewery
бродити *v* ferment
бродіння *n* ferment
бродяга *n* vagrant
бройлер *n* broiler
бронза *n* bronze
бронхіт *n* bronchitis
брошура *n* brochure
бруд *n* dirt, filth, grime
брудний *adj* dirty, filthy
брунька *n* bud
брусок *n* bar
брутальний *adj* brutal
брюки *n* trousers
брюнетка *adj* brunette
бувай *e* bye
будень *adj* weekday
будильник *n* alarm clock
будинок *n* building
будинок суду *n* courthouse
будити *v* wake up
будівельник *n* builder
будівля *n* edifice
будівництво *n* construction
будова *n* frame
будувати *v* build, construct
будь-який *adj* any

б
в

бузина *n* elder
буй *n* buoy
буйвіл *n* buffalo
буйність *n* turbulence
буква *n* character
буквальний *adj* literal
буквально *adv* literally
буклет *n* booklet
буксир *n* tow truck
булижник *n* cobblestone
булочка *n* bun
бульвар *n* boulevard
бульйон *n* broth
бум *n* boom
бункер *n* bin
бунт *n* riot
бунтувати *v* riot
бур *n* drill
бургер *n* burger
буржуазний *adj* bourgeois
буркотливий *adj* grouchy
бурмотати *v* mumble
бурхливий *adj* stormy
бурчання *adj* nagging
бурчати *v* grouch
буря *n* storm, tempest
буряк *n* beet
бур'ян *n* weed
бутерброд *n* sandwich
бути *v* be

бути щедрим *v* lavish
буфетниця *n* barmaid
буханка *n* loaf
бухгалтер *n* accountant
бухгалтерія *n* bookkeeping
бухта *n* bay
бухточка *n* cove
бюджет *n* budget
бюлетень *n* bulletin
бюро *n* bureau
бюрократ *n* bureaucrat
бюрократизм *n* red tape
бюрократія *n* bureaucracy
бюст *n* bust
бюстгальтер *n* bra

В

в *pre* on, in
в складку *adj* pleated
вага *n* burden, weight
вагання *n* hesitation
вагатися *v* hesitate
ваги *n* balance
вагітна *adj* pregnant
вагітність *n* pregnancy
вада *n* blemish, flaw
важити *v* balance, weigh

важіль *n* lever
важкий *adj* arduous, hard
важкість *n* difficulty
важко дихати *v* gasp
важливий *adj* momentous
важливість *n* gravity
ваза *n* vase
вазон *n* flowerpot
вакцина *n* vaccine
вакцинувати *v* vaccinate
вал *n* bulwark
валун *n* boulder
вальс *n* waltz
валюта *n* currency
вампір *n* vampire
вандал *n* vandal
вандалізм *n* vandalism
ванна *n* bath, bathtub
ванна кімната *n* bathroom
вантаж *n* cargo, freight
вантажити *v* embark
вантажівка *n* truck
вапно *n* lime
вапняк *n* limestone
варвар *n* barbarian
варварство *n* barbarism
варварський *adj* barbaric
варення *n* jam
варити *v* brew, concoct
вартість *n* cost, expense

вартовий *n* sentry
ват *n* watt
ватажок *n* ringleader
ваучер *n* voucher
вафля *n* wafer
ваш *adj* your
вбивати *v* assassinate
вбивство *n* manslaughter
вбивця *n* assassin
вбирати *v* absorb, soak up
вбрання *n* fig
вбудований *adj* built-in
вважати *v* consider
введення *n* input
ввічливий *adj* polite
ввічливість *n* courtesy
вводити *v* inject
вгадати *v* guess
вгамовувати *v* mortify
вголос *adv* aloud
вгору *adv* uphill
вгрузати *v* sink in
вдавлювати *v* dent
вдалині *adv* beyond
вдарятися *v* impact
вдивлятися *v* gaze
вдиратися *v* break in
вдихати *v* inhale
вдівець *n* widower
вдова *n* widow

В

B

вдоволення *adj* content
вдягання *n* dressing
вдячний *adj* grateful
вдячність *n* appreciation
веб-сайт *n* web site
вегетаріанець *v* vegetarian
вегетація *n* vegetation
ведмідь *n* bear
везти *v* cart
велика хвиля *n* surge
великий *adj* big, large
великий палець *n* thumb
великий піст *n* Lent
велич *n* greatness
величезний *adj* enormous
величний *adj* majestic
величність *n* majesty
велосипед *n* bicycle
велосипедист *n* cyclist
вена *n* vein
вентилювати *v* ventilate
вентилятор *n* fan
вентиляція *n* ventilation
верба *n* willow
верблюд *n* camel
вербувати *v* enlist, recruit
вердикт *n* verdict
вересень *n* September
вереск *n* shriek
верещати *v* screech

версія *n* version
вертітися *iv* wind
вертлюг *v* swivel
верф *n* shipyard
верх *n* top
верхівка *n* apex
верхній *adj* upper
верховний *adj* supreme
вершина *n* summit
вершки *n* cream
вершковий *adj* creamy
веселий *adj* cheerful
веселка *n* rainbow
веселощі *n* fun
весілля *n* wedding
весільний *adj* bridal
весло *n* oar
веслувати *v* paddle
веснянка *n* freckle
веснянкуватий *adj* freckled
вести *v* conduct, lead
весь *adj* all
ветеран *n* veteran
ветеринар *n* veterinarian
вечеря *n* supper
вечір *n* evening
вечірка *n* party
вештатися *v* hover
вже *adv* already
вживання *n* usage, use

B

вживати v use
взаємний adj reciprocal
взаємно adv mutually
взвод n platoon
вздовж pre along
взуття n footwear
вибагливий adj choosy
вибачати v excuse
вибачатися v apologize
вибачення n apology
вибирати v choose, select
вибір n choice, option
вибоїна n pothole
вибоїстий adj bumpy
вибори n election
вибух n blast, explosion
вибухати iv burst, explode
вибуховий adj explosive
виварювати v boil down to
вивергатися v erupt
виверження n eruption
вивихнути v dislocate
виводити v deduce, infer
вивчати v examine, study
вигадка n fiction
вигадувати v fabricate
виганяти v banish, expel
вигляд n aspect, look
вигнанець n exile
вигнаний adj outcast

вигнання n banishment
вигнати v turn out
вигода n benefit, gain
вигодовувати v nurse
вигоряти v scorch
виготовляти v make up
вигук n outcry
вигукувати v exclaim
вид adj kind
вид n outlook, view
видавати v extradite
видавець n publisher
видаляти v extract, remove
видання n edition
видатний adj prominent
видача n extradition
виделка n fork
видимий adj visible
видимість n visibility
видих n expiration
видихати v expire
виділення n discharge
виділятися v stand out
видобувати v mine
видовище n spectacle
видра n otter
видужуючий adj convalescent
виживання n survival
визнавати v recognize
визнання n recognition

B

визначати v determine
визначення n determination
визначити v define
визначний adj noteworthy
визначний v move out
виказувати v give away
викидати v abort, eject
виклад n recital
викладати v profess
виклик n calling
викликати v call out, summon
виключно adv solely
виконання n performance
виконувати v execute, perform
викоп n fossil
викорінювати v eradicate
викрадання n abduction
викрадати v abduct, kidnap
викрадач n kidnapper
викрадення n kidnapping
викреслити v strike out
викреслювати v cross out
викривати v unmask
викривлений adj crooked
викривляти v warp
викрикувати v cry out
викрутка n screwdriver
викручувати v wring
викручуватися v dodge
викуп n ransom

викуповувати v ranson
вила n pitchfork
виламувати v break out
вилив n outpouring
вилиця n cheekbone
виліковний adj curable
виліковувати v cure, heal
вилучати v impound
вимагання n extortion
вимагати v claim, demand
вимагаючий adj demanding
вимерлий adj extinct
вимикати v shut off, turn off
вимикач n switch
вимирати v die out
вимір n dimension
вимірювання n measurement
вимірювати v fathom out
виміряти v gauge
вимовляти v pronounce, spell
вимога n claim, demand
вина n blame
винагорода n award
винахід n invention
винахідливість n ingenuity
винаходити v devise, invent
виникнення n ocurrence
винний adj delinquent
винний завод n winery
винний камінь n tartar

B

винність *n* culpability
вино *n* wine
виноград *n* grape
виноградник *n* vineyard
виноска *n* footnote
винуватець *n* culprit
винятковий *adj* exceptional
виняток *n* exception
випадковий *adj* accidental
випадковість *n* contingency
випадково *adv* randomly
випадок *n* incident
випереджати *v* lead
випивка *n* booze
випинатися *v* protrude
випікати *v* bake
випічка *n* pastry
виправдання *n* acquittal
виправдати *v* live up
виправдувати *v* justify
виправлення *n* correction
виправляти *v* correct, mend
випробовувати *v* test
випробування *n* ordeal
випуклий *adj* bossy
випуклість *n* knob
випускати *v* discharge
випускатися *v* graduate
вир *n* whirlpool
вираз *n* expression

виразка *n* ulcer
вирахування *n* deduction
виривати *v* unearth
вириватися *v* break free
виріб *n* job
вирівнювати *v* flatten
вирівнюватися *v* align
вирізка *n* clipping
вирізувати *v* carve
вирішальний *adj* crucial
вирішувати *v* conclude
виробництво *n* output
виродок *n* monster
вирок *n* decision
вирушання *n* outset
вирушати *v* repair
висаджувати *v* blow up
висаджуватися *v* disembark
виселяти *v* eject, evict
висилка *n* deportation
висип *n* eruption, rash
висихати *v* dry
висіти *v* hang
висловлювати *v* utter
висміювання *n* mockery
висміювати *v* deride
виснаження *n* exhaustion
виснажливий *adj* attenuating
виснажувати *v* attenuate
виснажуватися *v* atrophy

B

висновок *n* conclusion
високий *adj* high, tall
високо *adv* highly
висота *n* altitude, height
виставка *n* exhibition
виставляти *v* set out
виступати *v* stalk
висуватися *v* come forward
вити *v* howl
витирати *v* mop, wipe
витік *n* leak, leakage
витісняти *v* dislodge, oust
витончений *adj* delicate
витонченість *n* elegance
витончено *adv* fine
виторг *n* proceeds
витрата *n* spending
витрати *n* expenditure
витрачати *v* spend
витривалість *n* fortitude
витримка *n* stay
витримувати *v* withstand
витріщатися *v* stare
виття *n* howl
витяг *n* excerpt
витягати *v* extend
витягувати *v* stretch
вихваляти *v* exalt
вихід *n* exit, way out
вихідний *adj* outgoing

вихований *adj* ladylike
виховання *n* upbringing
виховувати *v* bring up
виходити *v* emanate
вичерпувати *v* wear out
вишивати *v* embroider
вишивка *n* embroidery
вишня *n* cherry
вишуканий *adj* exquisite
вищий *adj* superior
виявляти *v* detect, uncover
вібрація *n* vibration
вібрувати *v* vibrate
вівсянка *n* oatmeal
вівтар *n* altar
вівторок *n* Tuesday
вівця *n* sheep
від *pre* from
від імені *adv* behalf (on)
відбивати *v* rebuff
відбирати *v* expropriate
відбуватися *v* occur, happen
відбудова *n* renovation
відбудовувати *v* rebuild
відвертати *v* fend off
відвертий *adj* outspoken
відвертість *n* candor
відверто *adv* frankly
відвідування *n* visit
відвідувати *v* attend, visit

B

відвідувач *n* visitor
відводити *v* avert
відволікання *n* distraction
відволікати *v* distract
відганяти *v* fend
відгомін *n* echo
відгородити *v* cordon off
віддалений *adj* distant, remote
віддалік *adv* back
відданий *adj* attached
відданість *n* dedication
віддати *v* give away
відділення *n* department
від'єднувати *v* unplug
відзначати *v* mark
відіграти *v* win back
відкидати *v* throw away
відкладати *v* adjourn, delay
відкривачка *n* can opener
відкритий *adj* revealing
відкриття *n* discovery
відкушувати *v* nibble
відламувати *v* break off
відлига *n* thaw
відлюдник *n* hermit
відлякувати *v* scare away
відмикати *v* unlock
відміна *n* cancellation
відмінний *adj* excellent
відмінювати *v* conjugate

відмічати *v* sign
відмова *n* denial, refusal
відмова *n* repulse
відмовлятися *v* abdicate
віднімання *n* subtraction
віднімати *v* deduct
відновлення *n* restitution
відновлювати *v* recuperate
відновляти *v* regain
відносини *n* dealings
відношення *n* attitude
відображати *v* reflect
відображення *n* reflection
відомий *adj* famous
відплата *n* atonement
відплачувати *v* pay back
відповідати *v* answer
відповідач *n* defendant
відповідний *adj* adequate
відповідність *n* compliance
відповідь *n* answer, reply
відпочивати *v* cushion, rest
відпочинок *n* repose, rest
відправлення *n* departure
відправляти *v* dispatch
відправник *n* sender
відпускати *v* let go
відпустка *n* vacation
відраза *n* aversion
відразливий *adj* repulsive

відразу *adv* instantly
відригувати *v* belch, burp
відрижка *n* belch, burp
відрізати *v* cut off
відрізнятися *v* differ, vary
відро *n* bucket, pail
відродження *n* rebirth
відсік *n* compartment
відсіч *n* rebuff
відсіч *n* repulse
відскакувати *v* rebound
відсортований *adj* assorted
відсоток *adv* percent
відставати *v* fall behind
відставка *n* resignation
відсталий *adj* retarded
відстань *n* distance
відстібати *v* unfasten
відстрочення *n* postponement
відстрочка *n* respite
відступ *n* retreat
відступ *n* recession
відступати *v* recede
відступатися *v* back down
відступництво *n* defection
відсутній *adj* absent
відсутність *n* absence
відтворення *n* reproduction
відтоді *adv* since then
відхилення *n* diversion

відхиляти *v* decline, divert
відхилятися *v* digress
відходити *v* move back
відчай *n* despair
відчайдушний *adj* desperate
відчувати *v* feel, sense
відчужений *adj* estranged
відчутний *adj* palpable
відштовхувати *v* repel
відьма *n* witch
візок *n* cart, trolley
війна *n* war
військо *n* array
вік *n* age
вікноv *n* window
вільний *adj* free, loose
вільно *adv* fluently
він *pro* he
вінок *n* wreath
віра *n* belief
вірити *v* believe
вірний *adj* faithful, loyal
вірність *n* allegiance
вірогідний *adj* believable
віроломний *adj* treacherous
вірус *n* virus
віруючий *n* believer
вірш *n* poem, verse
вісім *adj* eight
вісімдесят *adj* eighty

B

вісімнадцять *adj* eighteen
віск *n* wax
віспа *n* smallpox
вістря *n* point
вістря списа *v* spearhead
вісь *n* axis, axle
вітальня *n* living room
вітамін *n* vitamin
вітання *n* greetings
вітання *n* hail
вітати *v* cheer, greet
вітер *n* wind
вітрило *n* sail
вітрове скло *n* windshield
вітряк *n* windmill
вітряний *adj* windy, gusty
вітрянка *n* chicken pox
вітчим *adj* everlasting
вічність *n* eternity
вішалка *n* hanger
вія *n* eyelash
вказівка *n* precept
вказувати *v* indicate
вклад *n* contribution
вкладник *n* contributor
включати *v* comprise
включно *adv* inclusive
вкривати *v* canvas
влада *n* authority
владний *adj* own

власник *n* owner
власність *n* ownership
властивий *adj* proper
властивість *n* affinity
вмикати *v* switch on
вмираючий *adj* dying
вміти *v* know
внаслідок *pre* for
внаслідок *adv* owing to
внески *n* dues
внесок *n* fee
вниз *adv* down
вносити *v* import
внук *n* grandchild
внутрішній *adj* domestic
вовк *n* wolf
вовна *n* wool
вовняний *adj* woolen
вогкий *adj* soggy
вогнище *n* bonfire
вогняний *adj* fiery
вогонь *n* fire
вода *n* water
водень *n* hydrogen
водій *n* driver
водний *adj* aquatic
вододіл *n* watershed
водолаз *n* diver
водопровід *n* plumbing
водопровідник *n* plumber

водоспад *n* cataract, fall
водостік *n* kennel
возз'єднання *n* reunion
воїн *n* warrior
войовничий *adj* militant
волейбол *n* volleyball
вологий *adj* damp, wet
вологість *n* humidity
володіння *n* possession
володіти *v* own, possess
волокно *n* fiber
волосатий *adj* hairy
волосся *n* hair
волочити *v* drag
волочитися *v* trail
волочіння *n* draw
воля *n* will
вона *pro* she
вони *pro* they
ворог *n* enemy, foe
ворожий *adj* adverse
ворожість *n* animosity
ворожнеча *n* feud
ворон *n* raven
ворона *n* crow
ворота *n* gate
воротар *n* goalkeeper
ворушитися *v* budge
восьмий *adj* eighth
восьминіг *n* octopus

воша *n* louse
воші *n* lice
воюючий *adj* belligerent
впадати в *v* run into
впасти *v* fall down
вперед *pre* ahead
вперед *adv* forward
впертий *adj* obstinate
впертість *n* obstinacy
впихати *v* squeeze in
вплив *n* influence
впливання *n* infusion
впливати *v* affect, exert
впливовий *adj* influential
вплутування *n* implication
вплутувати *v* entangle
вправа *n* exercise
впускати *v* let in
вражати *v* amaze
вражаючий *adj* astonishing
вражений *adj* startled
вриватися *v* burst into
врожай *n* harvest
вручати *v* hand in
все *pro* everything
всебічний *adj* comprehensive
вселяти *v* insinuate
всемогутній *adj* almighty
всередині *pre* within, inside
всередину *adv* inwards

B

всесвіт *n* universe
всесвітній *adj* worldwide
всі *pro* everybody
вставати *v* get up
вставка *n* insertion
вставляти *v* insert
встановлювати *v* install
встигнути *v* catch
вступ *n* introduction
втеча *n* bolt
втікати *v* break away
втілювати *v* embody
втіхи *n* amenities
втома *n* fatigue
вторгатися *v* intrude
вторгнення *n* intrusion,
вторинний *adj* secondary
втрата *n* damage, loss
втрачати *v* shed
втручання *n* interference
втручатися *v* intervene
втулка *n* faucet, tap
втягання *n* involvement
втягати *v* involve
втягувати *v* embroil
вуаль *n* veil
вугілля *n* coal
вудила *n* bit
вуздечка *n* bridle, curb
вузол *n* junction, knot

вузький *adj* narrow
вузько *adv* narrowly
вулик *n* beehive
вулиця *n* street
вулкан *n* volcano
вульгарний *adj* vulgar
вульгарність *n* vulgarity
вуса *n* mustache
вусик *n* antenna
вухо *n* ear
вхід *n* entrance
входити *v* come in, enter
вчений *n* scholar
вчинок *v* act, deed
вчиняти *v* commit
вчитель *n* teacher
вчитися *v* learn
вчора *adv* yesterday
в'яз *n* elm
в'язаний одяг *n* jersey
в'язати *v* knit
в'язень *n* prisoner
в'язка *n* bunch
в'язниця *n* jail, prison
в'янути *v* wither

Г

гавань n harbor
гавкання n bark
гавкати v bark
гадюка n viper
газ n gas
газета n newspaper
газетний кіоск n newsstand
гази n fumes
газон n lawn
гайка n nut
гайковий ключ n wrench
галактика n galaxy
галантний adj gallant
галас n boom
галасливий adj noisy
галасувати v boom
галерея n gallery
галон n gallon
галузь n branch, field
галька n rubble, pebble
гальмо n brake
гальмувати v brake
галюцинувати v hallucinate
гамак n hammock
гаманець n wallet, purse
гамбургер n hamburger
гангрена n gangrene
ганебний adj disgraceful

ганок n porch
ганчірка n rag
ганчір'я n junk
ганьба n disgrace
ганьбити v disgrace
гараж n garage
гарант n guarantor
гарантія n guarantee
гарантувати v guarantee
гарбуз n pumpkin
гардероб n wardrobe
гармата n cannon, gun
гармонія n harmony
гарненький adj cute, pretty
гарний adj beautiful
гарнізон n garrison
гарнірувати v garnish
гарно adv nicely
гарпун n harpoon
гарячий adj ardent, hot
гарячковий adj feverish, hectic
гасити v extinguish
гасло n slogan
гачок n hook
гашиш n hashish
ґвалтівник n rapist
ґвалтувати v rape
гвинт n screw
гвинтівка n rifle
гвоздика n carnation

гейзер *n* geyser
гелікоптер *n* helicopter
ген *n* gene
генератор *n* generator
генерувати *v* generate
генетичний *adj* genetic
геній *n* genius
геноцид *n* genocide
географія *n* geography
геологія *n* geology
геометрія *n* geometry
герметичний *adj* airtight
героїзм *n* heroism
героїн *n* heroin
героїчний *adj* heroic
герой *n* hero
герольд *n* herald
герундій *n* gerund
герцог *n* duke
герцогиня *n* duchess
гикавка *n* hiccup
гинути *v* go under, perish
гирло *n* mouth
гігант *n* giant
гігантський *adj* gigantic
гігієна *n* hygiene
гід *n* guide
гідний *adj* deserving
гідність *n* dignity
гідравлічний *adj* hydraulic

гієна *n* branch, bough
гільйотина *n* guillotine
гімн *n* anthem, hymn
гімназія *n* gymnasium
гінекологія *n* gynecology
гіпноз *n* hypnosis
гіпнотизувати *v* hypnotize
гіпотеза *n* hypothesis
гіркий *adj* bitter
гірко *adv* bitterly
гіркота *n* bitterness
гірлянда *n* garland
гірчиця *n* mustard
гірший *adj* worse
гість *n* guest
гітара *n* guitar
гладіатор *n* gladiator
гладкий *adj* smooth
гладкість *n* smoothness
гладшати *v* fatten
глечик *n* jug
глибина *n* depth
глибокий *adj* abysmal, deep
глибоко *adv* in depth
глина *n* clay
глобула *n* globule
глобус *n* globe
глосарій *n* glossary
глотка *n* gorge
глухий *adj* deaf

Г

глухота *n* deafness
глушити *v* deafen
глушник *n* muffler
глюкоза *n* glucose
глядач *n* onlooker
глянути *v* glance
гнати галопом *v* gallop
гнилий *adj* putrid, rotten
гнити *v* decay, rot
гниття *n* decay, rot
гнів *n* anger, wrath
гнівити *v* anger
гніздо *n* nest
гній *n* dung, manure
гнітити *v* oppress
гнітючий *adj* depressing
гноїтися *v* fester
гнути *v* curb
гнучкий *adj* elastic, flexible
гобелен *n* tapestry
говіркий *adj* talkative
говорити *v* say, speak
година *n* hour
годинник *n* clock, watch
годинникар *n* watchmaker
годувати *v* feed
гойдання *n* swing
гойдатися *v* swing, sway
гол *n* goal
голий *adj* bare, naked

голитися *v* shave
голка *n* needle
Голландія *n* Holland
голландський *adj* Dutch
голова *n* chairman
головний *adj* main, principal
головний біль *n* headache
головоломка *n* puzzle
головоріз *n* thug
головою *adv* head-on
головувати *v* preside
голод *n* famine, hunger
голодний *adj* hungry
голодувати *v* starve
голокост *n* holocaust
голос *n* voice
голосний звук *n* vowel
голосно *adv* loudly
голосування *n* vote, voting
голосувати *v* vote
голуб *n* dove, pigeon
гомін *n* buzz
гончак *n* hound
гора *n* mount, mountain
горб *n* hump, hunch
горбань *n* hunchback
гордий *adj* proud
гордість *n* pride
гордо *adv* proudly
горе *n* grief

горезвісний *adj* notorious
горизонт *n* horizon
горила *n* gorilla
горіти *v* burn
горіх *n* nut
горло *n* throat
гормон *n* hormone
горобець *n* sparrow
горох *n* pea
гортань *n* larynx
горщик *n* pot
горючий *n* combustible
госпіталізувати *v* hospitalize
господар *n* landlord
господиня *n* hostess
гостинність *n* hospitality
гострий *adj* acute, sharp
готель *n* hotel, inn
готівка *n* cash
готовий *adj* bound
готовність *n* readiness
готування *n* concoction
готувати *v* cook, prepare
готуватися *v* brace for
гра *n* game, play
грабіж *n* burglary
грабіжник *n* burglar
граблі *n* rake
грабувати *v* loot, pillage
гравець *n* player

гравій *n* gravel
гравірування *n* engraving
гравірувати *v* carve, engrave
град *n* hail
градус *n* degree
грайливий *adj* playful
грам *n* gram
граматика *n* grammar
грамотний *adj* literate
гранат *n* pomegranate
граната *n* grenade
границя *n* boundary
граничний *adj* marginal
граніт *n* granite
грань *n* facet
грати *v* play
графиня *n* countess
графік *n* timetable
графічний *adj* graphic
граціозний *adj* graceful
грація *n* grace
гребінь *n* ridge, crest
грейпфрут *n* grapefruit
Гренландія *n* Greenland
Греція *n* Greece
грецький *adj* Greek
гриб *n* fungus
грижа *n* hernia, rupture
гризун *n* rodent
гриль *n* grill

Г

гримаса *n* grimace
грип *n* flu
гриф *n* vulture
грім *n* thunder
грінка *n* toast
грітися *v* bask
гріх *n* sin
грішити *v* sin
грішний *adj* sinful
грішник *n* sinner
гробниця *n* shrine, tomb
гроза *n* thunderstorm
громада *n* community
громадянин *n* citizen
громадянство *n* citizenship
громіздкий *adj* bulky
грот *n* grotto
гротескний *adj* grotesque
гроші *n* money
грубий *adj* blunt, crass
грубість *n* rudeness
грубо *adv* grossly
грудень *n* December
груди *n* breast, chest
ґрунт *n* ground
група *n* band, group
груша *n* pear
грюкання *n* rumble
грюкати *v* rumble
грядка *n* bed

губа *n* lip
губернатор *n* governor
губити *v* lose
губка *n* sponge
гудіння *n* buzz
гудіти *v* buzz
гудок *n* buzzer, horn
гуляти *v* hang around
гума *n* rubber
гумка *n* eraser
гумор *n* humor
гуркіт *n* crash
гуркотіти *v* grumble
гуртожиток *n* dormitory
гусак *n* goose
гуси *n* geese
гусінь *n* caterpillar
гучний *adj* loud
гучномовець *n* loudspeaker
гущавина *n* brake

Д

давати здачі *v* hit back
давати користь *v* profit
давати наркотик *v* drug
давати право *v* license
давити *v* mash, squeeze

давитися *v* gulp
давній *adj* ancient
далекий *adj* faraway
далеко *adv* afar, away
далі *adv* farther
дамба *n* dam
данина *n* tribute
дані *n* data, input
Данія *n* Denmak
дар *n* gift, grant
дарувати *v* bestow, grant
дата *n* date
дати здачі *v* strike back
датувати *v* date
дах *n* roof
дах *adj* two
двадцятий *adj* twentieth
двадцять *adj* twenty
дванадцятий *adj* twelfth
дванадцять *adj* twelve
двері *n* door
дверний отвір *n* doorway
двигун *n* engine, motor
двійник *n* counterpart
двір *n* courtyard
двір ферми *n* farmyard
двічі *adv* twice
двозначний *adj* ambiguous
двокрапка *n* colon
двомісячний *adj* bimonthly

двомовний *adj* bilingual
дворецький *n* butler
дворянин *adj* nobleman
двошлюбність *n* bigamy
де *adv* where
де б не *c* wherever
дебати *n* debate
дебет *n* debit
дебітор *n* debtor
дебют *n* debut
девальвація *n* devaluation
девіз *n* motto
дев'яносто *adj* ninety
дев'ятий *adj* ninth
дев'ятнадцять *adj* nineteen
дев'ять *adj* nine
дегенерація *n* degeneration
деградація *n* degradation
деградувати *v* degrade
дезертир *n* deserter
дезінфікувати *v* disinfect
дезодорант *n* deodorant
декан *n* dean
декларація *n* declaration
декор *n* décor
декоративний *adj* decorative
делегат *n* delegate
делегація *n* delegation
делегувати *v* delegate
делікатес *n* delicacy

Д

дельфін *n* dolphin
демократія *n* democracy
демон *n* demon
демонструвати *v* demonstrate
деморалізувати *v* demoralize
денонсувати *v* denounce
день *n* day
депозит *n* deposit
депресія *n* depression
деревина *n* hardwood
дерево *n* wood, tree
дерев'яний *adj* wooden
дерен *n* sod, turf
держава *n* state
десантник *n* paratrooper
десегрегувати *v* desegregate
десерт *n* dessert
деспот *n* despot
деспотичний *adj* despotic
десятий *n* tenth
десятиріччя *n* decade
десятковий *adj* decimal
десять *adj* ten
деталь *n* detail
детектив *n* detective
детектор *n* detector
детонатор *n* detonator, fuse
детонація *n* detonation
дефект *n* defect, fault
дефективний *adj* defective

дефілювати *v* defile
дефіс *n* hyphen
дефіцит *n* deficiency
дефіцитний *adj* scarce
деформувати *v* deform
дешевий *adj* cheap
джек-пот *n* jackpot
джентльмен *n* gentleman
джерело *n* source
джинси *n* jeans
джунглі *n* jungle
дзвін *n* toll
дзвіниця *n* belfry
дзвінок *n* bell
дзвонити *v* call, ring
дзеркало *n* mirror
дзижчати *v* hum
дзьоб *n* beak
дзюрчання *n* murmur
дзюрчати *v* murmur
диван *n* sofa
дивацтво *n* oddity
дивитися *v* look
дивитися на *v* look at
дивіденд *n* dividend
дивний *adj* bizarre, weird
диво *n* wonder
дивовижний *adj* amazing
дивування *n* amazement
дивувати *v* astonish

дивуватися *v* wonder
дизайн *n* design
дикий *adj* savage, wild
дикобраз *n* porcupine
диктатор *n* dictator
диктаторський *adj* dictatorial
диктатура *n* dictatorship
диктор *n* announcer
диктувати *v* dictate
дилема *n* dilemma
диліжанс *n* diligence
диміти *v* smoke
димова зброя *n* smoking gun
димохід *n* chimney
димчастий *adj* smoked
динаміт *n* dynamite
динамічний *adj* dynamic
династія *n* dynasty
динозавр *n* dinosaur
диня *n* melon
диплом *n* diploma
дипломат *n* diplomat
дипломатія *n* diplomacy
директор *n* director
дирекція *n* directory
диригент *n* conductor
дисбаланс *n* imbalance
диск *n* disk
дискомфорт *n* discomfort
дискусія *n* debate

дисонуючий *adj* dissonant
диспут *n* dispute
дистилювати *v* distill
дисципліна *n* discipline
дитина *n* child, infant
дитинство *n* childhood
дитинча *n* cub
дитячий *adj* childish
дифтонг *n* diphthong
дихання *n* breath
дихати *v* breathe
дичина *n* game
диявол *n* devil
диявольський *adj* diabolical
диякон *n* deacon
діабет *n* diabetes
діабетичний *adj* diabetic
діагноз *n* diagnosis
діагностувати *v* diagnose
діагональний *adj* diagonal
діаграма *n* chart, diagram
діалект *n* dialect
діалог *n* dialogue
діаметр *n* diameter
діва *n* virgin
дівчина *n* gal, girl
дід *n* grandfather
дідусь *n* granddad
дієслово *n* verb
дієта *n* diet

Д

Д

діжка *n* tub
дізнання *n* inquest
дізнатися *v* find out
дійсний *adj* actual
дійсний *adj* real
дійсність *n* validity
дійсно *adv* really
ділене *n* dividend
ділити *v* divide, part
ділити навпіл *v* halve
ділитися *v* split
діловито *adv* busily
діловод *n* clerk
ділянка *n* plot
дім *n* home
дім розпусти *n* brothel
дірка *n* hole
діставати *v* obtain
діти *n* children
дія *n* action
дія важеля *n* leverage
діяльність *n* activity
діяти *v* proceed
для *pre* for
дно *n* bottom
до *pre* towards, to
доблесний *adj* valiant
добра воля *n* goodwill
добре *adv* okay
добро *n* well

добробут *n* welfare
доброволець *n* volunteer
добродійний *adj* charitable
добродійник *n* benefactor
доброзичливо *adv* kindly
доброта *n* goodness
доброчесний *adj* virtuous
добувати *v* procure
довгастий *adj* oblong
довгий *adj* long
довгота *n* longitude
довжина *n* length
довідка *n* inquiry
довідник *n* directory
довідуватися *v* sound out
довільний *adj* arbitrary
довіра *n* reliance, trust
довірливий *adj* confident
довір'я *n* confidence
довіряти *v* trust, confide
довкілля *n* environment
довкола *pro* around
доводити *v* prove
доводитися *v* have to
догідливий *adj* compliant
догляд *n* attendance
доглядати *v* look after
доглядати за *v* care for
доглядач *n* caretaker
догматичний *adj* dogmatic

договір *n* covenant
догоджати *v* cater to, please
догори дном *adv* upside-down
додавання *n* addition
додавати *v* add
додатковий *adj* additional
додатково *adv* extra
додаток *n* annex, appendix
дозвіл *n* permission
дозвілля *n* leisure
дозволяти *v* consent, permit
дозволяти собі *v* afford
дозрівати *v* ripen
дозування *n* dosage
доісторичний *adj* prehistoric
док *n* dock
доказ *n* evidence
доказаний *adj* proven
докір *n* blame, rebuke
докладний *adj* circumstancial
докоряти *v* chide, rebuke
документ *n* document
документи *n* paperwork
докучати *v* interfere
долар *n* buck, dollar
долина *n* valley
долоня *n* palm
долото *n* chisel
доля *n* destiny, fate
домагання *n* harassment

домагатися *v* drive at
домашній *adj* domestic
домініон *n* dominion
домінувати *v* dominate
домовлятися *v* arrange
донор *n* donor
доносити *v* denounce
допитувати *v* interrogate
допінг *n* dope
доплата *n* surcharge
доповідати *v* report
доповідь *n* report
допомагати *v* aid, assist
допоміжний *adj* subsidiary
допомога *n* aid, help
допуск *n* limit
допускати *v* admit
допустимий *adj* admissible
доречний *adj* pertinent
дорікати *v* reproach
дорога *n* lane, road
дорогий *adj* costly, dear
дорого *adv* dearly
дорогоцінний *adj* precious
дорослий *n* adult
доручати *v* commend
доручений *n* proxy
доручення *n* charge
досада *n* chagrin
досвід *n* experience

досвідчений *adj* proficient
досвідченість *n* proficiency
досить *adv* enough
досі *adv* hitherto
досконалий *adj* perfect
досконалість *n* perfection
дослівно *adv* verbatim
дослід *n* trial
дослідження *n* research
досліджувати *v* explore
дослідник *n* explorer
дослідницький *n* probing
доставка *n* delivery
доставляти *v* deliver
достатній *adj* sufficient
достаток *n* abundance
достигати *v* mellow
достовірність *n* authenticity
достойний *adj* worthy
доступ *n* access
доступний *adj* accessible
досьє *n* dossier
досягати *v* achieve, attain
досягнення *n* achievement
досяжний *adj* attainable
дотепний *adj* witty
дотик *n* touch
дотична *n* tangent
доторкатися *v* touch
дотримуватися *v* adhere

доцільний *adj* expedient
доцільність *n* expediency
дочка *n* daughter
дошка *n* blackboard
дощ *n* rain
дощечка *n* tablet
дощити *v* rain
дощовий *adj* rainy
драбина *n* ladder
дражнити *v* tease
дракон *n* dragon
драматичний *adj* dramatic
дратівний *adj* annoying
дратувати *v* annoy, irritate
дрейфувати *v* drift
дренаж *n* drainage
дрифтер *n* drifter
дріб *n* fraction
дрібний *adj* trivial
дрібний шрифт *n* small print
дрібниці *n* nothing
дрібничка *n* gadget
дрібно різати *v* mince
дріб'язковість *n* pettiness
дріжджі *n* yeast
дрімати *v* doze
дрімота *n* doze
дробовик *n* shotgun
дрова *n* firewood
дротик *n* dart

друг *n* friend
дружба *n* friendship
дружина *n* wife
дружини *n* wives
дружка *n* bridesmaid
дружній *adj* amiable
друк *n* press, printing
друкар *n* printer
друкувати *v* print, type
дряпати *v* claw
дряпатися *v* scratch
дуб *n* oak
дублювання *n* backup
дублювати *v* duplicate
дуга *n* arc, bow
дудка *n* pipe
дуель *n* duel
дуже *adv* particularly
дужка *n* bracket
думати *v* think
думка *n* mind, opinion
дурень *n* goof
дурість *n* fondness; stupidity
дуріти *v* goof, fool
дурний *adj* fool, silly
дурниця *n* folly
дути *v* blow
дух *n* spirit
духівництво *n* ministry
духовенство *n* clergy

духовний *adj* spiritual
душ *n* shower
душа *n* bosom
душити *v* strangle
душний *adj* stuffy
дюжина *n* dozen
дюйм *n* inch
дядько *n* uncle
дякувати *v* thank

д
е

е

евакуювати *v* evacuate
еволюція *n* evolution
егоїзм *n* selfishness
егоїст *n* egoist
егоїстичний *adj* selfish
ейфорія *n* euphoria
екватор *n* equator
еквівалентний *adj* equivalent
екзотичний *adj* exotic
екіпаж *n* carriage, coach
екологія *n* ecology
економіка *n* economy
економічний *adj* economical
економка *n* housekeeper
екран *n* screen
екскурсія *n* excursion

експансивний *adj* effusive
експедиція *n* expedition
експеримент *n* experiment
експерт *n* judge
експлуатація *n* exploitation
експлуатувати *v* exploit
експортувати *v* export
експромтом *adv* impromptu
екстаз *n* ecstasy
екстремальний *adj* extreme
екстремістський *adj* extremist
ексцентричний *adj* eccentric
елегантний *adj* elegant
електрик *n* electrician
електрика *n* electricity
електрифікувати *v* electrify
електричний *adj* electric
електронний *adj* electronic
елемент *n* element
елементарний *adj* rudimentary
емансипувати *v* emancipate
емблема *n* emblem
ембріон *n* embryo
емігрант *n* emigrant
емігрувати *v* emigrate
емоційний *adj* emotional
емоція *n* emotion
енергійний *adj* energetic
енергія *n* energy
ентузіазм *n* enthusiasm

енциклопедія *n* encyclopedia
епідемія *n* epidemic
епізод *n* episode
епілепсія *n* epilepsy
епістола *n* epistle
епітафія *n* epitaph
епоха *n* epoch
ера *n* era
есе *n* essay
ескалатор *n* escalator
ескапада *n* escapade
ескіз *n* sketch
естетичний *adj* aesthetic
естуарій *n* estuary
етика *n* ethics
етикет *n* etiquette
етичний *adj* ethical
ефект *n* effect
ефективний *adj* effective
ефективність *n* effectiveness
ефес *n* hilt
ефір *n* air

Є

Євангеліє *n* gospel
єврей *n* Jew
єврейський *adj* Jewish
Європа *n* Europe
європейський *adj* European
єдиний *adj* sole
єднатися *v* ally
єдність *n* unity
єнот *n* raccoon
єпархія *n* diocese
єпископ *n* bishop
єресь *n* heresy
єретик *adj* heretic

Ж

жаба *n* frog, toad
жадання *n* craving
жадати *v* covet, crave
жадібний *adj* avid, greedy
жадібність *n* greed
жалити *v* sting
жалісливий *adj* remorseful
жалісний *adj* pathetic, pitiful
жалкий *adj* stinging

жало *n* sting
жаль *n* pity, regret
жар *n* fever, heat
жаринки *n* embers
жарити *adj* charbroil, roast
жарт *n* joke
жартівливо *adv* jokingly
жартувати *v* joke
жасмин *n* jasmine
жах *n* horror, terror
жахати *v* horrify, terrify
жахатися *v* dread
жахливий *adj* appalling, awful
жвавий *adj* brisk, lively
жебрак *n* beggar
жезл *n* baton, rod
жених *n* fiancé, groom
жертва *n* prey, victim
жертвувати *v* donate
жерти *v* scoff
жест *n* gesture
жест *v* gesticulate
жива природа *n* wildlife
живець *n* graft
живий *adj* alive, live
живити *v* nourish
живиця *n* sap
живіт *n* belly
живлення *n* nourishment
живопис *n* painting

жилет *n* vest
жилий *adj* habitable
жир *n* fat
жираф *n* giraffe
жирний *adj* fatty
житель *n* inhabitant
жити *v* camp
жити разом *v* cohabit
житло *n* dwelling
жито *n* rye
життєвий *adj* vital
життєздатність *n* vitality
життя *n* life
жінка *n* female, woman
жінки *n* women
жіночий *adj* feminine
жменя *n* handful
жовтень *n* October
жовтий *adj* yellow
жовток *n* yolk
жовч *n* bile
жоден *adj* neither
жолоб *n* gutter
жолобок *n* groove
жолудь *n* acorn
жонглер *n* juggler
жорсткий *adj* rigid, tough
жорсткість *n* stiffness
жорстко *adv* harshly
жорстокий *adj* brute, cruel

жорстокість *n* atrocity, cruelty
жриця *n* priestess
жувати *v* chew, munch
жуйка *n* bubble gum
жук *n* beetle, bug
журавель *n* crane
журі *n* jury
журнал *n* magazine
журналіст *n* journalist

З

з *pre* from, with, of
з надією *adv* hopefully
з тих пір *c* since
за *pre* over, per
за бортом *adv* overboard
за винятком *adv* aside from
за кордоном *adv* abroad
за течією *adv* adrift
за умови *c* providing that
забавний *adj* amusing
забарвляти *v* color
забезпечувати *v* secure
забивати *v* bruise
забій *n* killing
заблудити *v* stray
заблукати *v* astray

забобон *n* superstition
заболочений *adj* swamped
заборгувати *v* owe
заборона *n* ban
забороняти *v* ban
забраний *adj* engrossed
забруднений *adj* soiled
забруднення *n* pollution
забруднити *v* blur
забруднювати *v* constipate
забувати *v* forget
забуття *n* oblivion
заважати *v* clog
завантажений *adj* loaded
завантажити *v* load
заварний крем *n* custard
завдавати *v* inflict
завершувати *v* accomplish
завжди *adv* always
завзятий *adj* zealous
завзятість *n* zeal
завзяття *n* eagerness
завивати *v* curl
завірюха *n* blizzard
завіса *n* curtain
завод *n* plant
заводити *v* wind up
завойовник *n* conqueror
завойовувати *v* conquer
заволодівати *v* obsess

завоювання *n* conquest
завтра *adv* tomorrow
зав'язувати *v* tie
зав'язувати очі *v* blindfold
загадка *n* riddle
загальний *adj* common
заганяти *v* impound
загар *n* sunburn
загарбник *n* invader
загвіздок *n* linchpin
загибель *n* ruin
загин *n* crease
загинати *v* crease
загін *n* padlock
заглиблювати *v* deepen
заглушати *v* silence
заглядати *v* look into
загнутий *adj* convoluted
заголовок *n* heading
загорода *n* pound
загородження *n* barrage
загортати *v* wrap
загорятися *v* fire
загострення *n* aggravation
загострювати *v* aggravate
заготівля *n* provision
загрожувати *v* endanger
загроза *n* menace
загрозливий *adj* impending
загул *n* bust

З

зад *n* back
задача *n* challenge
задвірок *n* backyard
задирака *adj* bully
задній *adj* rear
задовільний *adj* satisfactory
задовольняти *v* content
задом *adv* backwards
задувати *v* blow out
задушення *n* asphyxiation
задушливий *adj* stifling
заєць *n* hare
заздалегідь *adv* beforehand
заздрити *v* envy
заздрісний *adj* envious
заздрість *n* envy
зазіхати *v* encroach
зазнавати *v* incur
зазор *n* backlash
заїкатися *v* stammer
зайвий *adj* unnecessary
займати *v* occupy
займатися *v* engage
займенник *n* pronoun
займистий *adj* flammable
зайнятий *adj* busy
зайнятість *n* employment
зайти *v* drop in
закінчення *n* conclusion
закінчитися *v* run out

закінчувати *v* complete
закінчуватися *v* end up
закладати *v* bet
заклепувати *v* clinch
закликати *v* invoke
заклинання *n* spell
заклинач *n* exorcist
заклопотаність *n* worry
заколот *n* insurgency
заколоти *v* stab
закон *v* act
закон *n* law
законний *adj* lawful
законність *n* legality
законодавець *n* lawmaker
законодавство *n* legislation
законопроект *n* bill
закоренілий *adj* ingrained
закривавлений *adj* gory
закривати *v* close
закритий *adj* close
закупорка *n* obstruction
закуска *n* appetizer
закутувати *v* muffle
зал *n* hall
залежати *v* depend
залежний *adj* addicted
залежність *n* addiction
заливати *v* overwhelm
залицяльник *n* boyfriend

залицяння *n* courtship
залицятися *v* court
залишати *v* abandon, leave
залишатися *v* remain
залишки *n* leftovers
залишок *n* remnant
залізниця *n* railroad
залізо *n* iron
залоза *n* gland
залучений *adv* involved
залякувати *v* bludgeon
залякуючий *adj* daunting
замах *n* attempt
замерзати *v* freeze
замикати *v* lock
замисливий *adj* thoughtful
заміна *n* replacement
заміняти *v* commute
замість *adv* instead
замкнути *v* lock up
замкнутий *adj* withdrawn
замовлення *n* order
замовчувати *v* hush up
заможний *adj* well-to-do
замок *n* castle
заморожений *adj* frozen
занепад *n* decadence
занепадати *v* decay
занепокоєння *n* anxiety
занесення *n* entry

занурення *n* immersion
занурювати *v* immerse
занурюватися *v* soak in
заняття *n* occupation
заохочення *n* promotion
заохочувати *v* encourage
заощадження *n* savings
заощаджувати *v* economize
запал *n* fuse
запалення *n* inflammation
запалювати *v* ignite
запас *n* stockpile
запасати *v* hoard
запасний *adj* spare
запах *n* odor
запевнення *n* assurance
запевняти *v* assure
заперечення *n* objection
заперечувати *v* deny
запечатувати *v* seal
запилений *adj* dusty
запис *n* recording
записатися *v* enroll
записувати *v* mark down
запит *n* inquiry
запитання *n* question
запитувати *v* demand
запізнілий *adj* belated
запіканка *n* casserole
запліснявілий *adj* moldy

3

запобігання *n* prevention
запобігати *v* prevent
запобіжний *adj* preventive
заповідати *v* bequeath
заповідь *n* commandment
заповіт *n* testament
заповнювати *v* stuff
запор *n* constipation
заправлятися *v* fuel
запропонувати *v* propose
запрошення *n* invitation
запрошувати *v* invite
запуск *n* kickoff
запускати *v* launch
зап'ясток *n* wrist
заражати *v* infect
заражений *adj* infested
заразний *adj* catching
зарахування *n* enrollment
зарівнювати *v* stop over
заробітна плата *n* wage
заробіток *n* earnings
заробляти *v* earn
зародок *n* fetus
зарозумілий *adj* conceited
зарозумілість *n* arrogance
зарплата *n* paycheck
зарплатня *n* livelihood
заручений *adj* engaged
заручини *n* engagement

заручитися *v* enlist
заручник *n* hostage
заряд *n* charge
заряджати *v* charge
засвідчувати *v* authenticate
засвічений *adj* alight
засвоєння *n* digestion
заселений *adj* inhabitable
засипати *v* drop off
засіб *n* means
засідання *n* sitting
засікати ціль *v* pinpoint
засклений дах *n* skylight
заслуга *n* desert
заслуговувати *v* deserve
засмітити *v* clog
засмучений *adj* sorry
засмучувати *v* afflict
засновникк *n* founder
засновувати *v* base
заспокійливий *adj* restful
заспокоювати *v* appease
застава *n* bail
заставляти *v* pledge
застерігати *v* admonish
застібати *v* fasten
застій *n* stagnation
застосовний *adj* applicable
застосовувати *v* practise
застоюватися *v* stagnate

застрахувати *v* insure
застрелити *v* gun down
застрягати *v* stall
заступатися *v* intercede
заступництво *n* intercession
засувати *v* bar
засувка *n* latch
засуджувати *v* condemn
засуха *n* drought
затемнення *n* blackout
затемнювати *adj* obscure
затикати *v* gag
затиск *n* gripe
затичка *n* gag
затишний *adj* cozy
затока *n* cove
затонулий *adj* sunken
затоплення *n* flooding
затоплювати *v* inundate
затопляти *v* flood
затоптаний *adj* downtrodden
затор *n* congestion
затримання *n* detention
затримка *n* delay
затримувати *v* detain
затримуватися *v* linger
затьмарити *v* outshine
зауваження *n* remark
зауважувати *v* remark
захворіти *v* sicken

захисник *n* defender
захист *n* bulwark
захищати *v* advocate
захід *n* west
захід сонця *n* sundown
західний *adv* westbound
західний *adj* western
захоплення *n* admiration
захоплювати *v* capture
захоплюватися *v* admire
захоплюючий *adj* breathtaking
зацікавлений *adj* interested
заціпеніння *n* numbness
зачаровувати *v* bewitch
зачати *v* conceive
зачеплення *n* mesh
зачинений *adj* closed
зачіпати *v* graze
зачіска *n* hairdo
зачісувати *v* brush
защемлення *n* pinch
заява *n* allegation
заявка *n* bid
заявляти *v* apply
збагачувати *v* enrich
збагнути *v* comprehend
збанкротіти *v* bankrupt
збанкрутілий *adj* bankrupt
збезводнювати *v* dehydrate
збентежений *adj* distraught

3

зберігання *n* conservation
зберігати *v* conserve
збивати *v* shoot down
збирати *v* pluck
збирати врожай *v* harvest
збиратися *v* agglomerate
збитки *n* prejudice
збитковий *adj* detrimental
збиток *n* damage
збіг *n* coincidence
збігатися *v* coincide
збіглий *n* fugitive
збіднілий *adj* impoverished
збіжний *adj* concurrent
збільшення *n* raise
збільшувати *v* amplify
збільшуватися *v* run up
збір *n* gathering
збовтувати *v* stir up
збори *n* assembly
збочений *adj* pervert
зброєносець *n* henchman
зброя *n* armaments
збудження *n* thrill
збуджуватися *v* ferment
збуджуючий *adj* exhilarating
зважати *v* conform
звалище *n* dump
звалювати *v* dump
зварник *n* welder

зварювати *v* weld
зведений *adj* erect
зведений брат *n* stepbrother
звернення *n* address
звертатися *v* apply for
звивистий *adj* convoluted
звиклий *adj* used to
звинувачення *n* accusation
звинувачувати *v* blame
звисати *v* dangle
звичаї *n* manners
звичай *n* custom
звичайний *adj* customary
звичайно *adv* naturally
звичка *n* groove
звідникувати *v* pander
звільнений *adj* exempt
звільнення *n* indemnity
звільнити *v* dismiss
звільняти *n* exemption
звір *n* beast
звіт *n* account
звітувати *v* account for
зводити *v* erect
зволити *v* deign
зволікати *v* protract
зволожувати *v* moisten
зворотний *adj* backward
зворушливий *adj* appealing
звук *n* sound

звучати *v* sound
зв'язаний *adj* bound
зв'язка *n* cord
зв'язок *n* conjunction
зв'язувати *v* bind
зв'язуватися *v* contact
згадати *v* recollect
згадування *n* mention
згадувати *v* mention
згасати *v* ebb
згаслий *adj* extinct
згинати *v* bend
згинатися *v* flex
згідно з *pre* according to
згода *n* agreement
згоджуватися *v* assent
згорблений *adj* hunched
згортати *v* fold
згоряння *n* combustion
зграя *n* flock
згубний *adj* disastrous
згусток *n* clot
згущати *v* concentrate
згущатися *v* coagulate
згущення *n* coagulation
згущувати *v* thicken
здаватися *v* cave in
здатний *adj* capable
здатність *n* ability
здача *n* change

здебільшого *adv* mostly
здивований *adj* dazed
здивування *n* surprise
здирати *v* rip
здібність *n* capability
здійматися *v* soar
здійсненний *adj* workable
здійснювати *v* implement
здобич *n* booty
здобувати *v* extract
здобуття *n* acquisition
здоровий *adj* healthy
здоров'я *n* health
зебра *n* zebra
зелений *adj* green
землетрус *n* earthquake
земля *n* earth
земний *adj* terrestrial
земноводний *adj* amphibious
зерно *n* grain
з'єднання *n* junction
з'єднувати *v* connect
ззаду *pre* behind
зима *n* winter
зізнаватися *v* confess
зійти *v* get off
зіпсований *adj* faulty
зір *n* eyesight
зірка *n* star
зіткнення *n* bump

З

3

зіткнутися *v* collide

зітхання *n* sigh

зітхати *v* sigh

з'їдати *v* eat away

злазити *v* dismount

злаки *n* cereal

зламати *v* break down

злегка *adv* lightly

злива *n* downpour

зливатися *v* merge

зливок *n* ingot

злий *adj* evil

злиття *n* merger

злісність *n* wickedness

злітна смуга *n* airstrip

зло *n* evil

злоба *n* malignancy

злобний *adj* malignant

зловживання *n* abuse

зловживати *v* abuse

зловісний *adj* ominous

зловмисник *n* intruder

злодій *n* thief

злодюга *n* con man

злочин *n* crime

зляканий *adj* afraid

злякатися *v* chicken out

змагання *n* competition

змагатися *v* compete

змазувати *v* anoint

змащування *n* lubrication

змащувати *v* grease

зменшення *n* decrease

зменшувати *v* decrease

зменшуватися *v* decline

зміна *n* alteration

змінний *adj* variable

змінювати *v* alter

зміст *adj* content

зміцнювати *v* consolidate

змішувати *v* blend

змішуватися *v* mingle

змішувач *n* blender

змія *n* serpent

змова *n* conspiracy

змовлятися *v* conspire

змовник *n* conspirator

зморшка *n* crease

змочувати *v* dampen

змужнілість *n* virility

змучений *adj* beaten

знайомий *adj* familiar

знайомити *v* acquaint

знайомлення *n* introduction

знайомство *n* acquaintance

знак *n* sign

знак зірочки *n* asterisk

знаменитість *n* celebrity

знаменник *n* denominator

знання *n* knowledge

знати _v_ know
знать _n_ royalty
знаходити _v_ find
значення _n_ meaning
значити _v_ signify
значний _adj_ considerable
значно _adv_ lot
значущий _adj_ meaningful
зневага _n_ neglect
зневажати _v_ desecrate
зневажливий _n_ scornful
зневірений _adj_ despondent
знедолений _n_ castaway
знеохочувати _v_ discourage
знепритомніти _v_ faint
знесилений _adj_ prostrate
знеславлювати _v_ defame
знецінювання _n_ depreciation
знецінювати _v_ depreciate
зниження _n_ decline
знижка _n_ discount
знижувати _v_ bring down
знизувати _v_ shrug
зникати _v_ disappear
зникнення _n_ disappearance
знищення _n_ annihilation
знищити _v_ wipe out
знищувальний _adj_ crushing
знищувати _v_ annihilate
зніжений _adj_ sissy

знімання _n_ withdrawal
знімати _v_ lay off
знімний _adj_ detachable
знову _adv_ afresh
зносити _v_ pull down
зношений _adj_ worn-out
зношувати _v_ wear down
знуджений _adj_ fed up
зобов'язаний _adj_ obliged
зобов'язання _n_ commitment
зобов'язувати _v_ bind
зображати _v_ picture
зображення _n_ effigy
зображувати _v_ depict
зовні _adv_ out
зовнішній _adj_ exterior
зовнішність _n_ guise
золотий _adj_ golden
золото _n_ gold
зомбувати _v_ brainwash
зона _n_ zone
зонд _n_ explorer
зоологія _n_ zoology
зоопарк _n_ zoo
зрада _n_ betrayal
зраджувати _v_ betray
зрадливий _adj_ disloyal
зрадник _n_ traitor
зразковий _adj_ exemplary
зразок _n_ model

З

зречення *n* abdication
зрештою *adv* eventually
зрив *n* disruption
зривати *v* disrupt
зрівнювати *v* level
зрікатися *v* disown
зрілий *adj* mature
зрілість *n* maturity
зрозуміти *v* grasp
зростання *n* growth
зростаючий *adj* increasing
зрошення *n* irrigation
зрошувати *v* irrigate
зруйнований *adj* broken
зручний *adj* convenient
зручність *n* convenience
зрушення *n* upheaval
зсідатися *v* curdle
зуб *n* tooth
зуби *n* teeth
зубний *adj* dental
зубний біль *n* toothache
зубний протез *n* dentures
зубочистка *n* toothpick
зумер *n* buzzer
зумовлювати *v* stipulate
зупинка *n* interruption
зупинка серця *n* cardiac arrest
зупиняти *v* interrupt
зупинятися *v* stop

зусилля *n* effort
зустріти *v* come across
зустріч *n* encounter
зустрічатися *v* encounter
зустрічатися з *v* date
зухвалий *adj* cocky
зухвальство *n* impertinence
зчепитися *v* scrap
зчеплений *adj* coherent
зчеплення *n* clutch
з'являтися *v* appear
з'ясовувати *v* ascertain
зять *n* son-in-law

і

і *c* and
ігнорувати *v* disregard
іграшка *n* toy
іде сніг *v* snow
ідеальний *adj* ideal
ідентичний *adj* identical
ідентичність *n* identity
ідеологія *n* ideology
ідея *n* idea
ідіома *n* idiom
ідіот *n* idiot
ідол *n* idol

ієрархія *n* hierarchy
ізолювати *v* insulate
ізоляція *n* insulation
ікло *n* tusk, fang
ікона *n* icon
ілюзія *n* illusion
ілюстрація *n* illustration
ілюструвати *v* exemplify
імбир *n* ginger
іменник *n* noun
імітування *n* imitation
імітувати *v* counterfeit
імла *n* haze
імлистий *adj* hazy
іммігрант *n* immigrant
імміграція *n* immigration
іммігрувати *v* immigrate
імовірність *n* expectancy
імператор *n* emperor
імператриця *n* empress
імперіалізм *n* imperialism
імперія *n* empire
імперський *adj* imperial
імплантувати *v* implant
імпорт *n* importation
імпортувати *v* import
імпотентний *adj* impotent
імпровізувати *v* improvise
імпульс *n* impulse
імпульсивний *adj* impulsive

імунізувати *v* immunize
імунітет *n* immunity
імунний *adj* immune
ім'я *n* name
інавгурація *n* inauguration
інакше *adv* otherwise
інвентар *n* inventory
інвестор *n* investor
інвестування *n* investment
інвестувати *v* invest
інгредієнт *n* ingredient
індекс *n* index
індивідуаліст *n* loner
індосамент *n* endorsement
ін'єкція *n* injection
інженер *n* engineer
інжир *n* fig
ініціали *n* initials
ініціатива *n* initiative
інквізиція *n* inquisition
інкрустований *adj* inlaid
інновація *n* innovation
іноді *adv* occasionally
іноземець *n* foreigner
іноземець *adj* foreign
інсинуація *n* insinuation
інспектор *n* inspector
інспекція *n* inspection
інстинкт *n* instinct
інститут *v* institute

i

інструктор *n* instructor
інструктувати *v* instruct
інструмент *n* tool
інсульт *n* insult
інсценувати *v* dramatize
інтеграція *n* integration
інтегрувати *v* integrate
інтенсивний *adj* intense
інтенсивність *n* intensity
інтервал *n* interval
інтерв'ю *n* interview
інтерес *n* concern
інтер'єр *adj* interior
інтерлюдія *n* interlude
інтернувати *v* intern
інтимний *adj* intimate
інтрига *n* intrigue
інтригуючий *adj* intriguing
інтрузія *n* intrusion
інтуїція *n* intuition
інфекційний *adj* infectious
інфекція *n* infection
інфільтрація *n* infiltration
інфляція *n* inflation
інформатор *n* informer
інформація *n* information
інформувати *v* brief
інший *adj* another, other
іржа *n* rust
іржавий *adj* rusty

іржавіти *v* rust
Ірландія *n* Ireland
ірландський *adj* Irish
іронічний *adj* ironic
іронія *n* irony
іскра *n* spark
іскритися *v* sparkle
ісламістський *adj* Islamic
існування *n* being, existence
існувати *v* be, exist
існуючий *adj* ongoing
іспанець *n* Spaniard
Іспанія *n* Spain
іспаномовний *adj* Hispanic
іспанський *adj* Spanish
іспит *n* examination
істеричний *adj* hysterical
істерія *n* hysteria
історик *n* historian
історія *n* history
істота *n* being, creature
істотний *adj* substantial
італійський *adj* Italian
Італія *n* Italy
іти у відставку *v* retire
іудаїзм *n* Judaism
їдальня *n* canteen, mess
їжа *n* food, meal
їздити *v* commute
її *adj* her, hers

їсти *v* eat
їстівний *adj* edible
їхати *v* bus, ride
їхати поїздом *v* train

Й

ймовірний *adj* probable
ймовірність *n* likelihood
ймовірно *adv* reputedly
його *adj* his
йод *n* iodine
йти вперед *v* go ahead

К

кабель *n* cable
кабіна *n* cabin, cockpit
кабінет *n* cabinet
кава *n* coffee
кавалерія *n* cavalry
кавун *n* watermelon
кажан *n* bat
казарми *n* barracks
казино *n* casino

казковий *adj* fabulous
какао *n* cocoa
календар *n* almanac
калібр *n* caliber
калібрувати *v* calibrate
каліка *adj* cripple
калічити *v* cripple, maim
калорія *n* calorie
калькулятор *n* calculator
кальмар *n* squid
камедь *n* gum
каменяр *n* mason
камера *n* camera
камін *n* fireplace
камінь *n* stone
кампанія *n* campaign
камуфляж *n* camouflage
канава *n* ditch, trench
канал *n* canal, channel
каналізація *n* sewer, sewage
канарка *n* canary
канат *n* cable
канва *n* canvas
кандидат *n* candidate
кандидатура *n* candidacy
каністра *n* canister
каное *n* canoe
канонізувати *v* canonize
канталупа *n* cantaloupe
канцлер *n* chancellor

канцтовари *n* stationery
каньйон *n* canyon
канюк *n* buzzard
капати *v* drip
капелан *n* chaplain
Капелюх *n* hat
капітал *n* capital
капіталізм *n* capitalism
капітан *n* captain
капітулювати *v* capitulate
каплиця *n* chapel
капрал *n* corporal
капсула *n* capsule
капуста *n* cabbage
капюшон *n* hood
кара *n* chastisement
караван *n* caravan
карат *n* carat
карате *n* karate
карати *v* punish
карбувати *v* emboss, mint
карбюратор *n* carburetor
кардіологія *n* cardiology
кар'єр *n* quarry
кар'єра *n* career
карикатура *n* caricature
каркас *n* carcass
карлик *n* dwarf, midget
карта *n* map
картина *n* picture

картка *n* card, chart
картон *n* cardboard
картопля *n* potato
картопля фрі *n* fries
картотека *n* file
картридж *n* cartridge
каса *n* box office
касир *n* cashier
каскад *n* cascade
каста *n* caste
каструля *n* saucepan
кат *n* cat
катаклізм *n* cataclysm
катакомба *n* catacomb
каталог *n* catalog
катання *n* drive
катаракта *n* cataract
катастрофа *n* calamity
катафалк *n* hearse
категорія *n* category
катехізис *n* catechism
католицтво *n* Catholicism
католицький *adj* catholic
катування *n* torture
катувати *v* torture
кафедра *n* pulpit
кафетерій *n* cafeteria
качка *n* duck
кашель *n* cough
кашляти *v* cough

каштан *n* chestnut
каяття *n* remorse
квадрат *n* square
квадратний *adj* square
квартал *n* block
квартальний *adj* quarterly
квартира *n* apartment
квасоля *n* kidney bean
квітень *n* April
квітка *n* flower
кельн *n* cologne
кенгуру *n* kangaroo
кераміка *n* ceramic
керівництво *n* leadership
кермо *n* helm
керування *n* conduct, control
керувати *v* rule
кивати *v* beckon, nod
кидати *v* throw, cast, toss
килим *n* carpet, rug
килимок *n* mat
кинджал *n* dagger
кинутися *v* lash out
кипарис *n* cypress
кипіти *v* boil, simmer
кип'ятильник *n* boiler
кисень *n* oxygen
кислий *adj* sour
кислота *n* acid
кислотність *n* acidity

кишеня *n* pocket
кишечник *n* bowels
кишіти *v* abound
кишка *n* gut
кишки *n* guts
кіготь *n* claw
кіловат *n* kilowatt
кілограм *n* kilogram
кілок *n* pole
кілометр *n* kilometer
кілька *adj* several
кількість *n* amount
кімната *n* chamber, room
кінець *n* end
кіно *n* cinema
кінцевий *adj* conclusive
кінцівка *n* limb
кінцівки *n* extremities
кінчати *v* end
кінчик *n* tip
кінчик пальця *n* fingertip
кінь *n* horse
кіоск *n* kiosk, booth
кір *n* measles
кіста *n* cyst
кістка *n* bone
кісточка *n* ankle
кіт *n* whale
клавіатура *n* keyboard
клан *n* clan

К

кланятися *v* bow
клапан *n* valve
клаптик *n* shred
кларнет *n* clarinet
клас *n* class, grade
класифікація *n* ordination
класифікувати *v* classify
класичний *adj* classic
класна кімната *n* classroom
класти *v* lay
класти *v* sack
клацати *v* click
клеїти *v* glue
клей *n* glue, paste
клеймити *v* impress
клерк *n* clerk
кликати *v* call
клин *n* wedge
клієнт *n* client
клієнтура *n* clientele
клімат *n* climate
кліматичний *adj* climatic
клініка *n* clinic
клітка *n* cage
кліщі *n* tongs
клонування *n* cloning
клонувати *v* clone
клоун *n* clown
клуб *n* club
клубок *n* tangle

клунок *n* bundle
клювати *v* bite, peck
ключ *n* clue, key
ключиця *n* collarbone
клястися *v* vow, swear
кмітливий *adj* apprehensive
книга *n* book
книгарня *n* bookstore
кнопка *n* button, pin
коаліція *n* coalition
кобила *n* mare
ковадло *n* anvil
коваль *n* blacksmith
ковбаса *n* sausage
ковдра *n* blanket, quilt
ковзан *n* skate
ковзання *n* slip
ковзати *v* glide, slide
ковтання *n* gulp
ковтати *v* swallow , ingest
ковток *n* nip
ковчег *n* ark
код *n* code
кодекс *n* code
кодифікувати *v* codify
кодований *adj* scrambled
коефіцієнт *n* coefficient
кожний *adj* each, every
кожний *pro* everyone
коза *n* goat**

К

кокаїн *n* cocaine
кокос *n* coconut
коктейль *n* cocktail
колготки *n* pantyhose
колега *n* colleague
коледж *n* college
колекціонер *n* collector
колекція *n* collection
колесо *n* wheel
коли *adv* when
коливатися *v* waver
колиска *n* cradle, crib
колись *adv* ever
колишній *adj* former
коліка *n* colic
коліно *n* knee
колір *n* color, dye
колір обличчя *n* complexion
колія *n* furrow
коло *n* circle
колода *n* deck
колона *n* column
колоніальний *adj* colonial
колонізація *n* colonization
колонізувати *v* colonize
колонія *n* colony
колосальний *adj* colossal
колоти *v* prod
колупати *v* pick
колючий *adj* thorny

колючка *n* sticker
колядка *n* carol
кома *n* comma
команда *n* crew, team
командир *n* commander
комар *n* mosquito
комаха *n* insect
комбінація *n* combination
комедія *n* comedy
коментар *n* comment
коментувати *v* comment
комерційний *adj* commercial
комета *n* comet
комір *n* collar
комірчина *n* closet
комісія *n* commission
комітет *n* committee
комора *n* barn, pantry
компактний *adj* compact
компанія *n* company
компаньйон *n* companion
компас *n* compass
компенсація *n* compensation
компенсувати *v* compensate
компетентний *adj* competent
компілювати *v* compile
комплексний *adj* complex
комплект *n* completion
комплімент *n* complement
композитор *n* composer

К

композиція *n* composition
компонент *n* component
компонувати *v* compose
компост *n* compost
компресія *v* compromise
компроміс *n* compromise
комп'ютер *n* computer
кому *pro* whom
комунізм *n* communism
комфорт *n* comfort
конвенція *n* convention
конверт *n* envelope
конвертувати *v* convert
конвой *n* convoy
конгрегація *n* congregation
конгрес *n* congress
конденсація *n* condensation
конденсувати *v* condense
кондиціонер *n* conditioner
кондомініум *n* condo
кондуктор *n* conductor
конкретний *adj* specific
конкурент *n* competitor
конкурс *n* competition
конкуруючий *adj* competitive
консенсус *n* consensus
консерви *n* conserve
консервований *adj* canned
консервувати *v* can
конспект *n* summary

конституція *n* constitution
консул *n* consul
консульство *n* consulate
консультація *n* consultation
контакт *n* contact, touch
контейнер *n* container
контекст *n* context
континент *n* continent
контрабанда *n* contraband
контракт *n* contract
контраст *n* contrast
контрастувати *v* contrast
контроль *n* control, rein
контролювати *v* monitor
контузія *n* concussion
контур *n* contour
конус *n* cone
конференція *n* conference
конфесійний *n* confessional
конфіскація *n* confiscation
конфіскувати *v* confiscate
конфлікт *n* conflict
конфліктувати *v* conflict
конфліктуючий *adj* conflicting
конфронтація *n* confrontation
концентрація *n* concentration
концентричний *adj* concentric
концепція *n* conception
концерт *n* concert
концесія *n* concession

кончина *n* demise
координатор *n* coordinator
координація *n* coordination
координувати *v* coordinate
копати *v* dig
копилка *n* piggy bank
копито *n* hoof
копіювати *v* copy
копія *n* copy
коптити *v* bloat
кора *n* bark, crust
корабель *n* ship
кордон *n* border, frontier
корекція *n* correction
кореспондент *n* correspondent
корзина *n* basket
коридор *n* corridor
корисний *adj* helpful, useful
користувач *n* user
користь *n* usefulness
коритися *v* obey
кориця *n* cinnamon
коричневий *adj* brown
корінь *n* root
корма *n* stern
корнет *n* cornet
корова *n* cow
королева *n* queen
королівство *n* kingdom
королівський *adj* royal

король *n* king
корона *n* crown
коронарний *adj* coronary
коронація *n* coronation, crowning
коронувати *v* crown
короткий *adj* brief, short
короткий сон *n* nap
короткий шлях *n* shortcut
коротко *adv* briefly
короткозорий *adj* shortsighted
корпорація *n* corporation
корпус *n* body, carcass
корпускула *n* corpuscle
корупція *n* corruption
косий *adj* oblique
косити *v* mow
косметика *n* cosmetic
космічний *adj* cosmic
космонавт *n* cosmonaut
космос *n* space
кості *n* dice
костюм *n* costume
котедж *n* cottage
котити *v* roll
котушка *n* spool, reel
кофеїн *n* caffeine
коханий *adj* beloved
кохання *n* love
кошеня *n* kitten
кошик *n* trash can

К

кошмар *n* nightmare
коштувати *v* cost
краб *n* crab
краватка *n* necktie, tie
кравець *n* tailor
крадіжка *n* larceny, theft
країна *n* country, land
край *n* border
кран *n* faucet
крапання *n* drip
крапати *v* drop
крапка *n* dot, period
крапля *n* drop
краса *n* beauty
красивий *adj* good-looking
красти *v* pilfer, steal
крастися *v* creep
кратер *n* crater
крах *n* collapse
кращий *adj* better
креветка *n* prawn, shrimp
кредит *n* credit
кредитор *n* creditor
кредо *n* creed
крейда *n* chalk
крейсувати *v* cruise
крематорій *n* crematorium
кремірувати *v* cremate
кресляр *n* draftsman
крива *n* curve

кривавий *adj* bloody, hurt
кривий *adj* lame
кривлятися *v* mug
кривошип *n* crank
криза *n* crisis
крик *n* scream, shout
крикет *n* cricket
крики *n* shouting
крикливий *adj* flashy
крило *n* fender
кримінальний *adj* criminal
кристал *n* crystal
критерій *n* criterion
критика *n* criticism
критикувати *v* criticize
критичний *adj* critical
крихітний *adj* petite, tiny
крихкий *adj* breakable
крихта *n* crumb
кричати *v* scream, shout
кришитися *v* crumble
кришка *n* cap, lid
крім *pre* except
крім того *adv* furthermore
крісло *n* armchair
кріт *n* mole
кров *n* blood
кровотеча *n* bleeding
кровоточити *v* bleed
крок *n* step, pace

крокодил *n* crocodile
крокувати *v* pace, stride
кролик *n* rabbit
кросворд *n* crossword
крохмалистий *adj* starchy
крохмаль *n* starch
круглий *adj* circular, round
круглі дужки *n* parenthesis
круглолиций *adj* chubby
кругообіг *n* circuit
крутий *adj* steep
крутити *v* twist
крутитися *v* whirl
круча *n* chute
крюк *n* crook
куб *n* cube
кубик льоду *n* ice cube
кубічний *adj* cubic
кубок *n* cup
кувати *v* forge
кудись *adv* elsewhere
кукурудза *n* corn
кулак *n* fist
кулемет *n* machine gun
кулон *n* pendant
кулька *n* pellet
кульмінація *n* climax
кульмінувати *v* culminate
культ *n* cult
культивація *n* cultivation

культура *n* culture
культурний *adj* cultural
куля *n* bale, batch
купатися *v* bathe
купе *n* compartment
купець *n* merchant
купка *n* parcel
купол *n* coupon
купувати *v* buy, shop
куратор *n* curator
курець *n* smoker
кур'єр *n* courier
куріпка *n* partridge
курка *n* chicken, hen
курорт *n* spa
курс *n* course
курсив *adj* italics
куртка *n* jacket
курча *n* chick
кусати *v* bite
кусок *n* cake
кут *n* angle, corner
кухар *n* cook
кухня *n* cuisine, kitchen
куча *n* pile
кучерявий *adj* curly
кушетка *n* couch
кущ *n* bush

К

Л

лабіринт *n* labyrinth
лабораторія *n* lab
лава *n* bench
лавина *n* avalanche
лагідність *n* gentleness
лагуна *n* lagoon
ладан *n* incense
ладити *v* get along
лазарет *n* infirmary
лазер *n* laser
лазівка *n* loophole
лайка *n* obscenity
лайно *n* crap
лайновий *adj* crappy
лак *v* varnish
лаконічний *adj* terse
лакувати *n* varnish
ламати *v* break
ламатися *v* smash
ламкий *adj* brittle
лампа *n* lamp
ландшафт *n* landscape
ланка *n* link
ланцюг *n* chain
лапа *n* paw
ласка *n* caress
ласкавий *adj* gracious

латати *v* patch
латка *n* patch
лаяти *v* darn
лаятися *v* cuss
лебідь *n* swan
лев *n* lion
левиця *n* lioness
легенда *n* legend
легеня *n* lung
легіон *n* legion
легкий *adj* easy, light
легкість *n* ease
легко *adv* easily
легковажний *adj* careless
легковірний *adj* gullible
ледачий *adj* lazy
ледве *adv* barely
лежати *v* lie
лежати під *v* underlie
лезо *n* blade
лейкемія *n* leukemia
лейтенант *n* lieutenant
лекція *n* lecture
лелека *n* stork
леопард *n* leopard
лепетати *v* babble
лестити *v* flatter
лестощі *n* flattery
леткий *adj* volatile
лещата *n* gripe

лжесвідчення *n* perjury
лизати *v* lick
лимон *n* lemon
лимонад *n* lemonade
липень *n* July
липкий *adj* sticky
липнути *v* stick
лис *n* fox
лисий *adj* bald
листівка *n* leaflet, postcard
листок *n* leaf
листоноша *n* mailman
листопад *n* November
листуватися *v* correspond
лисячий *adj* foxy
литися *v* pour
литка *n* calf
лихвар *n* pawnbroker
лихо *n* distress, misery
лиходій *n* villain
лицар *n* knight
лицемір *adj* hypocrite
лицемірство *n* hypocrisy
ліга *n* league
лігво *n* den
лід *n* ice
лідер *n* leader
ліжко *n* bed, berth
лізти *v* climb
лікар *n* doctor

лікарня *n* hospital
лікарський *adj* medicinal
ліквідація *n* liquidation
ліквідувати *v* liquidate
лікер *n* liqueur
ліки *n* cure, remedy
лікоть *n* elbow
лікування *n* medication
лінза *n* lense
лінивий *adj* idle
лінія *n* line, range
лінощі *n* laziness
лінчувати *v* lynch
лірика *n* lyrics
ліс *n* forest
лісоматеріал *n* timber
літак *n* aircraft
літанія *n* litany
літати *v* fly
література *n* literature
літній *adj* elderly
літо *n* summer
літр *n* litre
літургія *n* liturgy
ліфт *n* elevator
ліхтар *n* lantern
ліхтарик *n* flashlight
ліцензія *n* licence
лічильник *n* meter
лоб *n* forehead

л

лобі *n* lobby
лобіювати *v* lobby
ловити *v* catch
логіка *n* logic
логічний *adj* logical
ложка *n* spoon
локалізувати *v* localize
локон *n* curl
лом *n* crowbar
лопата *n* shovel, spade
лопатися *v* burst
лорд *n* peer
лоскотати *v* tickle
лоскотний *adj* ticklish
лосось *n* salmon
лосьйон *n* lotion
лотерея *n* draw, lottery
луг *n* meadow
луна *n* moon
лупцювати *v* batter
луска *n* scale
лушпина *n* hull
льодовик *n* glacier
льодяний *adj* ice-cold
льотчик *n* flier
любити *v* love
люблячий *adj* loving, fond
любов *n* love
люди *n* folks, men
людина *n* human being

людожер *n* cannibal
людство *n* humankind
людський *adj* human
люстра *n* chandelier
лютий *n* February
лють *n* fury, rage
лякати *v* appall, frighten
лякатися *v* falter
лякаючий *adj* frightening
лялька *n* doll
ляпанець *n* slap
ляпати *v* slap
ляскати *v* flip

Л
М

М

мабуть *adv* likely
мавпа *n* ape
магазин *n* shop
магазин взуття *n* shoestore
магістр *n* master
магія *n* magic
магнат *n* tycoon
магнетизм *n* magnetism
магніт *n* magnet
магнітний *adj* magnetic
магнітофон *n* tape recorder
мадам *n* madam

маєток _n_ estate
мазати _v_ smear
мазок _n_ smear
мазохізм _n_ masochism
мазь _n_ ointment
майбутнє _n_ future
майбутній _adj_ coming
майже _adv_ almost, nearly
майно _n_ assets
майстер _n_ craftsman
майстерність _n_ mastery
майстерня _n_ workshop
мак _n_ poppy
макет _n_ layout
макіяж _n_ makeup
маленький _adj_ little
малина _n_ raspberry
мало _adj_ few
мало-помалу _adv_ little by little
мальовничий _adj_ picturesque
малювати _v_ draw
малюк _n_ kid
малюнок _n_ drawing
малярія _n_ malaria
мама _n_ mom
мамонт _n_ mammoth
мандарин _n_ tangerine
мандат _n_ mandate
мандрівник _n_ traveler
маневр _n_ maneuver

манекен _n_ dummy
манера _n_ manner
манери _n_ demeanor
манжета _n_ cuff
манити _v_ beckon
маніакальний _adj_ maniac
маніпулювати _v_ manipulate
манірність _n_ mannerism
мансарда _n_ attic
маргаритка _n_ daisy
маринувати _v_ marinate
маріонетка _n_ dummy
марка _n_ brand
маркер _n_ marker
марксистський _adj_ marxist
марля _n_ gauze
мармелад _n_ marmalade
мармур _n_ marble
марний _adj_ useless, futile
марність _n_ futility
марно _adv_ vainly
марнотратний _adj_ lavish
марнувати _v_ squander
Марс _n_ Mars
марш _n_ march
маршал _n_ marshal
марширувати _v_ march
маршрут _n_ itinerary
маса _n_ bulk, mass
масаж _n_ massage

M

масажист *n* masseur
масажистка *n* masseuse
масажувати *v* massage
масив *n* array
масивний *adj* massive
маска *n* mask
маскування *n* disguise
маскувати *v* dazzle
маскуватися *v* camouflage
маслина *n* olive
масло *n* butter
масний *adj* fat
масон *n* mason
мастило *n* grease
мастити *v* smooth
масштаб *n* scope
математика *n* math
материк *n* mainland
материнство *n* maternity, motherhood
материнський *adj* maternal
матеріал *n* material, stuff
матеріалізм *n* materialism
мати *v* have
мати користь *v* benefit
мати намір *v* intend
матка *n* uterus
маткаv *n* womb
матрац *n* mattress
матрос *n* sailor
матч *n* match

махати *v* wag
мачуха *n* stepmother
машина *n* machine
маяк *n* beacon
маятник *n* pendulum
маячити *v* loom
меблі *n* furnishings
меблювати *v* furnish
мед *n* honey
медаль *n* medal
медальйон *n* medallion
медитація *n* meditation
медицина *n* medicine
медсестра *n* nurse
межа *n* boundary
межувати *v* border on
мексиканський *adj* Mexican
меланхолія *n* melancholy
мелодійний *adj* melodic
мелодія *n* melody
мембрана *n* membrane
мемуари *n* memoirs
менеджер *n* manager
менінгіт *n* meningitis
менструація *n* menstruation
менталітет *n* mentality
менше *adj* fewer
менший *adj* less, minor
меншість *n* minority
меню *n* menu

мер *n* mayor
мережа *n* network
мереживо *n* lace
мерехтіння *n* gleam
мерехтіти *v* flicker, twinkle
мерзенний *adj* lousy
мертвий *adj* dead, livid
месія *n* Messiah
мета *n* goal, purpose
метал *n* metal
металічний *adj* metallic
метафора *n* metaphor
метелик *n* butterfly
метеор *n* meteor
метод *n* method
методичний *adj* methodical
метр *n* meter
метричний *adj* metric
метро *n* subway
метушливий *adj* fussy
метушня *n* fuss
механізм *n* mechanism
механізувати *v* mechanize
механік *n* mechanic
меч *n* sword
мечеть *n* mosque
меч-риба *n* swordfish
мешканець *n* occupant
мешкати *v* dwell, inhabit
ми *pro* we

мигдалина *n* tonsil
мигдаль *n* almond
милиця *n* crutch
милість *n* grace
милосердний *adj* merciful
милосердя *n* clemency
милостивий *adj* benign
милостиня *n* alms
мильна піна *n* lather
миля *n* mile
минати *v* elapse, pass
минуле *n* antecedents
минулий *adv* late, past
мирний *adj* peaceful
мирянин *n* layman
мис *n* cape
мислено *adv* mentally
мисливець *n* hunter
мистецтво *n* art
мити *v* wash
мито *n* customs
миттєвий *n* instant
миттєво *adv* momentarily
миша *n* mouse
миші *n* mice
мігрант *n* migrant
мігрень *n* migraine
мігрувати *v* migrate
мідь *n* copper
між *pre* amid

M

між іншим *adv* incidentally
мізерний *adj* paltry
мій *pro* mine, my
мікроб *n* microbe
мікроскоп *n* microscope
мікрофон *n* microphone
міліграм *n* milligram
міліметр *n* millimeter
мілкий *adj* shallow
міль *n* moth
мільдью *n* mildew
мільйон *n* million
мільйонер *adj* millionaire
мільярд *n* billion
мільярдер *n* billionaire
міміка *n* gesture
міна *n* mine
мінеральний *n* mineral
мініатюра *n* miniature
мінімум *n* minimum
міні-спідниця *n* miniskirt
міністерство *n* ministry
міністр *n* minister
мінне поле *n* minefield
міняти *v* shift
міра *n* extent
міраж *n* mirage
міркувати *v* ponder
місити *v* brake
місіонер *n* missionary

місіс *n* mistress
місія *n* mission
міст *n* bridge
містер *n* mister
містити *v* carry, contain
містифікувати *v* mystify
містичний *adj* mystic
місткість *n* capacity
місто *n* city
місце *n* place, site, seat
місцевий *adj* local
місцевість *n* terrain
міський *adj* urban
місяць *n* month
мітка *n* score
мітла *n* broom
міф *n* myth
міхур *n* bladder
міцний *adj* durable
мішкуватий *adj* baggy
мішок *n* sack
млин *n* mill
млявий *adj* sluggish
множення *n* multiplication
множина *n* plural
множити *v* multiply
мобілізувати *v* mobilize
мобільний *adj* wireless
мова *n* language, tongue
мовлення *n* speech

M

мовчазний *adj* silent
могила *n* grave
могти *v* can, may
могутній *adj* mighty
мода *n* fashion
модернізувати *v* modernize
модний *adj* fashionable
модуль *n* module
можливий *adj* feasible
можливість *n* eventuality
можливо *adv* may-be
мозаїка *n* mosaic
мозковий *adj* cerebral
мозок *n* brain
мокрий *adj* sloppy
молекула *n* molecule
молитва *n* prayer
молитися *v* pray
молодий *adj* young
молодший *adj* junior
молоко *n* milk
молоти *v* grind
молотити *v* thresh
молоток *n* hammer
молочний *adj* milky
молюск *n* clam
молярний *n* molar
момент *n* moment
монарх *n* monarch
монархія *n* monarchy

монастир *n* monastery
монах *n* monk
монета *n* coin, dime
монолог *n* monologue
монополія *n* monopoly
монотонний *adj* monotonous
монотонність *n* monotony
монтаж *n* assembly
мораль *n* ethics
моральний *adj* moral
моральність *n* morality
морг *n* mortuary
моргання *n* wink
моргати *v* wink
море *n* sea
мореплавець *n* voyager
морепродукти *n* seafood
морж *n* walrus
морква *n* carrot
мороз *n* frost
морозиво *n* ice cream
морозильник *n* freezer
морозити *v* freeze
морозний *adj* frosty
морський *adj* marine
морфій *n* morphine
морщитися *v* wrinkle
мотель *n* motel
мотив *n* motive
мотивувати *v* motivate

М

мотлох *n* lumber
мотоцикл *n* motorcycle
мотузка *n* rope, string
мох *n* moss
мочити *v* water
мочитися *v* urinate
мрія *n* dream
мріяти *v* daydream
мряка *n* drizzle
мрячити *v* drizzle
мстивий *adj* vindictive
мстити *v* retaliate
мститися *v* avenge
мудрий *adj* wise
мудрість *n* wisdom
мужній *adj* courageous
мужність *n* courage
мужньо *adv* bravely
музей *n* museum
музика *n* music
музикант *n* musician
мука *n* torment
муки *n* pang
мул *n* mule
мультфільм *n* cartoon
муляр *n* bricklayer
мумія *n* mummy
мурашка *n* ant
мусити *v* must, ought to
муха *n* fly

мученик *n* martyr
мучеництво *n* martyrdom
мучити *v* victimize
мучитися *v* distress, writhe
муштра *n* drill
мчати *v* dash, rush
м'яз *n* muscle
м'який *adj* mild
м'якість *n* softness
м'яко *adv* softly
м'якуш *n* pulp
м'якшати *v* relent
м'ясник *n* butcher
м'ясо *n* flesh, meat
м'ята *n* mint
м'яч *n* ball

Н

на *pre* on, in, to, upon
на березі *adv* ashore
на воді *adv* afloat
на судні *adv* aboard
на схід *adv* eastward
набивка *n* padding
набирати *v* assume
набіг *n* raid
набір *n* dial

набридати *v* bore, molest
набридлий *adj* bored
набувати *v* acquire
навальний *adj* impetuous
навалювати *v* huddle
навантажений *adj* laden
навернений *n* convert
навиворіт *adv* inside out
нависати *v* hover
навігація *n* navigation
навіть якщо *c* even if
навішувати *v* hinge
навкруги *adv* about
навмисний *adj* deliberate
навмисність *n* premeditation
навмисно *adv* purposely
наволочка *n* pillowcase
наворожити *v* conjure up
навпаки *adv* conversely
навпроти *adv* opposite
навушники *n* earphones
навчання *n* learning
навчити *v* teach
нагадати *v* touch up
нагадування *n* reminder
нагадувати *v* remind
нагинатися *v* bend down
нагляд *n* supervision
наглядати *v* oversee
наглядач *n* warden

нагода *n* occasion
наголос *n* emphasis
нагорі *adv* upstairs
нагорода *v* remunerate
нагороджувати *v* award
нагота *n* nudity
нагріватися *v* heat
над *pre* above, over
надавати *v* confer
надворі *adv* outdoors
надгробок *n* gravestone
наддержава *n* superpower
надзвичайно *adv* exceedingly
надихати *v* inspire, lift
надійний *adj* dependable
надія *n* hope
надлишок *n* excess
надмірний *adj* excessive
надокучати *v* hassle
надокучливий *adj* boring
надолужити *v* make up for
надріз *n* gash
надсилати *v* address
надто *adv* too
надування *n* inflation
надувати *v* inflate
надходження *n* revenue
назавжди *adv* forever
назад *adv* back
назва *n* title

Н

наздогнати *v* overtake
наївний *adj* naive
найбільший *adj* most, utmost
найгірший *adj* worst
найкращий *adj* best
наймання *n* employment
наймати *v* employ, hire
наймач *n* lessee
найменший *adj* least, latest
наказ *n* mandate
накидка *n* cape, cloak
накладка *n* lining
наклеп *n* calumny
наклеювати *v* paste
накопичувати *v* pile
накреслити *v* outline
належати *v* belong
належний *adj* due
належно *adv* duly
наліт *n* holdup
намагання *n* endeavor
намагатися *v* attempt, try
намет *n* tent
намисто *n* necklace
намір *n* intention, plan
нанизувати *v* thread
наосліп *n* blindfold
напад *n* aggression
нападати *v* assail, assault
нападаючий *n* attacker

напасть *n* adversity
напевне *adv* apparently
напис *n* inscription
напій *n* beverage
наплив *n* affluence
наповнений *adj* replete
наповнення *n* filling
наповнювати *v* fill
наполегливий *adj* persistent
наполягати *v* insist
напористий *adj* pushy
направляти *v* relegate
напруга *n* voltage
напружений *adj* tense
напруженість *n* tension
напруження *n* exertion
напружувати *v* exert
напрям *n* direction
наречена *n* bride
наречений *n* bridegroom
нарешті *adv* lastly
нарізно *adv* asunder
наркотик *n* dope, drug
народ *n* people
народжений *adj* born
народжений *n* birth
народжуватися *v* be born
народний *adj* public
нарощування *n* buildup
наручник *n* shackle

Н

наручники _n_ handcuffs
нас _pro_ us
населення _n_ population
населяти _v_ inhabit
насильний _adj_ violent
насильство _n_ violence
насичувати _v_ saturate
насіння _n_ seed
наслідок _n_ consequence
насміхатися _v_ mock
насос _n_ pump
насправді _adv_ actually
насправді _v_ board
настій _n_ infusion
настійність _n_ urgency
настрій _n_ mood
настроювати _v_ tune up
наступ _n_ onset
наступний _adj_ forthcoming
наступник _n_ successor
насупроти _adv_ facing
натискати _v_ screw
натовп _n_ crowd, mob
натхнення _n_ inspiration
натягувати _v_ tighten
натяк _n_ allusion, hint
натякати _v_ hint, imply
натяки _n_ insinuation
наука _n_ science
науковий _adj_ scientific

нафта _n_ oil
нахабний _adj_ cheeky
нахил _n_ leaning, tip
нахиляти _v_ tilt
нахилятися _v_ lean
національний _adj_ national
національний _n_ nationality
нація _n_ nation
начальник _n_ chief
начинка _n_ filling
наш _adj_ our
наш _pro_ ours
нашийник _n_ collar
нащадок _n_ descendant
не _adv_ not
не вдаватися _v_ miscarry
не вдатися _v_ fail
не коритися _v_ disobey
не неминучий _adj_ avoidable
не подобатися _v_ displease
не схожий на _adj_ unlike
неадекватний _adj_ inadequate
небажаний _adj_ undesirable
небезпека _n_ danger
небезпечний _adj_ dangerous
небезпечність _n_ insecurity
небеса _n_ heaven
небесний _adj_ celestial
небилиці _n_ concoction
небо _n_ sky

Н

небосхил _n_ dome
неважливий _adj_ petty
невблаганний _adj_ implacable
неввічливий _adj_ impolite
невдалий _adj_ unsuccessful
невдаха _n_ loser
невдача _n_ failure
невдячний _adj_ ungrateful
невдячність _n_ ingratitude
невживання _n_ disuse
невибагливий _adj_ lowly
невигідний _adj_ unprofitable
невидимий _adj_ invisible
невизначений _adj_ uncertain
невиліковний _adj_ incurable
невимовний _adj_ unspeakable
невинний _adj_ innocent
невинність _n_ innocence
невиразний _adj_ vague
невирішений _adj_ undecided
невідомий _adj_ unknown
невірний _adj_ unfaithful
невірність _n_ disloyalty
невір'я _n_ disbelief
невістка _n_ sister-in-law
невловимий _adj_ elusive
невпинний _adj_ relentless
невпинно _adv_ ceaselessly
невротичний _adj_ neurotic
невтішний _adj_ disappointing

невтомний _adj_ tireless
негайно _adv_ immediately
негативний _adj_ minus
негідник _n_ scoundrel
негнучкий _adj_ inflexible
неголосний _adj_ lowkey
недавній _adj_ recent
недбалий _adj_ negligent
недійсний _adj_ null
неділя _n_ Sunday
недовіра _n_ distrust
недовірливий _adj_ distrustful
недогляд _n_ oversight
недозволений _adj_ illicit
недоїдання _n_ malnutrition
недолік _n_ shortcoming
недоречний _adj_ inept
недорогий _adj_ inexpensive
недостатній _adj_ deficient, lame
недостача _n_ scarcity
недоступний _adj_ inaccessible
недружний _adj_ unfriendly
неетилований _adj_ unleaded
неефективний _adj_ ineffective
неживий _adj_ lifeless
незабаром _adv_ soon
незайманість _n_ virginity
незайнятий _adj_ unoccupied
незакінчений _adj_ pending
незаконний _adj_ illegal

Н

незалежний *adj* independent
незалежність *n* independence
незаперечний *adj* indisputable
незаслужений *adj* undeserved
незахищений *adj* exposed
незвичайний *adj* uncommon
незгідний *adj* discordant
незгода *n* disagreement
незграбний *adj* awkward
незграбність *n* clumsiness
нездатний *adj* incapable
нездатність *n* inability
нездоровий *adj* indisposed
нездужання *n* ailment
незламний *adj* adamant
незліченний *adj* countless
незмінний *adj* immutable
незнайомий *adj* unfamiliar
незначний *adj* insignificant
незрілий *adj* immature
незрілість *n* immaturity
незручний *adj* inconvenient
незручність *n* uneasiness
нез'ясовний *adj* inexplicable
неймовірний *adj* incredible
нейтральний *adj* neutral
некурець *n* nonsmoker
неласка *n* disgrace
нелогічний *adj* illogical
нелюдяний *adj* inhuman

неминучий *adj* imminent
немислимий *adj* unthinkable
немовля *n* baby
неможливий *adj* impossible
неможливість *n* impossibility
ненавидіти *v* abhor, detest
ненависний *adj* hateful
ненависть *n* hatred
ненадійний *adj* unreliable
ненажера *n* glutton
ненаситний *adj* insatiable
ненормальний *adj* abnormal
необачний *adj* indiscreet
необачність *n* indiscretion
необмежений *adj* unlimited
необхідний *adj* essential
необхідність *n* necessity
неодружений *adj* celibate
неозначений *adj* indefinite
неосвічений *adj* ignorant
неофіційний *adj* informal
неофіційно *adv* unofficially
неохайний *adj* dilapidated
неохота *n* aversion
неохоче *adv* grudgingly
неохочий *adj* reluctant
неоціненний *adj* invaluable
непарний *adj* odd, fuzzy
непевність *n* suspense
непереборний *adj* compelling

Н

непереможний *adj* invincible
неписьменний *adj* illiterate
непідхожий *adj* undue
неплідний *adj* sterile
неповага *n* disrespect
неповний *adj* incomplete
неповоротний *adj* irreversible
непов'язаний *adj* unrelated
неподільний *adj* indivisible
непокірний *adj* disobedient
непокоїти *v* bother
непокора *n* defiance
непомічений *adj* unnoticed
непоправний *adj* incorrigible
непопулярний *adj* unpopular
непорушний *adj* irrevocable
непослідовний *adj* incoherent
непостійність *n* inequality
непотрібний *adj* needless
неправильний *adj* improper
непрактичний *adj* impractical
непривітний *adj* cold
непридатний *adj* unfit
неприємний *adj* disagreeable
непристойний *adj* lewd
непритомність *n* faint
неприхильний *adj* averse
непрозорий *adj* opaque
непростимий *adj* inexcusable
непрямий *adj* indirect

нерв *n* nerve
нервовий *adj* jumpy
нервування *n* hassle
нереальний *adj* unreal
нерегулярний *adj* irregular
нержавіючий *adj* rust-proof
нерівний *adj* unequal
нерівність *n* disparity
нерішучий *adj* hesitant
нерішучість *n* indecision
неродючий *adj* barren
нерозбірливий *adj* illegible
нерозлучний *adj* inseparable
нерозсудливий *adj* unwise
нерозчинний *adj* insoluble
нерухомий *adj* immobile
нерухомість *n* realty
несамовитий *adj* ecstatic
несамовито *adv* furiously
несвідомий *adj* unconscious
несвіжий *adj* stale
несвоєчасний *adj* timeless
нескінченний *adj* endless
нескладний *adj* foolproof
нескромний *adj* indiscreet
нескромність *n* indiscretion
неслухняний *adj* naughty
несмачний *adj* insipid
несподіваний *adj* unexpected
неспокій *n* unrest

Н

неспокійний *adj* restless
несправність *n* disrepair
нестабільний *adj* unstable
нестабільність *n* instability
несталий *adj* fickle
нестача *n* deficiency
нестерпний *adj* agonizing
нести *v* carry
нестійкий *adj* unsteady
нестримний *adj* rampant
несумісний *adj* incompatible
несхвалення *n* disapproval
нетерпимий *adj* intolerable
нетерпимість *n* intolerance
нетерпіння *n* impatience
нетерплячий *adj* impatient
неточний *adj* imprecise
нетривкий *adj* perishable
нетримання *n* incontinence
нетрі *n* slum
неуважний *adj* oblivious
неуважність *n* carelessness
неуцтво *n* ignorance
неф *n* nave
нечастий *adj* infrequent
нечемність *n* discourtesy
нечесний *adj* dishonest
нечесність *n* dishonesty
нечистий *adj* impure
нечіткий *adj* blurred

нечуваний *adj* unheard-of
нечутливий *adj* insensitive
нешкідливий *adj* harmless
нещасливий *adj* unlucky
нещасний *adj* miserable
нещастя *n* misfortune
нещирий *adj* insincere
нещирість *n* insincerity
неякісний *adj* shoddy
неясний *adj* blind, dim
нижче *pre* below
нижчий *adj* inferior
низовий *adj* grassroots
низький *adj* low
нирка *n* kidney
нитка *n* clue
ніби *adv* allegedly
ніби *pre* like
нівелір *n* level
нівелювати *v* level
ніготь *n* fingernail
ніде *adv* nowhere
Нідерланди *n* Netherlands
ніж *n* knife
ніжний *adj* delicate
ніжність *n* fondness
ніздря *n* nostril
нікель *n* nickel
ніколи *adv* never
нікотин *n* nicotine

Н

нікчемний *adj* despicable
німецький *adj* German
Німеччина *n* Germany
німий *adj* mute
ніс *n* prow, nose
нісенітниця *n* nonsense
ніхто *pro* nobody, none
ніч *n* night
нічна сорочка *n* nightgown
нічний *adj* nocturnal
ніша *n* bay
новак *n* novice
новачок *n* newcomer
новий *adj* fresh, new
новини *n* news
новинка *n* novelty
новісінький *adj* brand-new
новобранець *n* recruit
нога *n* foot
ножиці *n* scissors
ножові вироби *n* cutlery
нора *n* burrow
Норвегія *n* Norway
норвезький *adj* Norwegian
норма *n* norm
нормалізувати *v* normalize
нормальний *adj* normal
нормально *adv* normally
носатий *adj* nosy
носик *n* nozzle

носити *v* bear
носій *n* bearer
носіння *n* wear
носоріг *n* rhinoceros
ностальгія *n* nostalgia
нотаріус *n* notary
нотатка *n* note
ноу-хау *n* know-how
нудизм *n* nudism
нудист *n* nudist
нудитися *v* languish
нудний *adj* dull
нудота *n* nausea
нудьга *n* boredom
нудьгувати *v* miss
нужда *v* necessitate
нужденний *adj* destitute
нуль *n* zero
нюанс *n* nuance
нюхати *v* sniff
нюхатиv *v* smell
няня *n* babysitter

О

оазис *n* oasis
обапілv *n* slab
обачність *n* discretion

оббивка *n* upholstery
обварювати *v* scald
обвинувач *n* informant
обговорення *n* discussion
обговорювати *v* debate
обгортати *v* envelop
обгортка *n* wrapping
обдарований *adj* gifted
обдирати *v* skin
обдумувати *v* defraud
обдурювати *v* fool, dupe
обезголовити *v* behead
обезцінювати *v* devalue
обережний *adj* careful
обережність *n* caution
обережно *adv* gingerly
оберт *n* turn
обертання *n* rotation
обертати *v* convert
обертатися *v* revolve
об'єднання *n* rally
об'єднувати *v* combine
об'єднуватися *v* associate
об'єкт *n* object
об'єктивний *n* objective
об'єм *n* bulk
обидва *adj* both
обирати *v* elect
обігрівач *n* heater
обід *n* dinner, lunch

обідати *v* dine
обідок *n* rim
обізнаний *adj* aware
обізнаність *n* awareness
обіймати *v* embrace
обійми *n* embrace, hug
обіцянка *n* promise
об'їдатися *v* guzzle
об'їзд *n* detour
обкладинка *n* cover
обкурювати *v* fumigate
облава *n* roundup
обладнання *n* equipment
обличчя *n* face
облога *n* siege
обложити *v* siege
обман *n* deception
обманливий *adj* deceptive
обманутий *adj* misguided
обманювати *v* deceive
обмеження *n* limitation
обмежувати *v* restrict, limit
обминати *v* evade
обмін *n* swap
обмінювати *v* exchange
обмінюватися *v* interchange
обмірковувати *v* deliberate
обмовляти *v* malign
обморожений *adj* frostbitten
обов'язок *n* duty

О

обожнювати *v* adore
оболонка *n* capsule
оборона *n* defense
оборотний *adj* reversible
обпалювати *v* char
обприскувати *v* spray
ображати *v* affront, offend
ображатися *v* resent
образ *n* image
образа *n* affront, insult
образливий *adj* abusive
обрамовувати *v* frame
обрис *n* profile, outline
обрізання *n* circumcision
обрізати *v* circumcise
обробляти *v* cultivate
обряд *n* rite
обсерваторія *n* observatory
обставина *n* circumstance
обстоювати *v* vindicate
обсяг *n* compass
обтяжливий *adj* burdensome
обтяжувати *v* burden
обурення *n* outrage
обурливий *adj* outrageous
обхід *n* bypass
обходити *v* bypass
обчислювати *v* calculate
овальний *adj* oval
овація *n* ovation

овоч *n* vegetable
огида *n* loathing
огидний *adj* disgusting
огірок *n* cucumber
оглушливий *adj* deafening
огляд *n* examination
оглядати *v* examine
оглядатися *v* look out
оголошувати *v* announce
огорожа *n* enclosure
одежина *n* garment
одержимість *n* obsession
одержувати *v* receive
одержувач *n* payee
один *a* a, one
один з двох *adj* either
один одного *adj* each other
одинадцятий *adj* eleventh
одинадцять *adj* eleven
одинак *n* single
одиниця *n* unit
одинокий *adj* single
одиноко *adv* lonely
одіссея *n* odyssey
однак *c* however
однин раз *n* once
одного дня *adv* someday
одного разу *adv* once
однокласник *n* classmate
однорукий *adj* singlehanded

односторонній *adj* unilateral
одночасний *adj* simultaneous
одометр *n* odometer
одружений *adj* married
одружуватися *v* marry, wed
одяг *n* apparel, clothes
одягати *v* clothe
одягатися *v* dress
оживати *v* quicken, revive
оживляти *v* animate
ожина *n* blackberry
ожирілий *adj* obese
озброєний *adj* armed
озброєння *n* armor
озброюватися *v* arm
озеро *n* lake
ознака *n* indication
означати *v* indicate, mean
означений *adj* definite
окалина *n* cinder
океан *n* ocean
окислення *n* combustion
оклик *n* call
око *n* eye
околиці *n* vicinity
околиця *n* neighborhood
окремий *adj* separate
окремо *adv* apart
окрім *pre* barring
округ *n* circuit

оксамит *n* velvet
окуляри *n* eyeglasses
окупація *n* occupation
оленина *n* venison
олень *n* deer
олівець *n* pencil
олія *n* oil
олово *n* tin
омар *n* lobster
омлет *n* omelette
онімілий *adj* numb
оновлення *n* renewal
опади *n* downfall
опалення *n* heating
опанування *n* grasp
опера *n* opera
операція *n* operation
опис *n* description
описовий *adj* descriptive
описувати *v* describe
опитування *n* poll
опитувати *v* debrief, quiz
опій *n* opium
опік *n* burn
опіка *n* custody
опікування *n* patronage
опікувати *v* patronize
опікун *n* custodian
опір *n* opposition
оплакувати *v* deplore

О

оплата *n* payment
оплачувати *v* defray
оплески *n* applause
оповідання *n* story, tale
оповідач *n* teller
оповіщати *v* herald
опора *n* crutch
опошляти *v* trivialize
оптик *n* optician
оптимізм *n* optimism
оптимістичний *adj* optimistic
оптичний *adj* optical
опудало *n* guy
опуклість *n* bulge
опускати *v* let down
опух *n* bump, swelling
опухлий *adj* swollen
оракул *n* oracle
орангутанг *n* orangutan
орати *v* plow
орбіта *n* orbit
орган *n* organ
організація *n* organization
організм *n* organism
органіст *n* organist
ордер *n* warrant
орел *n* eagle
оренда *n* lease, rent
орендар *n* tenant
орендодавець *n* lessor

орендувати *v* lease, rent
орієнтація *n* orientation
орієнтований *adj* oriented
оркестр *n* orchestra
орнамент *n* ornament
орний *adj* arable
оса *n* wasp
осад *n* deposit
осадити *v* snub
освіжати *v* freshen
освіжаючий *adj* refreshing
освітлення *n* lighting
освітлювати *v* light
освітлювач *n* lighter
освітній *adj* educational
освічувати *v* enlighten
освячувати *v* sanctify
осел *n* donkey
оселятися *v* settle
осідати *v* cave in
осінь *n* autumn
оскільки *c* because
осколок *n* shiver
ослабляти *v* depress
осліплювати *v* blind
основа *n* backbone
основи *n* basics
основний *adj* basic
особа *n* person
особистий *adj* personal

особистість *n* personality
особливий *adj* particular
особливість *n* feature
особливо *adv* especially
особняк *n* mansion
останні новини *n* newscast
останній *adj* last
остаточний *adj* definitive
остерігатися *v* beware
осторонь *adv* aside
острів *n* island
осуд *n* condemnation
осуджувати *v* censure
осушувати *v* drain
отара *n* flock
отвір *n* opening
отже *adv* hence
оточення *n* setting
оточувати *v* besiege, circle
отримання *n* receipt
отримувати *v* get
отруєний *adj* intoxicated
отруєння *n* poisoning
отруйний *adj* poisonous
отрута *n* poison
отруювати *v* poison
офіс *n* office
офіцер *n* officer
офіціант *n* waiter
офіціантка *n* waitress

офіційний *adj* formal
офіційно *adv* formally
оформляти *v* formalize
охайний *adj* tidy
охайно *adv* neatly
охолодження *adj* cooling
охолоджувати *v* chill
охоплення *n* coverage
охоплювати *v* encompass
охорона *n* custody
охоче *adv* willingly
охочий *adj* willing
оцет *n* vinegar
оцинковувати *v* galvanize
оцінка *n* appraisal
оцінювати *v* appraise
очевидний *adj* obvious
очевидно *adv* obviously
очерет *n* cane, reed
очисник *n* cleanser
очистка *n* clearance
очищати *v* cleanse, clear
очищення *n* purification
очікуваний *adj* due
очікування *n* expectancy
очікувати *v* expect
очко *n* ace
очолювати *v* chair
ощадливий *adj* frugal, thrifty
ощадливість *n* frugality

О

П

павич *n* peacock
павільйон *n* pavilion
павук *n* spider
павутина *n* spiderweb
павутиння *n* cobweb
пагористий *adj* hilly
пагорок *n* hill
падати *v* drop, fall
падіння *n* drop, fall
падчерка *n* stepdaughter
пазуха *n* bosom
пайок *n* ration
пакт *n* pact
пакувати *v* pack
пакунок *n* parcel
палата *n* chamber
палахкотіти *v* blaze
палац *n* palace
палець *n* finger
палець ноги *n* toe
паливо *n* fuel
палиця *n* cane, club
палій *n* arsonist
палісадник *n* frontage
палкий *adj* eager
палко *adv* earnestly
паломництво *n* pilgrimage

палуба *n* deck
пальма *n* palm
пальто *n* coat
памфлет *n* pamphlet
пам'ятати *v* remember
пам'ятка *n* memo
пам'ятний *adj* memorable
пам'ятний *n* monument
пам'ять *n* memory
пан *n* lord
панарицій *n* felon
пані *n* lady
паніка *n* alarm, panic
панічна втеча *n* stampede
панорама *n* panorama
пансіон *n* pension
пантера *n* panther
пантофля *n* slipper
панування *n* domination
панчоха *n* stocking
Папа Римський *n* Pope
паперовий змій *n* kite
папір *n* paper
папка *n* folder
папство *n* papacy
папський *adj* apostolic
папуга *n* parrot
пара *n* couple, pair
парад *n* parade
парадокс *n* paradox

паразит *n* parasite, pest
паралель *n* parallel
паралельний *adj* collateral
паралізувати *v* paralyze
параліч *n* paralysis
параметри *n* parameters
параноїчний *adj* paranoid
парасолька *n* umbrella
парафія *n* parish
парафіяльний *adj* parochial
парафіянин *n* parishioner
парашут *n* parachute
парі *n* bet
парк *n* park
паркуватися *v* park
парламент *n* parliament
пароль *n* password
паросток *n* offspring
парта *n* desk
партизан *n* guerrilla
партія *n* party
партнер *n* partner
парфуми *n* perfume
пасажир *n* passenger
пасивний *adj* passive
пасинок *n* stepson
пасовище *n* pasture
паспорт *n* passport
пастель *n* crayon
пастернак *n* parsnip

пасти *v* graze
пастися *v* browse
пастка *n* pitfall, trap
пастор *n* pastor
пастух *n* shepherd
Пасха *n* Easter
патент *n* patent
патіо *n* patio
патріарх *n* patriarch
патріот *n* patriot
патріотичний *adj* patriotic
патрон *n* cartridge
патруль *n* patrol
пах *n* groin
пахва *n* armpit
пахнути *v* smack
пацієнт *adj* patient
пацюк *n* rat
паяти *v* solder
певний *adj* definite
педагогіка *n* pedagogy
педаль *n* pedal
педантичний *adj* pedantic
пейзаж *n* scenery
пек *n* peck
пекар *n* baker
пекарня *n* bakery
пекло *n* hell
пекучий *adj* torrid
пелена *n* shroud

П

пелікан *n* pelican
пелюстка *n* petal
пелюшка *n* diaper
пензель *n* paintbrush
пеніцилін *n* penicillin
пенні *n* penny
пенсія *n* pension
Пентагон *n* pentagon
пеньок *n* stub
первісний *adj* original
пергамент *n* parchment
перевага *n* excellence
переважати *v* excel
переважно *adv* chiefly
перевершити *v* outdo
перевищувати *v* exceed
перевірка *n* check
перевіряти *v* audit, verify
перевозити *v* haul, transport
переворот *n* coup
перев'язувати *v* bandage
переганяти *v* outrun
переглядати *v* revise
переговори *n* negotiation
перегони *n* race
перегородка *n* partition
перед *pre* before
перед *n* front
передавати *v* transmit
передати *v* convey

передбачати *v* anticipate, foresee
передбачення *n* foresight
передвістя *n* portent
передодень *n* eve
передмістя *n* suburb
передмова *n* foreword
переднє *n* antecedent
передній *adj* front
передова лінія *n* forefront
передовий *adj* foremost
передпокій *n* hallway
передрук *n* reprint
передумова *n* premise
передчасний *adj* premature
передчувати *v* apprehend
передчуття *n* foretaste
переживати *v* relive
пережити *v* survive
переїжджати *v* move
переїзд *n* relocation
переїхати *v* override
перейти *v* get over
перекидати *v* capsize
перекладати *v* interpret
перекладач *n* interpreter
переконання *n* conviction
переконливий *adj* convincing
переконувати *v* convince
перекривати *v* overlap
переливання *n* transfusion**

переливатися v run over
перелітати v flutter
перелічувати v enumerate
перелом n fracture
перелюбство n adultery
переляк n fright, scare
перелякати v subdue, win
перемир'я n armistice
перемінний adj alternate
перемістити v dislocate
переміщати v displace
перемога n victory
переможець n winner
переможний adj victorious
переносний adj portable
переобирати v reelect
перепел n quail
перепис n census
переписувати v transcribe
переплітатися v intertwine
переповнений adj crowded
переповняти v cram
перепона n obstacle
переправа n ferry
перерахунок n recount
перерва n interruption
переривати v break
переробляти v remake
переростати v outgrow
пересадка n transfer

переселятися v relocate
пересилання n remittance
пересичення n glut
переслідувати v chase
перестаратися v overdo
переступати v overstep
перетворення n conversion
перетинати v cross
перетинатися v intersect
перехід n transition
переходити v go over
перехожий n passer-by
перехрестя n crossing
перець n pepper
перешкода n handicap
перешкоджати v hinder
периметр n perimeter
період n period
перлина n pearl
перо n feather
персик n peach
персона n figure
персонал n personnel
перспектива n outlook
перука n hairpiece
перукар n barber
перфоратор n punch
перший adj first
першість n primacy
песимізм n pessimism

П

песимістичний *adj* pessimistic
пестити *v* caress
пестицид *n* pesticide
петля *n* tag
петрушка *n* parsley
печатка *n* seal
печеня *n* roast
печера *n* cave, cavern
печиво *n* cookie
печінка *n* liver
печія *n* heartburn
пиво *n* beer
пика *n* muzzle
пил *n* dust
пилка *n* chainsaw
пилок *n* pollen
пильний *adj* watchful
пильнування *n* vigil
пиляти *v* file
пиріг *n* pie, tart
писати *v* write
письменник *n* writer
письмо *n* writing
письмовий *adj* written
питати *v* ask, inquire
пити *v* drink
питний *adj* drinkable
пиха *n* disdain
пихатий *adj* haughty
пихатість *n* pomposity

пишнота *n* splendor
пияцтво *n* drunkenness
піаніно *n* piano
піаніст *n* pianist
південний *adv* southbound
південний *adj* southern
південь *n* afternoon
півень *n* cock, rooster
півкуля *n* hemisphere
північ *n* north
північний *adj* northern
північний схід *n* northeast
півострів *n* peninsula
пігулка *n* pill
під *pre* under
підбадьорити *v* cheer up
підборіддя *n* chin
підбурювання *n* incitement
підбурювати *v* bolster
підвал *n* cellar
підвищення *n* upturn
підвищувати *v* enhance
підв'язка *n* garter
підготовка *n* preparation
піддавати *v* expose
підібрати *v* pick up
підійматися *v* go up
підіймач *n* hoist
підійти *v* step up
підйом *n* lift-off

підкидати *v* throw up
підкоряти *v* subject
підкорятися *v* submit
підкрадатися *v* emphasize
підкупляти *v* bribe
підливка *n* gravy
підлий *adj* infamous
підлість *n* meanness
підліток *n* adolescent
підлога *n* floor
піднебіння *n* palate
піднесений *adj* elated
піднесеність *n* flight
підніжжя *n* foot
піднімати *v* elevate, lift
підніматися *v* ascend
підніматися *v* rise
піднос *n* tray
підняття *n* elevation
підозра *n* hunch, inkling
підозрілий *adj* suspicious
підозрюваний *n* suspect
підозрювати *v* suspect
підошва *n* sole
підпал *n* arson
підпирати *v* bolster
підпис *n* signature
підписатися *v* subscribe
підписка *n* subscription
підпірка *n* bracket

підприємець *n* entrepreneur
підприємство *n* enterprise
підрахунок *n* calculation
підривати *v* undermine
підрізувати *v* trim
підробка *n* forgery
підроблений *adj* counterfeit
підробляти *v* fake, forge
підробний *adj* fake
підручник *n* textbook
підсилювати *v* reinforce
підсилювач *n* amplifier
підслуховувати *v* eavesdrop
підсмажений *adj* parched
підсмажувати *v* toast
підсміятися *n* hoax
підсолоджувати *v* sweeten
підстава *n* basis, ground
підставка *n* stand
підстрибувати *v* bounce
підступний *adj* devious
підсумовувати *v* sum up
підсумок *n* outcome
підтвердження *n* confirmation
підтверджувати *v* affirm
підтримка *n* backing
підтримувати *v* back, sustain
підтягати *v* hitch up
підтяжки *n* suspenders
підхід *n* approach

П

підходити *v* approach
підхожий *adj* suitable
підшивати *v* file
піжама *n* pajamas
пізній *adv* late
пізній сніданок *n* brunch
пізніше *adv* later
пізніший *adj* later
піймати *v* snare
пік *n* peak
пікантність *v* savor, zest
пікірування *v* nosedive
піклуватися *v* care
піліґрим *n* pilgrim
пілот *n* pilot
піна *n* foam
пінгвін *n* penguin
пінта *n* pint
пінцет *n* tweezers
піонер *n* pioneer
піраміда *n* pyramid
пірат *n* pirate
піратство *n* piracy
пірнання *n* diving
пірнати *v* dive, plunge
пірсинг *n* piercing
після *pre* since
після чого *c* whereupon
пісний *adj* lean
пісня *n* chant, song

пісок *n* sand
пістолет *n* handgun
піт *n* perspiration
пітніти *v* perspire
пітон *n* python
піхота *n* infantry
піч *n* furnace
пішохід *n* pedestrian
плавання *n* voyage
плавати *v* navigate, swim
плавець *n* swimmer
плавно *adv* smoothly
плазун *n* reptile
плакат *n* placard, poster
плакати *v* weep
план *n* plan
планета *n* planet
планувати *v* plan, plot
пластичний *n* plastic
плата *n* fee, toll
платина *n* platinum
платити *v* pay
платня *n* salary
платформа *n* platform, stage
плач *n* cry
плащ *n* raincoat
племінник *n* nephew
племінниця *n* niece
плем'я *n* tribe
плетений *adj* woven

п

плече *n* shoulder
пливти *v* float
плин *n* course, lapse
плита *n* stove
плівка *n* film
пліснявіти *v* mold
пліт *n* raft
плітки *n* gossip
пліткувати *v* gossip
плодючий *adj* fruitful
плоский *adj* flat
плоскогір'я *n* plateau
плотський *adj* carnal
плоть *n* flesh
площа *n* area
плутанина *n* confusion
плутоній *n* plutonium
плювати *v* spit
плюшевий *adj* plush
пляж *n* beach
пляма *n* blot
плямочка *n* speck
плямувати *v* blot, spot
пляшка *n* bottle
пневмонія *n* pneumonia
по *pre* against
побачення *n* date
побічний *adj* lateral
поблажливий *adj* indulgent
поблажливість *n* leniency

побляклий *adj* faded
побожний *adj* devout
побоювання *n* misgivings
повага *n* respect
поважати *v* esteem, respect
поведінка *n* behavior
повернення *n* return
повернутися *v* get back
повертати *v* recover
повертатися *v* return
поверх *n* floor
поверхня *n* surface
повзати *v* crawl
повід *n* rein
повідомлення *n* message
повідомляти *v* inform
повіка *n* eyelid
повільний *adj* slow
повільно *adv* slowly
повірник *n* confidant
повісити *v* hang up
повітря *n* air
повітряна куля *n* balloon
повна ложка *n* spoonful
повний *adj* complete, full
повністю *adv* fully
повнолітній *n* major
поводитися *v* behave
поворот *n* twist
повставати *v* rebel, revolt

П

повстанець *n* rebel
повстання *n* uprising
повтор *n* replay
повторення *n* repetition
повторювати *v* reiterate
повторюватися *v* recur
пов'язаний *adj* related
поганий *adj* bad, ill
погано *adv* badly
погашати *v* amortize
погіршений *adj* degenerate
погіршення *n* deterioration
погіршувати *v* deteriorate
погіршуватися *v* worsen
поглинальний *adj* absorbent
поглинання *n* intake
поглинати *v* engulf
погляд *n* feelings
погода *n* weather
погодження *n* adjustment
погоджуватися *v* agree
погодитися *v* settle for
погойдуватися *v* wiggle
погоня *n* chase
пограбування *n* loot
пограбувати *v* burglarize
погрожувати *v* threaten
подавати позов *v* sue
подагра *n* gout
податки *n* dues

податливий *adj* compliant
податок *n* imposition
подвиг *n* exploit, feat
подвійний *adj* ambivalent
подвоювання *n* duplication
подвоювати *v* double
подих *n* breath
подібний *adj* similar
подібність *n* semblance
подібно *adv* likewise
поділ *n* separation
подільний *adj* divisible
подія *n* event
подобатися *v* like
подовжувати *v* lengthen
подолати *v* overcome
подорож *n* journey, tour
подорожувати *v* travel
подрібнювати *v* pulverize
подрімати *v* snooze
подруга *n* girlfriend
подружній *adj* conjugal
подряпина *n* graze, scratch
подув *n* blow, puff
подушка *n* cushion, pillow
подяка *n* gratitude
поезія *n* poetry
поет *n* poet
пожежник *n* firefighter
поживний *adj* nutritious

пожилець *n* inmate
пожинати *v* devour
поза *adv* off
позбавлений *adj* deprived
позбавлення *n* deprivation
позбавляти *v* deprive
позбуватися *v* rid of, unload
позбутися *v* forfeit
поздоровляти *v* congratulate
поздоровний *adj* complimentary
позивач *n* plaintiff
позика *n* loan
позитивний *adj* positive
позиція *n* position
позичати *v* borrow, lend
позіхання *n* yawn
позіхати *v* yawn
позначати *v* denote
позов *n* claim
поїзд *n* train
поїздка *n* journey, trip
поїхати *v* drive away
показний *adj* imposing
показувати *v* display, exhibit
покарання *n* punishment
покаяння *n* repentance
поки *c* while
покидати *v* desert
покинутий *adj* deserted
покірний *adj* meek

покірність *n* humility
покладатися на *v* rely on
покласти *v* put
покликання *n* calling
поклоніння *n* adoration
покоївка *n* maid
покоління *n* generation
покращувати *v* upgrade
покривало *n* bedspread
покривати *v* cover
покритий *adj* shrouded
покриття *n* coat
покручений *adj* twisted
покупець *n* buyer
покупка *n* shopping
покуштувати *v* taste
поле *n* field
полегшувати *v* relieve
полиці *n* shelves
полиця *n* shelf
полігаміст *adj* polygamist
полігамія *n* polygamy
полігон *n* butt
поліпшення *n* improvement
поліпшувати *v* improve
полірування *n* polish
полірувати *v* polish
поліс *n* policy
політ *n* flight
політик *n* politician

П

політика *n* politics
поліцейський *n* policeman
поліція *n* police
полк *n* regiment
полковник *n* colonel
половина *n* half
пологи *n* delivery
положення *n* place
поломка *n* breakdown
полон *n* captivity
полонений *n* captive
полоскати *v* gargle, rinse
полоти *v* weed
полотно *n* canvas
полохати *v* flush
полум'я *n* flame
полуниця *n* strawberry
польський *adj* Polish
Польща *n* Poland
полювання *n* hunting
полювати *v* hunt
полюс *n* pole
полярний *adj* polar
померти *v* depart
помилка *n* fallacy, error
помилковий *adj* erroneous
помилятися *v* err, mistake
помирати *v* die
поміж *pre* between
помірний *adj* moderate

помірність *n* moderation
помірно *adv* sparingly
помітний *adj* conspicuous
помітно *adv* notably
помічати *v* notice
помічник *n* aide, helper
поміщати *v* bestow
помста *n* revenge
пом'якшувати *v* soften
понаднормово *adv* overtime
поневолювати *v* enthrall
понеділок *n* Monday
понижувати *v* degrade
поновлювати *v* renew
понос *n* diarrhea
понтифік *n* pontiff
понурий *adj* downcast
поняття *n* concept, notion
попереджати *v* warn
попередній *adj* preceding
поперек *n* hip
поперечний *adj* cross
попіл *n* ash
попільничка *n* ashtray
попкорн *n* popcorn
поплатитись *v* forfeit
поплескування *n* pat
поповнювати *v* refill
поправка *n* amendment
популярний *adj* popular

П

пора *n* pore
порада *n* advice
поразка *n* defeat
поранити *v* injure, wound
порив *n* blast
поринати *v* duck
пористий *adj* porous
порівну *adv* fifty-fifty
порівнювати *v* compare
порівняльний *adj* comparative
порівняний *adj* comparable
порівняння *n* comparison
порівняно з *pre* versus
поріг *n* doorstep
порода *n* breed
породжувати *v* breed
порожнина *n* cavity
порожній *adj* bare, empty
пором *n* ferry
порох *n* gunpowder
порочний *adj* vicious
порошок *n* powder
порт *n* port
портрет *n* portrait
Португалія *n* Portugal
портфель *n* briefcase
портьєра *n* drape
поруч *pre* alongside
поручитися *v* bail out
поручні *n* rail

поруччя *n* handrail
порушення *n* infraction
порушувати *v* disturb
поряд *adv* abreast
поряд з *pre* beside
порядність *n* decency
порядок *n* discipline
порядок денний *n* agenda
порятунок *n* salvation
посада *n* assignment
посадка *n* landing
посвячувати *v* ordain
поселенець *n* settler
поселення *n* colony
поселити *v* lodge
посередник *n* mediator
посередність *n* mediocrity
посилання *n* allusion
посилати *v* send
посилатися *v* refer to
посилка *n* package
посилювати *v* intensify
посібник *n* handbook
послабити *v* loosen
посланець *n* messenger
посланник *n* envoy
послідовний *adj* coherent
послідовний *n* disciple
послідовність *n* consistency
посміхатися *v* smile

П

посміховище *n* laughing stock
посмішка *n* smile
посміюватися *v* chuckle
посол *n* ambassador
посольство *n* embassy
поспішати *v* hasten, hurry
поспішний *adj* hasty
поспішність *n* haste
поспішно *adv* hastily
постава *n* setup
постанова *n* decree
постановляти *v* decree
постачальник *n* supplier
постачати *v* furnish
постійний *adj* constant
постільні речі *n* bedding
постріл *n* shot
поступатися *v* concede
поступливий *adj* pliable
поступовий *adj* gradual
посуд *n* glassware
потворний *adj* ugly
потворність *n* ugliness
потенційний *adj* potential
потерпілий *n* casualty
потертий *adj* shabby
потиск *n* grip
потік *n* stream, torrent
потім *adv* afterwards
потіти *v* sweat

потомство *n* posterity
потоп *n* deluge
поточний *adj* current
потреба *n* need
потребувати *v* need
потрійний *adj* triple
потрясати *v* convulse
потрясіння *n* convulsion
потужний *adj* powerful
потурати *v* pander
потьмяніти *v* dim
похвала *n* praise
похвальний *adj* praiseworthy
похилий *adj* slanted
похід *n* hike
похідний *adj* derivative
похітливий *adj* lustful
похіть *n* lust
похмурий *adj* dismal
походження *n* ancestry
походити *v* originate, stem
похорон *n* burial, funeral
поцілунок *n* kiss
почасти *adv* somewhat
початківець *n* beginner
початковий *adj* initial
початок *n* beginning
почерк *n* handwritting
почин *n* initiative
починати *v* begin, start

почувати *v* feel
почуття *n* feeling, sense
пошана *n* homage
пошарпаний *adj* seedy
поширювати *v* circulate
пошкоджений *adj* hurt
пошкоджувати *v* impair
пошкодити *v* hurt, injure
пошта *n* mail
поштовх *n* knock, jolt
поштучно *adv* apiece
пошук *n* search
пошуки *n* quest
поява *n* appearance
пояс *n* belt
пояснення *n* clarification
пояснювати *v* explain
правда *n* truth
правдивий *adj* truthful
правий *adj* right
правило *n* rule
правильний *adj* correct
правильно *adv* alright
правитель *n* ruler
правління *n* board
право *n* law, right
право голосу *n* franchise
правопис *n* spelling
православний *adj* orthodox
прагматик *adj* pragmatist

прагнення *n* aspiration
прагнути *v* aspire, strive
практика *v* practice
практикуючий *adj* practising
практичний *adj* practical
пральня *n* laundry
прапор *n* banner, flag
прасувати *v* iron
праці *n* proceedings
працівник *n* employee
працьовитий *adj* industrious
працювати *v* operate
преамбула *n* preamble
предмет *n* item, object
предок *n* ancestor
представляти *v* represent
представник *n* factor
предтеча *n* precursor
пред'явник *n* bearer
презентація *n* presentation
президент *n* president
президентство *n* presidency
презирство *n* contempt
прекрасний *adj* splendid
прелюдія *n* prelude
премія *n* bonus
прерогатива *n* prerogative
престиж *n* prestige
претендент *n* applicant
претензія *n* pretension

П

префікс *n* prefix
прецедент *n* precedent
прибиральник *n* janitor
прибирати *v* spruce up
прибічник *n* partisan
приблизний *adj* approximate
приборкання *n* mortification
приборкувати *v* curb
прибувати *v* arrive
прибудови *n* belongings
прибутковий *adj* lucrative
прибуток *n* profit, income
прибуття *n* arrival
привабливий *adj* attractive
привабливість *n* allure
приваблювати *v* captivate
приватний *adj* private
привид *n* ghost
привід *n* plea
привілей *n* privilege
привіт *n* regards
привітання *n* welcome
привітний *adj* affable
привчати *v* accustom
прив'язь *n* leash
пригнічений *adj* dejected
пригніченість *n* hangup
пригнічення *n* oppression
пригода *n* adventure
приготування *n* cooking

пригощання *n* treat
придане *n* dowry
придатний *adj* eligible
придатність *n* availability
придбавати *v* purchase
придбання *n* purchase
придушувати *v* quell, repress
приєднання *n* affiliation
приєднувати *v* adjoin
приєднуватися *v* join
приємний *adj* enjoyable
приз *n* prize
приземлений *adj* down-to-earth
приземлятися *v* land
призма *n* prism
призначати *v* appoint, assign
призначення *n* appointment
призов *n* draft
призовник *n* conscript
призупинення *n* suspension
призупиняти *v* suspend
приймати *v* accept, adopt
прийменник *n* preposition
прийнятний *adj* acceptable
прийняття *n* acceptance
прийом *n* reception
приказка *n* saying
прикидання *n* pretense
прикидатися *v* feign
приклад *n* example

П

прикладати v enclose
прикмета n omen
прикметник n adjective
прикордонний adj borderline
прикраса n garnish
прикрашати v beautify
прикрий adj regrettable
прикриття n coverup
прикріпляти v affix, attach
прикрість n chagrin
прилавок n counter
прилад n gear
приладдя n utensil
прилеглий adj adjoining
прилив n tide
приманка n bait
примара n apparition
применшувати v belittle
примиритися з v face up to
примирливий adj conciliatory
примиряти v conciliate
примірка adj fitting
примірник n copy
приморський adj seaside
примус n coercion
примусовий adj compulsive
примусово adv forcibly
примушувати v coerce, force
примха n whim, fad
принижувати v demean

принижуючий adj demeaning
принизливий adj degrading
приносити v bring
принц n prince
принцеса n princess
принцип n maxim
припадок n fit
припаси n supplies
припиняти v cease
приписувати v attribute
приплив n influx
приправа n condiment
приправляти v relish
припускати v presume
припускають v presuppose
припущення n assumption
прирівнювати v equate
приріст n increment
природа n nature
природжений adj innate
природний adj natural
приручати v domesticate
присвячення n consecration
присвячувати v dedicate
присідати v crouch
прискіпуватися v nag
прискорювати v accelerate
прислівник n adverb
прислів'я n proverb
пристань n wharf

п

пристібати _v_ buckle up
пристойний _adj_ decent
пристойність _n_ decorum
пристосовний _adj_ adaptable
пристосовувати _v_ adapt
пристрасний _adj_ passionate
пристрасть _n_ ardor
пристрій _n_ device
приступ _n_ attack
приступити до _v_ get down to
присутній _adj_ present
присутність _n_ presence
присяга _n_ oath
присяжні _n_ jury
притаманний _adj_ intrinsic
приткнути _v_ misplace
притулитися _v_ cuddle
притулок _n_ shelter, refuge
притупляти _v_ deaden
притча _n_ parable
притягатися _v_ gravitate
притягувати _v_ attract
прихильність _n_ affection
прихід _n_ coming
прихований _adj_ hidden
приховувати _v_ conceal
приходити _v_ come
причал _n_ berth
причалювати _v_ moor
причина _n_ reason, cause

причіп _n_ trailer
прищ _n_ pimple
приязний _adj_ lovable
приятель _n_ buddy, pal
прізвисько _n_ nickname
прізвище _n_ last name
пріоритет _n_ priority
прірва _n_ gulf
про _pre_ about
проба _n_ sample
пробіг _n_ mileage
пробка _n_ cork
проблема _n_ issue
проблиск _n_ glimmer
пробний _adj_ tentative
пробудження _n_ awakening
провалитися _v_ fall through
провалля _n_ precipice
провина _n_ guilt, fault
провід _n_ duct, wire
провідний _adj_ leading
провінція _n_ province
провіщати _v_ foreshadow
провокувати _v_ provoke
провулок _n_ lane
проганяти _v_ chase away
проголошення _n_ proclamation
проголошувати _v_ acclaim
програма _n_ program
програміст _n_ programmer

П

прогрес *n* progress
прогулюватися *v* stroll
прогулянка *n* outing
продавати *v* sell
продавець *n* salesman
продаж *n* sale
продиратися *v* scramble
продовження *n* sequel
продовжити *v* extend
продовжувати *v* continue
продукт *n* product
продукція *n* production
проект *n* blueprint
проектувати *v* project
прожектор *n* floodlight
проживання *n* dwelling
проживати *v* reside
проза *n* prose
прозорий *adj* see-through
проїзд *n* driveway
прокажений *n* leper
проказа *n* leprosy
прокидатися *v* awake
проклинати *v* curse, damn
прокляття *n* damnation
прокол *n* puncture
прокурор *n* prosecutor
пролазити *v* squeeze up
пролісок *n* mercury
пролог *n* prologue

пролом *n* breach
пролунати *v* crack
промайнути *v* glimpse
промах *n* blunder
променад *n* promenade
промивати *v* irrigate
промисловість *n* industry
проміжок *n* gap
промінь *n* beam, ray
промовець *n* speaker
проникати *v* penetrate
проникливий *adj* shrewd
проносний *adj* laxative
пропаганда *n* propaganda
прописувати *v* prescribe
проповідник *n* preacher
проповідувати *v* preach
проповідь *n* homily, sermon
пропозиція *n* offer
пропонування *n* offering
пропонувати *v* offer
пропорція *n* proportion
пропуск *n* omission
пропускати *v* leave out, omit
прорив *n* blowout
пророк *n* prophet
проростати *v* germinate
пророцтво *n* prophecy
просити *v* ask, beg
прославляти *v* glorify

П

просочуватися *v* leak
проспект *n* avenue
простата *n* prostate
простий *adj* plain, simple
простимий *adj* forgivable
простирадла *n* sheets
просто *adv* merely
просторий *adj* spacious
простота *n* simplicity
простуда *n* chill
проступати *v* exude
простягання *n* reach
простягати *v* hold out
простягнутий *adj* outstretched
просування *n* advance
просувати *v* promote
просуватися *v* advance
просунути *v* move up
проте *c* but
протеїн *n* protein
протест *n* protest
протестувати *v* protest
проти *pre* against
противник *n* assailant
протидіяти *v* counteract
протилежний *adj* contrary
протилежність *n* opposite
протинати *v* pierce
протиотрута *n* antidote
протиріччя *n* contradiction

протистояти *v* confront
протока *n* channel, strait
протокол *n* protocol
прототип *n* prototype
протягом *pre* during
протягом ночі *adv* overnight
протяжність *n* extent
професійний *adj* professional
професія *n* profession
професор *n* professor
прохання *n* petition
прохати *v* appeal, solicit
прохід *n* aisle, passage
проходити *v* get by, pass
прохолода *n* coolness
прохолодний *adj* chilly
процвітання *n* prosperity
процвітати *v* flourish
процвітаючий *adj* prosperous
процедура *n* procedure
процес *n* process
процесія *n* procession
прочинений *adj* ajar
прочуханка *n* spanking
прощання *n* farewell
прощати *v* forgive
прощення *n* absolution
прояв *n* display
прояснити *v* clarify
прояснитися *v* brighten

П

пружність *n* bounce
пряжа *n* yarn
пряжка *n* buckle
пряма кишка *n* rectum
прямий *adj* erect, straight
прямокутний *adj* rectangular
прямокутник *n* rectangle
прямуючий *adj* bound for
пряний *adj* spicy
пряність *n* spice
прясти *v* spin
псевдонім *n* pseudonym
психіатр *n* psychiatrist
психіатрія *n* psychiatry
психічний *adj* psychic
психологія *n* psychology
психопат *n* psychopath
псувати *v* pervert, spoil
птах *n* bird
птиця *n* poultry
публікація *n* publication
публічно *adv* publicly
пудинг *n* pudding
пузир *n* bubble
пульс *n* pulse
пульсація *n* throb
пульсувати *v* pulsate
пункт *n* item
пунктуальний *adj* punctual
пуп *n* belly button

пупок *n* navel
пустеля *n* desert
пустий *adj* void
пустота *n* emptiness
пустощі *n* prank
путівник *n* guidebook
пухир *n* blister
пухлина *n* tumor
пухнастий *adj* furry
пухнути *v* swell
пучок *n* cluster
пшениця *n* wheat
пюре *n* puree
п'явка *n* leech
п'ядь *n* span
п'яний *adj* drunk
п'ята *n* heel
п'ятдесят *adj* fifty
п'ятий *adj* fifth
п'ятнадцять *adj* fifteen
п'ятниця *n* Friday
п'ять *adj* five

р

раб *n* slave
рабин *n* rabbi
рабство *n* bondage

п
р

рада n council
радар n radar
радити v advise
радіатор n radiator
радіо n radio
радісний adj glad
радісно adv joyfully
радість n joy
радіти v exult
радіус n radius
радник n adviser
радянський adj soviet
разом adv together
рай n paradise
район n borough
рак n cancer
ракета n missile
ракетка n racket
раковий adj cancerous
рама n frame
ранг n rank
раніше adv already
рано adv early
ранок n morning
ранчо n ranch
раптовий adj sudden
раптово adv abruptly
расизм n racism
расистський adj racist
ратифікація n ratification

ратифікувати v ratify
ратуша n city hall
рафінувати v refine
рахувати v count
рахунок n account
раціональний adj rational
рвати v rip
реабілітувати v rehabilitate
реагувати v react
реакція n reaction
реалізм n realism
реальність n reality
ребро n rib
рев n roar
ревматизм n rheumatism
ревнивий adj jealous
ревнощі n jealousy
револьвер v revolver
ревти v roar
ревю n revue
регенерація n regeneration
регент n regent
регіон n region
регіональний adj regional
регульований adj adjustable
регулювання n regulation
регулювати v adjust
регулярність n regularity
регулярно adv regularly
редагувати v edit

р

редакція n desk
редиска n radish
реєстр v register
реєстрація n registration
реєструвати v log
реєструватися v check in
режим n regime
резерви n backlog
резервуар n basin
резервувати v reserve
резолюція n resolution
результат n result
резюмувати v brief
рейдер n raider
реклама n publicity
рекламний n advertising
рекламувати v advertise
ректор n rector
релігійний adj religious
релігія n religion
релікт n relic
рельєф n relief
ремінь n strap
ремісник n artisan
ремонт n alteration
репатріювати v repatriate
репетирувати v rehearse
репетитор n tutor
репетиція n rehearsal
репліка n replica

репортер n reporter
репресалія n reprisal
репресія n repression
репутація n reputation
республіка n republic
реставрація n restoration
ресторан n diner
ресурс n resource
референдум n referendum
реферí n referee
реформа n reform
реформувати v reform
рецензія n critique
рецепт n prescription
рецидив n recurrence
речення n clause
речі n belongings
речовина n matter
решта n remainder
рештки n remains
риба n fish
рибалка n fisherman
рибний adj fishy
ривок n jerk
ридання n sob
ридати v sob
ризик n risk
ризикований adj risky
ризикувати v dare
рима n rhyme

р

ринок *n* market
рис *n* rice
рись *n* lynx
ритм *n* beat
риф *n* reef
риштування *n* scaffolding
рівень *n* level
рівний *adj* equal
рівнина *n* plain
рівність *n* equality
рівновага *n* balance, poise
рівноцінний *adj* tantamount to
рівняння *n* equation
ріг *n* corner
рід *n* family
рідина *n* fluid
рідкісний *adj* rare
рідко *adv* rarely
рідне місто *n* hometown
рідний *adj* akin
рідня *n* in-laws
різанина *n* massacre
різати *v* cut
Різдво *n* Christmas
різдвяний піст *n* Advent
різець *n* cutter
різкий *adj* brusque
різкість *n* harshness
різний *adj* different
різниця *n* difference

різнобічний *adj* versatile
різноманітити *v* diversify
різноманітний *adj* varied
різнорідний *adj* dissimilar
рій *n* swarm
рік *n* year
ріка *n* river
річ *n* thing
річний *adj* perennial
річниця *n* anniversary
рішення *n* decision
рішучий *adj* decisive
рішучість *n* determination
робити *v* do
робити знову *v* redo
робити похід *v* hike
робота *n* action
роботаv *n* work
роботодавець *n* employer
робоча сила *n* manpower
робочий *n* laborer
робочий зошит *n* workbook
родзинка *n* raisin
родимка *n* mole
родина *n* household
родити *v* yield
родич *n* relative
родючий *adj* fertile
родючість *n* fertility
рожевий *adj* pink

р

розарій *n* rosary
розбавляти *v* dilute
розбещений *adj* corrupt
розбещеність *n* depravity
розбещувати *v* corrupt
розбивати *v* break up
розбити *v* crash
розбитий *adj* broken
розбіжність *n* discrepancy
розбійник *n* robber
розбрат *n* strife
розвага *n* amusement
розважальний *adj* entertaining
розважати *v* amuse
розважливий *adj* judicious
розвивати *v* develop
розвиватися *v* evolve
розвиток *n* development
розвідник *n* scout
розвінчувати *v* debunk
розвіювання *n* dispersal
розвіювати *v* dispel
розводити *v* water down
розв'язувати *v* unleash
розгадувати *v* unravel
розгалуження *n* ramification
розглядати *v* consider, overhaul
розгніваний *adj* irate
розголошувати *v* divulge
розгорнути *v* spread

розгортання *n* deployment
розгортати *v* deploy
розгублений *adj* mixed-up
роздавати *v* hand out
роздавлювати *v* crush
розділ *n* chapter
розділяти *v* share
розділятися *v* separate
роздувати *v* bloat
роздумувати *v* meditate
роздутий *adj* bloated
роздягальня *n* locker room
роздягати *v* dismantle
роздягатися *v* undress
роз'єднаність *n* disunity
роз'єднувати *v* disconnect
роззброєння *n* disarmament
розійтися *v* drift apart
роз'їдати *v* corrode
розказувати *v* narrate
розкаюватися *v* repent
розкаяння *n* contrition
розквіт *n* heyday
розкидати *v* scatter
розкидатися *v* sprawl
розкіш *n* luxury
розкішний *adj* de luxe
розклад *n* corruption
розкладати *v* decompose
розкол *n* split

р

розкопувати v excavate
розкривати v disclose
розкриття n showdown
розлад n disorder
розладнаний adj disorganized
розладнати v derail
розладнувати v frustrate
розливати v bottle; spill
розлучатися v divorce
розлучений n divorcee
розлучення n divorce
розлючувати v brutalize
розминатися v warm up
розминка n stretch
розмір n magnitude
розміщення n layout
розміщувати v allocate
розмова n conversation
розмовляти v chat
розмотувати v unwind
розм'якшувати v pad
розорений adj broke
розоритися v crash
розпадатися v come apart
розпаковувати v unpack
розпалений adj red-hot
розпалювати v spark off
розпинання n crucifixion
розпинати v crucify
розплав n fusion

розплідник n kennel
розплутувати v disentangle
розповідати v detail
розподіл n allotment
розподіляти v allot
розправа n carnage
розпродаж n clearance
розпроданий adj sold-out
розпускати v disband
розп'яття n crucifix
розраховувати v reckon
розрив n blowout
розривати v rip apart
розрівнювати v bulldoze
розріз n cut
розрізати v slit
розрізняти v discern
розробка n development
розряд n category
розряджати v defuse
розсіювати v disperse
розсіяний adj sparse
розслаблений adj relax
розслаблятися v chill out
розстібати v unbutton
розсуд n discretion
розсудливий adj prudent
розсудливість n prudence
розташований adj located
розтин n autopsy

розтрата *n* devastation
розтрачувати *v* embezzle
розтягати *v* strain
розтягувати *v* space out
розтягувач *n* stretcher
розум *n* mind
розуміння *adj* understanding
розуміти *v* apprehend
розумний *adj* clever
розумовий *adj* mental
розхитаний *adj* cranky
розходитися *v* disperse
розчарований *adj* disenchanted
розчаровувати *v* disappoint
розчарування *n* disillusion
розчин *n* solution
розчинення *n* dissolution
розчинний *adj* soluble
розчинник *adj* solvent
розчиняти *v* dissolve
розчісувати *v* comb
розширення *n* enlargement
розширювати *v* broaden
розширяти *v* expand
розшукувати *v* search
ром *n* rum
роман *n* novel
романіст *n* novelist
роса *n* dew
російський *adj* Russian

Росія *n* Russia
рослина *n* plant
рости *v* grow
рот *n* mouth
ртуть *n* mercury
рубати *v* chop
рубін *n* ruby
руда *n* ore
рудник *n* mine
руйнівний *adj* devastating
руйнівник *n* destroyer
руйнування *n* collapse
руйнувати *v* baffle
руйнуватися *v* collapse
рука *n* arm
рукав *v* *n* sleeve
рукавичка *n* glove
рукопис *n* manuscript
рум'янець *n* blush
русалка *n* mermaid
рутина *n* routine
рух *n* motion
рухати *v* propel
рухатися *v* move
ручка *n* grip
ручний *adj* manual
ручної роботи *adj* handmade
рушник *n* towel
рюкзак *n* backpack
ряд *n* rank

p

ряса *n* cassock
рясний *adj* abundant
рятівник *n* lifeguard
рятування *n* rescue
рятувати *v* rescue
рятунок *n* redemption

С

саботаж *n* sabotage
саботувати *v* sabotage
сад *n* garden
саджати *v* plant
садист *n* sadist
садівник *n* gardener
салат *n* salad
салат-латук *n* lettuce
салон краси *n* dresser
самець *n* male
самітний *adj* solitary
самітність *n* solitude
самогубство *n* suicide
самоповага *n* self-esteem
самота *n* privacy
самотній *adj* alone
самотність *n* loneliness
самоцвіт *n* gem
саму себе *pro* herself

сани *n* sleigh
санкція *n* sanction
сановник *n* dignitary
сантиметр *n* centimeter
сапфір *n* saphire
сарана *n* locust
сардина *n* sardine
сарказм *n* sarcasm
саркастичний *adj* sarcastic
сатанинський *adj* satanic
сатира *n* satire
сваритися *v* quarrel
сварка *n* altercation
сварливий *adj* grumpy
свекор *n* father-in-law
свербіти *v* itch
сверблячка *n* itchiness
свердлити *v* bore
светр *n* sweater
свинина *n* pork
свинка *n* mumps
свинство *n* bestiality
свиня *n* hog, pig
свиріпа *n* rape
свист *n* whistle
свистіти *v* hiss, whistle
свідок *n* eyewitness
свідомий *adj* conscious
свідомість *n* conciousness
свідомо *adv* knowingly

свідоцтво *n* certificate
свідчення *n* testimony
свідчити *v* attest, testify
свіжий *adj* fresh, crisp
свіжість *n* freshness
свій *pro* his
світ *n* world
світанок *n* dawn
світитися *v* glow
світлий *adj* light
світло *n* light
світлофор *n* streetlight
світський *adj* profane
свічка *n* candle
свічник *n* candlestick
свобода *n* freedom
своєрідний *adj* opportune
своєчасний *adj* timely
святий *adj* holy
святий *n* saint
святилище *n* sanctuary
святість *n* holiness
святковий *adj* festive
святкування *n* celebration
святкувати *v* celebrate
свято *n* festivity
святотатство *n* sacrilege
священик *n* priest, minister
священний *adj* sacred
священство *n* priesthood

себе *pro* myself
сегмент *n* segment
сезон *n* season
сезонний *adj* seasonal
секретар *n* secretary
секретний *adj* undercover
сексуальність *n* sexuality
секта *n* sect
сектор *n* sector
селера *n* celery
село *n* village
селянин *n* peasant
семестр *n* semester, term
семінарія *n* seminary
сенат *n* senate
сенатор *n* senator
сенсація *n* sensation
сентенція *n* maxim
сер *n* sir
сервант *n* cupboard
серветка *n* napkin
сердитий *adj* angry
серед *pre* among
середа *n* Wednesday
середина *n* middle
середина літа *n* midsummer
середній *adj* mean
сережка *n* earring
серенада *n* serenade
сержант *n* sergeant

С

серія *n* series
серйозний *adj* grave
серйозність *n* seriousness
серйозно *adv* gravely
серп *n* hook
серпень *n* August
серце *n* heart
серцебиття *n* heartbeat
серцевий *adj* cardiac
сесія *n* session
сестра *n* sister
сеча *n* urine
сигара *n* cigar
сигарета *n* cigarette
сигнал *n* signal
сигналити *v* honk
сидіння *n* seat
сидіти *v* sit
сидр *n* cider
сидячий *adj* seated
сила *n* force, power
силует *n* silhouette
сильний *adj* burly, strong
сильно *adv* badly
сильнодіючий *adj* potent
символ *n* symbol
символічний *adj* symbolic
симетрія *n* symmetry
симпатія *n* liking
симптом *n* symptom

симулювати *v* simulate
симфонія *n* symphony
син *n* son
синагога *n* synagogue
синій *adj* blue
синод *n* synod
синонім *n* synonym
синтез *n* synthesis
синяк *n* bruise
сипучий пісок *n* quicksand
сир *n* cheese
сирена *n* siren
сирий *adj* crude, raw
сироватка *n* serum
сировина *n* staple
сироп *n* syrup
сирота *n* orphan
система *n* system
сисунець *adj* sucker
сито *n* strainer
ситуація *n* situation
сифіліс *n* syphilis
сідло *n* saddle
сік *n* juice
сікач *n* chopper
сікти *v* flog
сіль *n* salt
сільський *adj* rural
сім *adj* seven
сімдесят *adj* seventy

сімнадцять *adj* seventeen

сім'я *n* family

сіно *n* hay

сіпання *n* jerk

сіпатися *v* jerk

сірий *adj* gray

сірка *n* sulphur

сірник *n* match

сіруватий *adj* grayish

сітка *n* mesh

січень *n* January

сіяти *v* sow

скажений *adv* berserk

сказ *n* rabies

сказати *v* tell

скальп *n* scalp

скам'янілий *adj* petrified

скам'яніліість *n* fossil

скандал *n* brawl

сканувати *v* scan

скарб *n* treasure

скарбник *n* treasurer

скарга *n* complaint

скаржитися *v* complain

скасовувати *v* annul, cancel

скасування *n* repeal

скасувати *v* overrule

скатертина *n* cloth

скелет *n* skeleton

скеля *n* cliff, rock

скелястий *adj* rocky

скептичний *adj* sceptic

скибочка *n* slice

скиглити *v* whine

скидати *v* precipitate

скинення *n* overthrow

скинути *v* overthrow

скипати *v* curdle

скіс *n* scarf

склад *n* depot, storage

складати *v* compose

складатися *v* consist

складка *n* pleat

складний *adj* intricate

складність *n* complexity

скликати *v* convene

скло *n* glass

склянка *n* glass

скоба *n* clamp

сковорода *n* frying pan

скоєний *adj* committed

скорбота *n* mourning

скорботний *adj* sorrowful

скоринка *n* crust

скорочення *n* contraction

скорочувати *v* abridge, curtail

скорочуватися *v* dwindle

скорпіон *n* scorpion

скот *n* cattle

скрип *n* creak

С

скрипаль *n* violinist

скрипіти *v* creak, squeak

скрипка *n* fiddle, violin

скрипучий *adj* squeaky

скрізь *adv* overall

скріпка *n* paperclip

скріпляти *v* bolt, fasten

скромний *adj* humble

скромність *n* modesty

скромно *adv* humbly

скроня *n* temple

скрупульозний *adj* meticulous

скрута *n* quandery

скрутний *adj* stranded

скульптор *n* sculptor

скульптура *n* sculpture

скупий *adj* avaricious

скупій *n* miser

скупість *n* avarice

скупчений *adj* congested

скупчуватися *v* congregate

скутер *n* scooter

слабкий *adj* faint, frail

слабкість *n* weakness

слабнути *v* languish

слава *n* fame, glory

славетний *adj* glorious

сланець *n* slate

слива *n* plum

слиз *n* mucus

слизький *adj* slippery

слимак *n* snail

слина *n* saliva

слід *n* footprint, step

слідкувати *v* track

слідство *n* inquest

слідувати *v* follow

слізливий *adj* tearful

сліпий *adj* blind

сліпо *adv* blindly

сліпота *n* blindness

сліпучий *adj* dazzling

словесно *adv* verbally

словник *n* dictionary

слово *n* word

слон *n* elephant

слонова кістка *n* ivory

слуга *n* attendant

служба *n* office, service

службовець *n* officer

службовий *adj* official

служити *v* serve

слух *n* ear

слухання *n* hearing

слухати *v* listen

слухач *n* listener

слухняний *adj* docile

слюсар *n* locksmith

смажений *adj* fried

смажити *v* broil, fry

C

смак *n* gusto, taste
смалець *n* grease, lard
смарагд *n* emerald
смачний *adj* delicious
смердіти *v* stink
смердючий *adj* fetid
смертельний *adj* deadly
смертне ложе *n* deathbed
смертний *adj* mortal
смертність *n* mortality
смертоносний *adj* lethal
смерть *n* death, parting
сміливий *adj* daring, bold
сміливість *n* audacity
сміти *v* dare
смітник *v* landfill
сміття *n* garbage, trash
сміх *n* laugh, laughter
смішний *adj* comical, funny
сміятися *v* laugh
смоктати *v* suck
сморід *n* stench
смуга *n* stripe
смугастий *adj* striped
смужка *n* strip
смуток *n* dismay, gloom
снайпер *n* sniper
снаряд *n* projectile
снитися *v* dream
сніг *n* snow

снігопад *n* snowfall
сніданок *n* breakfast
сніжинка *n* snowflake
собака *n* dog
собор *n* cathedral
сова *n* owl
сода *n* soda
сокира *n* ax
соковитий *adj* succulent
солдат *n* soldier
солідарність *n* solidarity
соловей *n* nightingale
солодкий *adj* sweet
солодкість *n* sweetness
солодощі *n* sweets
солома *n* straw
солоний *adj* salty
сон *n* dream, sleep
сонний *adj* drowsy
сонце *n* sun
сонячний *adj* solar, sunny
сорок *adj* forty
сором *n* shame
соромити *v* shame
соромливий *adj* bashful, shy
сорочка *n* blouse, shirt
сорт *n* brand, sort
сортувати *v* sort out
соска *n* comforter
сосна *n* pine

С

сосок *n* nipple

сотий *adj* hundredth

соус *n* sauce

соціалізм *n* socialism

сочевиця *n* lentil

сочитися *v* trickle

союз *n* alliance, union

союзний *adj* allied

союзник *n* ally

спад *n* recession, downturn

спадv *n* slump

спадати *v* ebb, flow, wane

спадковий *adj* hereditary

спадкоємець *n* beneficiary

спадкоємиця *n* heiress

спадок *n* patrimony

спадщина *n* heritage

спазм *n* spasm

спазма *n* cramp

спалах *n* flare, flash

спалахувати *v* flare-up

спальня *n* bedroom

спаржа *n* asparagus

спати *v* sleep

спека *n* heatwave

спекуляція *n* speculation

сперечатися *v* argue, dispute

сперма *n* sperm

спеціальний *adj* special

спеціальність *n* specialty

спина *n* back, rear

спиратися *v* recline

спис *n* spear

список *n* schedule

спів *n* anthem

співак *n* singer

співати *v* crow

співвідносити *v* correlate

співвітчизник *n* compatriot

співіснувати *v* coexist

співробітник *n* collaborator

співучасник *n* accomplice

співучасть *n* complicity

співчувати *v* sympathize

співчутливий *adj* compassionate

співчуття *n* sympathy

спідниця *n* skirt

спідня білизна *n* underwear

спіймати *v* land

спілкування *n* communion

спілкуватися *v* communicate

спільний *n* joint

спільно *adv* jointly

спір *n* contest

спірний *adj* contentious

сплав *n* alloy

сплячий *adj* asleep

сповідати *v* confess

сповідник *n* confessor

спогад *n* recollection

споглядати v behold
споживання n consumption
споживати v consume
споживач n consumer
спокій n calm, ease
спокійний adj calm, serene
спокійно adv still
спокуса n temptation
спокусливий adj enticing
спокутування n expiation
спокутувати v atone, expiate
спокушати v entice, lure
сполучатися v conjugate
сполучення n compound
спонсор n sponsor
спонтанний adj spontaneous
спонтанність n spontaneity
спонукання n urge
спонукати v spur, induce
спорадичний adj sporadic
споріднений adj congenial
спорідненість n kinship
спорожняти v empty
спорт n sport
спортивний adj sporty
спортсмен n sportman
споряджати v equip
спосіб n mode, fashion
спосіб життя n lifestyle
спостерігати v observe

спостерігач n bystander
спотворення n distortion
спотворювати v deface
спотикатися v falter
спочатку adv initially
справа n affair, matter
справді adv indeed
справедливість n fairness
справедливо adv justly
справжній adj authentic
справитися v cope
спраглий adj thirsty
сприймати v perceive
сприйняття n perception
спритний adj agile, deft
спричиняти v cause
сприяти v minister, foster
сприятливий adj auspicious
спроба n attempt
спроможний adj able
спростовувати v disprove
спрощувати v simplify
спрямовувати v head for
спуск n descent
спускати v trigger
спускатися v descend
спустошення n havoc
спустошувати v ravage
сп'янілий adj intoxicated
срібло n silver

C

ссавець *n* mammal
стабільність *n* stability
ставати *v* become
ставити *v* set up, set
ставка *n* bet, bid
ставлення *n* treatment
ставок *n* pond, pool
стадний *adj* gregarious
стажер *n* trainee
стайня *n* barn, stable
сталість *n* constancy
сталь *n* steel
стан *n* state
стандарт *n* standard
становити *v* amount to
стара діва *n* spinster
старечий *adj* senile
старий *adj* decrepit, old
старійшина *n* elder
старість *n* old age
старомодний *adj* outmoded
старший *adj* major, senior
старшинство *n* seniority
статечний *v* sedate
статистика *n* statistic
стаття *n* article, clause
статус *n* status, charter
статуя *n* statue
стать *n* gender, sex
стверджувати *v* validate

створення *n* creation
створювати *v* create
стебло *n* stalk
стегно *n* hip, thigh
стежити *v* trace
стежка *n* trail
стеля *n* ceiling
стенографія *n* shorthand
степлер *n* stapler
стерилізувати *v* sterilize
стерпний *adj* bearable
стиглий *adj* mellow, ripe
стикатися *v* clash
стиль *n* style
стимул *n* incentive
стимулювати *v* stimulate
стирати *v* erase
стирчати *v* stick out
стиск *n* clutch
стискання *n* contraction
стискати *v* contract
стискувати *v* compress
стислий *adj* concise
стислість *n* brevity
стібок *n* stitch
стіг *n* stack
стіг сіна *n* haystack
стійкий *adj* steady, sturdy
стійло *n* stall
стікати *v* drain

С

стіл *n* table
стілець *n* chair, pew
стіна *n* wall
стісувати *v* hack
сто *adj* hundred
стовбур *n* stem
стовп *n* post, pillar
стогін *n* groan, lament
стогнати *v* groan, lament
стоїк *adj* stoic
стола *n* tar
столиця *n* metropolis
століття *n* century
столові вироби *n* silverware
стоматолог *n* dentist
стомлений *adj* tired
стомливий *adj* tedious
стомлюваність *n* tedium
стомлювати *v* exhaust
сторінка *n* page
сторіччя *n* centenary
сторож *n* custodian
сторона *n* side
сторонній *adj* extraneous
сторонній *n* outsider
стосовно *pre* regarding
стосуватися *v* concern
стосунки *n* relationship
стояк *n* pier
стоянка *n* parking

стояння *n* standing
стояти *v* stand
стоячий *adj* stagnant
страва *n* dish
стравохід *n* esophagus
страждання *n* suffering
страждати *v* suffer
страждати від *v* suffer from
страйк *n* walkout
стратегія *n* strategy
страус *n* ostrich
страх *n* dismay, fear
страхітливий *adj* horrendous
страхування *n* insurance
страчувати *v* dispatch
страшний *adj* dreadful
стрес *n* stress
стресовий *adj* stressful
стрибати *v* hop
стрибок *n* bounce, jump
стривожений *adj* uptight
стригти *v* clip, shear
стрижка *n* haircut
стриманий *adj* discreet
стриманість *n* restraint
стримуваний *adj* pent-up
стримування *n* retention
стримувати *v* constrain
стримуватися *v* abstain
стріла *n* arrow

С

стрілка *n* index
стрільба *n* fire, gunfire
стріляти *v* fire, shoot
стрічка *n* band, ribbon
строк *n* time
стругати *v* whittle
структура *n* structure
стрункий *adj* slim
струс *n* concussion
студент *n* student
стук *n* knock
стукати *v* knock
стукатися *v* clash
ступінь *n* degree
ступка *n* mortar
стурбований *adj* anxious
стюардеса *n* stewardess
стягувати *v* levy
суб'єкт *n* subject
субота *n* Saturday
субсидія *n* subsidy
субсидувати *v* subsidize
субтитр *n* subtitle
сувенір *n* souvenir
суверенітет *n* sovereignty
суверенний *adj* sovereign
сувій *n* scroll
суворий *adj* strict, stern
суворість *n* austerity
суворо *adv* sternly

суд *n* court
суддя *n* judge
судитися *v* litigate
судно *n* vessel, craft
судома *n* convulsion
судомити *v* convulse
суєта *n* vanity
сузір'я *n* constellation
сукальник *n* twister
сукупність *n* totality
сума *n* amount, sum
суміжний *adj* adjacent
сумісний *adj* compatible
сумісність *n* compatibility
суміш *n* blend, mixture
сумка *n* bag
сумлінний *adj* diligent
сумління *n* conscience
сумний *adj* deplorable
сумнів *n* doubt
сумніватися *v* distrust
сумнівний *adl* doubtful
сумочка *n* handbag
сумувати *v* grieve, sadden
суп *n* soup
суперечити *v* contradict
суперечка *n* dispute
супермаркет *n* supermarket
суперник *n* adversary
суперництво *n* rivalry

С

супутник *n* satellite
сусід *n* neighbor
сусідній *adj* next door
суспільство *n* society
сутичка *n* clash
сутінки *n* nightfall
сутність *n* essence
суть *n* core, intention
сухий *adj* arid, dry
суцільний *adj* entire
сучасний *adj* modern
сучок *n* limb
сушений *adj* dried
сушильник *n* dryer
сушити *v* sap
сфера *n* sphere
схвалення *n* approval
схвалювати *v* approve
схема *n* diagram
схематичний *adj* sketchy
схибити *v* miss
схил *n* slope
схильний *adj* prone
схильність *n* propensity
схилятися *v* incline
схід *n* east, orient
схід сонця *n* sunrise
східець *n* stair
східний *adj* eastern
сховати *v* cover up

сховатися *v* shelter
сховище *n* bunker
сходження *n* climbing
сходи *n* staircase
сходити *v* light
сходитися *v* converge
схожий *adj* alike
схожість *n* likeness
схопити *v* seize
схоплювати *v* grip
схрещування *n* cross
сцена *n* scene
сценарій *n* scenario
сценічний *adj* scenic
сьогодні *adv* today
сьомий *adj* seventh
сьорбати *v* sip
сяючий *adj* ablaze
сяяння *n* beam

Т

та *c* and
табір *n* camp
табурет *n* stool
таверна *n* tavern
таврувати *v* earmark
таємний *adj* clandestine

**С
Т**

таємниця *n* mystery
таємничий *adj* mysterious
таємно *adv* secretly
таз *n* basin
таїнство *n* sacrament
так *adv* yes
так званий *adj* so-called
так чи інакше *pro* anyhow
такий *adj* such
таким чином *adv* hereby
також *adv* also
також не *adv* neither
також не *c* nor
таксі *n* cab
тактика *n* tactics
тактичний *adj* tactical
тактовний *adj* tactful
тактовність *n* tact
талан *n* luck
талант *n* talent
талія *n* waist
там *adv* there
танець *n* dance
танути *v* defrost
танці *n* dancing
танцювати *v* dance
таранити *n* tarantula
тарган *n* cockroach
тариф *n* tariff
тарілка *n* dish

тато *n* dad
тварина *n* animal
тваринний *adj* bestial
твердження *n* assertion
твердий *adj* staunch
твердити *v* allege
твердість *n* firmness
тверднути *v* harden
твердо *adv* surely
тверезий *adj* sober
твір *n* creation
творець *n* creator, maker
творчий *adj* creative
творчість *n* creativity
театр *n* theater
теж *adv* also
теза *n* thesis
текст *n* text
текстура *n* texture
текти *v* flow
телебачення *n* television
телеграма *n* telegram
телепатія *n* telepathy
телескоп *n* telescope
телефон *n* phone
телефонувати *v* phone
теля *n* calf
телятина *n* veal
тема *n* subject, theme, topic
темний *adj* dark, grave

Т

темниця *n* dungeon
темніти *v* darken
темно-синій *adj* navy blue
темнота *n* darkness
температура *n* temperature
темрява *n* gloom
тенденція *n* tendency
теніс *n* tennis
тент *n* awning
теорія *n* theory
тепер *adv* nowadays
тепленький *adj* lukewarm
теплий *adj* warm
теплиця *n* greenhouse
тепло *n* warmth
тепловий удар *n* heatstroke
терапія *n* therapy
тераса *n* terrace
територія *n* territory
термін *n* deadline
терміновий *adj* urgent
термінологія *n* terminology
терміт *n* termite
термометр *n* thermometer
термостат *n* thermostat
тероризм *n* terrorism
тероризувати *v* terrorize
терорист *n* terrorist
терпимий *adj* tolerable
терпимість *n* tolerance

терпіння *n* patience
терпіти *v* bear, endure
терпкий *adj* harsh
терти *v* rub, scrub
тертя *n* friction
тесляр *n* carpenter
теслярство *n* carpentry
техніка *n* technique
технічний *adj* technical
технологія *n* technology
течія *n* flow
теща *n* mother-in-law
ти *pro* you
тигр *n* tiger
тиждень *n* week
тил *n* rear
тим часом *adv* meantime
тимчасовий *adj* provisional
тинятися *v* loiter
тип *n* type
типовий *adj* typical
тираж *n* circulation
тиранія *n* tyranny
тиск *n* pressure
тиснути *v* press
тисяча *adj* thousand
тисячоліття *n* millennium
титул *n* dignity
тихий *adj* quiet
тиша *n* hush, silence

T

ті *adj* those
тікати *v* fly, flee
тілесний *adj* bodily
тіло *n* body
тільки *adv* only
тінистий *adj* shady
тінь *n* shadow
тісто *n* dough
тітка *n* aunt
тканина *n* cloth, fabric
ткання *n* loom
ткати *v* weave
тлумачення *n* interpretation
товари *n* goods
товариство *n* fellowship
товариський *adj* sociable
товариш *n* fellow
товарний знак *n* trademark
товкти *v* crush
товпитися *v* huddle
товпитися *n* throng
товстий *adj* corpulent, fat
тоді *c* as
тоді *adv* then
тоді як *c* whereas
той *adj* that
той самий *adj* same
той що вижив *n* survivor
токсин *n* toxin
токсичний *adj* toxic

том *n* volume
томат *n* tomato
тому *adv* therefore
тон *n* tone
тонік *n* tonic
тонкий *adj* thin, subtle
тонкийv *adj* slender
тонко *adv* thinly
тонко різати *v* slice
тонна *n* ton
тонути *v* drown
топтати *v* trample
торгівля *n* commerce
торговець *n* dealer, trader
торгувати *v* deal, trade
торгуватися *v* bargain
торкання *n* graze
торт *n* cake
торф *n* turf
тост *n* toast
тостер *n* toaster
тоталітарний *adj* totalitarian
точило *n* sharpener
точка зору *n* standpoint
точний *adj* accurate
точність *n* accuracy
точно *adv* expressly
трава *n* grass
травень *n* May
травинка *n* blade

Т

травлення *n* digestion
травма *n* injury
травматичний *adj* traumatic
травмувати *v* traumatize
травний *adj* digestive
трагедія *n* tragedy
трагічний *adj* tragic
традиція *n* tradition
траєкторія *n* trajectory
трактор *n* tractor
трамвай *n* streetcar
трамплін *n* springboard
транзит *n* transit
транс *n* trance
трап *n* ladder
трахея *n* windpipe
тремтіння *n* shudder
тремтіння *v* shudder
тремтіння *n* tremor
тремтіти *v* tremble, shiver
тремтячий *adj* vibrant
тренер *n* coach, trainer
тренування *n* coaching
тренувати *v* coach
тренуватися *v* drill
третій *adj* third
три *adj* three
трибуна *n* grandstand
трибунал *n* tribunal
тривалий *adj* lasting

тривалість *n* duration
тривати *v* last
тривога *n* alarm, alert
тривожний *adj* alarming
тригер *n* trigger
тридцять *adj* thirty
трикутник *n* triangle
тримати *v* hold
триматися за *v* hold on to
триместр *n* trimester
тринадцять *adj* thirteen
триніжок *n* tripod
тріска *n* cod
тріскотіти *v* rattle
тріумф *n* triumph
тріщати *v* crack
тріщина *n* break
тромб *n* clot
тромбоз *n* thrombosis
трон *n* throne
тропік *n* tropic
тропічний *adj* tropical
тротуар *n* pavement
трофей *n* trophy
трохи *n* little bit
троянда *n* rose
труба *n* pipe, trumpet
трубопровід *n* pipeline
трудитися *v* toil
труднощі *n* hardship

Т

труна *n* coffin
труп *n* corpse
трюк *n* gimmick
трясовина *n* quagmire
трясти *v* shake, jolt
туалет *n* rest room
туберкульоз *n* tuberculosis
тугий *adj* stiff
тужити *v* yearn
тужіння *n* wail
тулуб *n* torso, trunk
туман *n* fog, mist
туманний *adj* foggy, misty
тунель *n* tunnel
туніка *n* tunic
тупий *adj* blunt, dense
тупик *n* dead end
тупиковий *adj* deadlock
тупість *n* bluntness
турбіна *n* turbine
турбота *n* concern, care
турбувати *v* disturb
турбуватися *v* worry
Туреччина *n* Turkey
туризм *n* tourism
турист *n* tourist
турнір *n* tournament
турок *n* Turk
тут *adv* here
тьмяний *adj* dim

тьмяніти *v* tarnish
тюлень *n* seal
тюльпан *n* tulip
тюремник *n* jailer
тютюн *n* tobacco
тяга *n* traction
тягар *n* burden
тягти *v* drag, pull, haul
тягтися *v* tail
тяжіння *n* attraction
тяжка втрата *n* bereavement
тямкий *adj* docile
тямущість *n* docility

У

убивати *v* kill
убивство *n* killing, murder
убивця *n* murderer
убогий *adj* squalid
уболівальник *n* fan
убрання *n* clothing
увага *n* attention
уважний *adj* mindful
уважно *adv* closely
ув'язнення *n* confinement
ув'язнювати *v* imprison
угода *n* transaction, deal

удар *n* beat, hit, strike
ударити *v* bang
ударитися *v* bump into
ударяти *v* hit, kick
удача *n* luck
удачливий *adj* lucky
удобрювати *v* fertilize
удостоїти *v* deign
удостоювати *v* dignify
узаконювати *v* legalize
узбережжя *n* coast
узгір'я *n* hillside
узгоджувати *v* harmonize
узурпувати *v* usurp
указ *n* decree
укладальник *n* layer
укладати *v* conclude
украсти *v* snitch
укриття *n* hideaway
укріплений *adj* entrenched
укріпляти *v* fix
укус *n* bite
уламки *n* wreckage
уламок *n* chip
улесливість *n* adulation
ультиматум *n* ultimatum
ультразвук *n* ultrasound
улюбленець *n* pet
улюблений *adj* favorite
умілий *adj* efficient

уміння *n* skill
умова *n* condition
умови угоди *n* terms
умовляння *n* admonition
умовляти *v* coax
умовний *adj* conventional
ум'ятина *n* dent
унизу *adv* below
уникати *v* avert, avoid
уникнення *n* avoidance
університет *n* university
унікальний *adj* unique
уніфікація *n* unification
уніфікувати *v* unify
уніформа *n* uniform
унція *n* ounce
уособлювати *v* personify
упевнений *adj* certain
упевненість *n* certainty
упередження *n* bias
упертий *adj* stubborn
упиратися *v* persist
уподібнення *n* assimilation
управління *n* management
управляти *v* administer
ура *n* cheers
ураган *n* hurricane
уразливий *adj* vulnerable
урізати *v* cut back
урна *n* urn

урожай *n* crop
урок *n* lesson
урочистий *adj* solemn
усамітнений *adj* secluded
усиновлений *adj* adoptive
усиновляти *v* affiliate
ускладнення *n* complication
ускладнювати *v* involve
усно *adv* orally
успадковувати *v* inherit
успадкування *n* inheritance
успіх *n* hit, success
успішний *adj* successful
установа *n* institution
установка *n* installation
установлення *adj* fitting
устриця *n* oyster
усувати *v* eliminate
усунення *n* disposal
утворення *n* composition
утворювати *v* constitute
утекти *v* escape
утікати *v* get away
утіха *n* consolation
утішати *v* console
утримання *n* abstinence
утримуваний *adj* deductible
утримувати *v* deter
утримуватися *v* refrain, withhold
ухвала *n* award

ухвалити *v* arbitrate
ухильний *adj* evasive
ухиляння *n* evasion
ухилятися *v* shirk
учасник *n* contestant
участь *n* participation
учений *adj* learned
ученість *n* scholarship
учень *n* apprentice
ущелина *n* gorge
уява *n* imagination
уявляти *v* visualize

ф

фабрика *n* factory
фабрикувати *v* fabricate
фаза *n* phase
фазан *n* pheasant
факел *n* torch
факт *n* fact
фактичний *adj* factual
фактично *adv* virtually
фактор *n* agent, factor
факультет *v* falsify
фальшивий *adj* phoney
фанатизм *n* bigotry
фанатик *n* bigot

фанатичний *adj* fanatic
фантазія *adj* fantasy
фантастичний *adj* fantastic
фантом *n* phantom
фарба *n* paint
фарбувати *v* dye, paint
фармацевт *n* pharmacist
фарс *n* farce
фартух *n* apron
фарфор *n* porcelain
фарш *n* mincemeat
фасад *n* frontage
фатальний *adj* fatal
фах *n* feat
фахівець *n* technician
федеральний *adj* federal
феєрверк *n* fireworks
ферма *n* farm
фермер *n* farmer
фея *n* fairy
фіалка *n* violet
фізика *n* physics
фізично *adj* physically
фіктивний *adj* fictitious
філе *n* loin
філей *n* sirloin
філія *n* branch office
філософ *n* philosopher
філософія *n* philosophy
фільм *n* film, movie

фільтр *n* filter
фільтрувати *v* filter
фінансовий *adj* financial
фінансувати *v* finance, fund
Фінляндія *n* Finland
фінський *adj* Finnish
фіолетовий *adj* purple
фіорд *n* fjord
фірма *n* firm
фішка *n* counter
флагшток *n* flagpole
фланг *n* flank
флейта *n* flute
фліртувати *v* flirt
флот *n* fleet
фобія *n* phobia
фокус *n* focus
фокус *v* focus on
фон *n* background
фонд *n* fund
фонди *n* funds
фонтан *n* fountain
форель *n* trout
форма *n* form, shape
формальність *n* formality
формат *n* format
формування *n* formation
формувати *v* shape
формула *n* formula
форт *n* fort

фортеця *n* fortress
фосфор *n* phosphorus
фото *n* photo
фотоапарат *n* camera
фотограф *n* photographer
фотографія *n* photography
фотокопія *n* photocopy
фрагмент *n* fragment
фраза *n* phrase
Франція *n* France
французький *adj* French
фрахтувати *v* charter
фрегат *n* frigate
фрикаделька *n* meatball
фрукт *n* fruit
фруктовий *adj* fruity
фундамент *n* foundation
фундук *n* hazelnut
функція *n* function
фургон *n* wagon, van
футбол *n* football

Х

хабар *n* bribe, kickback
хабарництво *n* bribery
халат *n* robe, gown
халатність *n* negligence

халупа *n* shack
хаос *n* chaos, mayhem
хаотичний *adj* chaotic
хапати *v* grasp
хапатися *v* snatch
характер *n* character
характерний *adj* characteristic
харизма *n* charisma
хартія *n* charter
харчування *n* nutrition
хатина *n* cabin, hut
хатній *adj* indoor
хвалити *v* praise
хвалитися *v* boast, brag
хвастати *v* display
хватати *v* grab
хватка *n* grasp
хвилина *n* minute
хвилювання *n* commotion
хвилювати *v* excite
хвиля *n* wave
хвилястий *adj* wavy
хвіст *n* tail
хворий *adj* ailing, sick
хвороба *n* disease, illness
херес *n* sherry
хиба *n* defect
хибний *adj* perverse
хитання *n* reel
хитатися *v* stagger, wobble

хиткий *adj* shaky
хитрий *adj* astute, wily
хитрість *n* ploy, trick
хитрощі *n* ruse
хихикати *v* giggle
хімік *n* chemist
хімічний *adj* chemical
хімія *n* chemistry
хірург *n* surgeon
хірургічний *adv* surgical
хлист *n* whip
хліб *n* bread
хлопання *n* flop
хлопець *n* boy, guy
хльостати *v* lash
хлюпатися *v* splash
хмара *n* cloud
хмарний *adj* cloudy
хмарочос *n* skyscraper
хмикання *n* hem
хмуритися *v* frown
хобі *n* hobby
ховати *v* bury, hide
ховатися *v* lurk
ходити *v* walk, go
ходіння *n* walk
холера *n* cholera
холестерин *n* cholesterol
холод *n* chill
холодильник *n* icebox

холодний *adj* freezing
хор *n* choir, chorus
хоробрий *adj* brave
хоробрість *n* bravery
хороший *adj* good
хорт *n* greyhound
хотіти *v* want, wish
хотіти пити *v* thirst
хоч *c* although
хоча *c* though
храм *n* temple
хранитель *n* curator
хребет *n* backbone
хребець *n* vertebra
хрест *n* cross
хрестити *v* baptize
хрестоносець *n* crusader
хрещення *n* baptism
хрипіти *v* wheeze
хрипкий *adj* hoarse
християнство *n* Christianity
християнський *adj* christian
хроніка *n* chronicle
хронічний *adj* chronic
хронологія *n* chronology
хропіння *n* snore
хропіти *v* snore
хрусткий *adj* crisp, crunchy
хтивий *adj* prurient
хто *pro* who

X

хто б не *pro* whoever
хто-небудь *pro* anybody
худий *adj* lean, meager
худоба *n* livestock
художник *n* artist, painter
художній *adj* artistic
худорлявий *adj* skinny
хуліган *n* hoodlum
хуліганити *v* vandalize
хусточка *n* handkerchief
хутір *n* hamlet
хутро *n* fur

Ц

цар *n* czar
царство *n* realm
царювати *v* reign
цвинтар *n* cemetery
цвіль *n* mold
цвіркун *n* cricket
цвісти *v* bloom
цвітна капуста *n* cauliflower
цвях *n* nail
цеглина *n* brick
цей *adj* this
цемент *n* cement
цензура *n* censorship

цент *n* cent
центр *n* center, focus
центр міста *n* downtown
центральний *adj* central
центрувати *v* center
церемонія *n* ceremony
церква *n* church
цех *n* guild
цибулина *n* bulb
цибуля *n* onion
цивілізація *n* civilization
цивілізувати *v* civilize
цивільний *adj* civic
циган *n* gypsy
цикл *n* cycle
циклон *n* cyclone
циліндр *n* cylinder
цинізм *n* cynicism
цинічний *adj* cynic
цинк *n* zinc
цирк *n* circus
цистерна *n* cistern
цитата *n* quotation
цитувати *v* quote
циферблат *n* dial
цифра *n* digit, figure
ці *adj* these
ціанід *n* cyanide
цікавий *adj* curious
цікавитися *v* care

Х
Ц

цікавість *n* curiosity
ціле життя *adj* lifetime
цілий *adj* whole
цілитель *n* healer
цілитися *v* aim
цілісність *n* integrity
цілковитий *adj* implicit
цілком *adj* altogether
цілувати *v* kiss
ціль *n* target
ціна *n* cost, price
цінний *adj* valuable
цінувати *v* appreciate
цнотливий *adj* chaste
цнотливість *n* chastity
цукерка *n* candy
цукор *n* sugar

Ч

чавкання *n* champ
чагарник *n* shrub
чай *n* tea
чайка *n* seagull
чайна ложка *n* teaspoon
чайник *n* kettle, teapot
чаклун *n* wizard
чаклунство *n* sorcery

чарівний *adj* charming
чарівник *n* magician
чарівність *n* charm
чарувати *v* charm
чаруючий *adj* enthralling
час *n* time
часи *n* times
часник *n* garlic
частий *adj* frequent
частина *n* share, portion
частинами *adv* piecemeal
частка *n* particle
частковий *adj* half
частково *adv* partially
часто *adv* often, frequent
частота *n* frequency
чаша *n* bowl, chalice
чашка *n* cup
чверть *n* quarter
чек *n* check
чекання *n* waiting
чекати *v* await
чекова книжка *n* checkbook
чемодан *n* suitcase
чемпіон *n* champion
червень *n* June
червоний *adj* red
червоний *v* blush, redden
черв'як *n* worm
черга *n* queue

Ц
Ч

чергувати _v_ alternate
черевик _n_ boot, shoe
черево _n_ abdomen
черевце _n_ tummy
через _pre_ across, per
череп _n_ skull
черепаха _n_ tortoise, turtle
черепиця _n_ tile
чернетка _n_ draft
чернець _n_ friar
черниця _n_ nun
чесний _adj_ honest, fair
чесність _n_ honesty
чеснота _n_ virtue
честолюбний _adj_ ambitious
честь _n_ honor
четвер _n_ Thursday
четвертий _adj_ fourth
чи _c_ if, whether
чинити опір _v_ resist
чинний _adj_ effective
чип _n_ chip
численний _adj_ multiple
число _n_ number
чистий _adj_ clean, pure
чистилище _n_ purgatory
чистити _v_ brush, clean
чистота _n_ cleanliness
читання _n_ reading
читати _v_ read

читач _n_ reader
чіплятися _v_ haggle
чіткий _adj_ clear-cut
чіткість _n_ clearness
членство _n_ membership
човгати _v_ shuffle
човен _n_ boat
човник _v_ shuttle
чоловік _n_ husband, male
чоловічий _adj_ masculine
чому _adv_ why
чорний _adj_ black
чорний хід _n_ backdoor
чорнило _n_ ink
чорнослив _n_ prune
чорнота _n_ blackness
чотири _adj_ four
чотирнадцять _adj_ fourteen
чохол _n_ case
чудо _n_ marvel, miracle
чудовий _adj_ wonderful
чудотворний _adj_ miraculous
чужий _adj_ strange
чужоземець _n_ stranger
чуйний _adj_ responsive
чума _n_ plague
чути _v_ hear
чутка _n_ hearsay, rumor
чутливий _adj_ sensitive
чутний _adj_ audible

ч

чуттєвий *adj* sensual
чхання *n* sneeze
чхати *v* sneeze

Ш

шакал *n* jackal
шале *n* chalet
шалений *adj* fierce, frantic
шанобливий *adj* respectful
шанс *n* chance
шантаж *n* blackmail
шантажувати *v* blackmail
шанування *n* reverence
шанувати *v* venerate
шапка *n* cap
шар *n* layer
шарада *n* charade
шахи *n* chess
шахрай *n* cheater, swindler
шахрайство *n* fraud, scam
шахрайський *adj* fraudulent
шахта *n* pit
шахтар *n* miner
швачка *n* seamstress
шведський *adj* Sweedish
швейцар *n* usher
Швейцарія *n* Switzerland

Швеція *n* Sweden
швидкий *adj* fast, swift
швидкість *n* speed
швидко *adv* quickly
швидше *adv* rather
шедевр *n* masterpiece
шепіт *n* whisper
шепотіти *v* murmur, whisper
шерсть *n* fleece
шеф-кухар *n* chef
шибеник *n* brat
шибениця *n* gallows
шикарний *adj* classy
шикуватися *v* line up
шимпанзе *n* chimpanzee
шинка *n* ham
ширина *n* width
широкий *adj* broad, large
широкі штани *n* slacks
широко *adv* broadly
широта *n* breadth
шити *v* sew, stitch
шиття *n* sewing
шия *n* neck
шістдесят *adj* sixty
шістнадцять *adj* sixteen
шість *adj* six
шкаралупа *n* shell
шкарпетка *n* sock
шкатулка *n* casket

Ч
Ш

шквал _n_ flaw
шків _n_ pulley
шкідливий _adj_ damaging
шкіра _n_ leather, skin
шкірка _n_ peel
шкода _n_ detriment
шкодити _v_ harm
шкодувати _v_ regret
школа _n_ school
шкребти _v_ scrape
шкутильгання _n_ limp
шкутильгати _v_ limp
шлак _n_ cinder
шланг _n_ hose
шлунковий _adj_ gastric
шлунок _n_ stomach
шльопати _v_ spank
шлюб _n_ marriage
шлюз _n_ floodgate
шлях _n_ path, way
шляхопровід _n_ viaduct
шматок _n_ bit, chunk
шматок м'яса _n_ scrap
шматочок _n_ morsel
шнур _n_ cord
шнурок _n_ braid, lace
шов _n_ seam
шовк _n_ silk
шовк-сирець _n_ floss
шокований _adj_ shaken

шоколад _n_ chocolate
шокувати _v_ shock
шокуючий _adj_ shocking
шолом _n_ helmet
шорти _n_ shorts
шосе _n_ highway
шостий _adj_ sixth
шофер _n_ chauffeur
шпигувати _v_ spy
шпигун _n_ spy
шпигунство _n_ espionage
шпора _n_ spur
шприц _n_ syringe
шрам _n_ scar
шрапнель _n_ shrapnel
шрифт _n_ type
штамп _n_ stamp
штампувати _v_ stamp
штани _n_ pants
штовханина _n_ hustle
штовхання _n_ shove
штовхати _v_ jerk
штовхатися _v_ shove
штопати _v_ darn
шторм _n_ gale
штраф _n_ penalty, fine
штрафувати _v_ fine
штрих _n_ trait
штука _n_ piece
штукатурити _v_ plaster

Ш

штукатурка *n* plaster
штурм *n* onslaught
штучний *adj* artificial
шукати *v* look for
шум *n* noise, tumult
шуміти *v* clamor
шумний *adj* tumultuous
шумно *adv* noisily
шухляда *n* drawer
щасливий *adj* fortunate
щастя *n* happiness
ще *c* even more
ще *adv* else
щебетання *n* jug
щедрість *n* bounty
щелепа *n* jaw
щеня *n* puppy
щепити *v* graft
щеплення *n* graft
щипати *v* nip, pinch
щипок *n* nip
щипці *n* pincers, pliers
щирий *adj* frank, sincere
щирість *n* sincerity
щит *n* shield
щілина *n* crevice
щілинаv *n* slot
щільний *adj* dense
щільність *n* density
щіпок *n* pinch

щітка *n* brush
що *adj* what
що залишився *adj* remaining
що можна мити *adj* washable
що п'є *n* drinker
щогла *n* mast
щогодини *adv* hourly
щоденний *adj* everyday
щоденник *n* diary, journal
щоденно *adv* daily
щодо *pre* concerning
щока *n* cheek
щомісяця *adv* monthly
що-небудь *pro* anything
щорічний *adj* annual
щорічно *adv* yearly
щось *pro* something
щотижня *adv* weekly
щупальце *n* tentacle

Ю

ювелір *n* jeweler
юнацтво *n* adolescence
юнацький *adj* juvenile
юність *n* youth
юридичний *adj* legal
юрист *n* attorney

Я

я *pro* I
яблуко *n* apple
явище *n* phenomenon
явний *adj* patent
ягня *n* lamb
ягуар *n* jaguar
ядерний *adj* nuclear
ядро *n* core
яєчник *n* ovary
язик *n* tongue
язичник *n* heathen
язичницький *adj* pagan
яйце *n* egg
як *adv* as, how
якби *c* supposing
який *adj* which
якийсь *a* a, an
якимсь чином *adv* someway
якір *n* anchor
якість *n* quality
якось *adv* somehow
якщо *c* if

якщо не *c* unless
яловичина *n* beef
яма *n* pit
ямс *n* yam
Японія *n* Japan
японський *adj* Japanese
яр *n* ravine
ярд *n* yard
ярлик *n* label
ярмарок *n* fair
ярмо *n* yoke
ясен *n* ash
яскравий *adj* bright
яскравість *n* brightness
ясла *n* nursery
ясна *n* gum
ясний *adj* clear, lucid
ясність *n* clarity
ясно *adv* clearly
яструб *n* hawk
яхта *n* yacht
ячмінь *n* barley
ящик *n* box
ящірка *n* lizard

Word to Word® Bilingual Dictionary Series

Language - Item # ISBN #

Albanian - 500X
ISBN - 978-0-933146-49-5

Amharic - 820X
ISBN - 978-0-933146-59-4

Arabic - 650X
ISBN - 978-0-933146-41-9

Bengali - 700X
ISBN - 978-0-933146-30-3

Burmese - 705X
ISBN - 978-0-933146-50-1

Cambodian - 710X
ISBN - 978-0-933146-40-2

Chinese - 715X
ISBN - 978-0-933146-22-8

Farsi - 660X
ISBN - 978-0-933146-33-4

French - 530X
ISBN - 978-0-933146-36-5

German - 535X
ISBN - 978-0-933146-93-8

Gujarati - 720X
ISBN - 978-0-933146-98-3

Haitian-Creole - 545X
ISBN - 978-0-933146-23-5

Hebrew - 665X
ISBN - 978-0-933146-58-7

Hindi - 725X
ISBN - 978-0-933146-31-0

Hmong - 728X
ISBN - 978-0-933146-31-0

Italian - 555X
ISBN - 978-0-933146-51-8

Japanese - 730X
ISBN - 978-0-933146-42-6

Korean - 735X
ISBN - 978-0-933146-97-6

Lao - 740X
ISBN - 978-0-933146-54-9

Nepali - 755X
ISBN - 978-0-933146-61-7

Pashto - 760X
ISBN - 978-0-933146-34-1

Polish - 575X
ISBN - 978-0-933146-64-8

Portuguese - 580X
ISBN - 978-0-933146-94-5

Punjabi - 765X
ISBN - 978-0-933146-32-7

Romanian - 585X
ISBN - 978-0-933146-91-4

Russian - 590X
ISBN - 978-0-933146-92-1

Somali - 830X
ISBN- 978-0-933146-52-5

Spanish - 600X
ISBN - 978-0-933146-99-0

Swahili - 835X
ISBN - 978-0-933146-55-6

Tagalog - 770X
ISBN - 978-0-933146-37-2

Thai - 780X
ISBN - 978-0-933146-35-8

Turkish - 615X
ISBN - 978-0-933146-95-2

Ukrainian - 620X
ISBN - 978-0-933146-25-9

Urdu - 790X
ISBN - 978-0-933146-39-6

Vietnamese - 795X
ISBN - 978-0-933146-96-9

All languages are two-way: English-Language / Language-English. More languages in planning and production.

Order Information

To order our Word to Word® bilingual dictionaries or any other products from Bilingual Dictionaries, Inc., please contact us at (951) 296-2445 or visit us at **www.BilingualDictionaries.com**. Visit our website to download our current catalog/order form, view our products, and find information regarding Bilingual Dictionaries, Inc.

 **Bilingual Dictionaries, Inc.**

PO Box 1154 • Murrieta, CA 92564 • Tel: (951) 296-2445 • Fax: (951) 296-9911
www.BilingualDictionaries.com

Special Dedication & Thanks

Bilingual Dicitonaries, Inc. would like to thank all the teachers from various districts accross the country for their useful input and great suggestions in creating a Word to Word® standard. We encourage all students and teachers using our bilingual learning materials to give us feedback. Please send your questions or comments via email to **support@bilingualdictionaries.**